PANORAMA

Deutsch als Fremdsprache

Carmen Dusemund-Brackhahn
Andrea Finster
Dagmar Giersberg
Steve Williams
Ulrike Würz (Phonetik)

B 1

scook Dieses Buch gibt es auch auf
www.scook.de/eb
7jqos-vtzqf

Cornelsen

Vorwort

Liebe Deutschlernende, liebe Deutschlehrende,

das Lehrwerk PANORAMA richtet sich an erwachsene Lernende ohne Vorkenntnisse, die im In- und Ausland Deutsch lernen. Der Name ist Programm: PANORAMA öffnet inhaltlich wie medial den Blick für die deutsche Sprache und die Kultur der deutschsprachigen Länder. Es führt in drei Gesamt- bzw. in sechs Teilbänden zu den Niveaustufen A1, A2 und B1 des Gemeinsamen europäischen Referenzrahmens.

Das Kursbuch

umfasst 16 abwechslungsreiche, klar strukturierte Einheiten mit jeweils sechs Seiten:

Die ersten vier Seiten vermitteln kleinschrittig neue Redemittel und Strukturen anhand von authentischen Dialogen, Lese- und Hörtexten. Die **Lerninhalte in der Kopfzeile** ermöglichen eine schnelle Orientierung.

In einem integrierten Ansatz werden alle Fertigkeiten geübt, wobei die Förderung des Hörsehverstehens eine wichtige Rolle spielt. Die wichtigsten Dialoge sind nicht nur als Audio-Dateien, sondern auch als Videoclips verfügbar. So ist die **Videoarbeit** in die Lehrwerksprogression **integriert**.

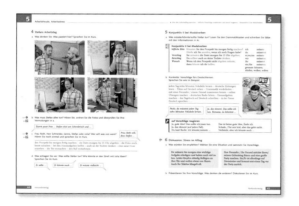

Interaktionsorientierte Aufgaben und Übungen sprechen unterschiedliche Lernertypen an und erhöhen die Chance auf schnelle und erlebbare Lernerfolge. Regelmäßige **Textarbeit** fördert das Verständnis und die Produktion von Texten. Nach der Bewusstmachung neuer Strukturen folgen gelenkte Übungs- und Automatisierungsphasen, die in **authentisches Sprachhandeln** münden. Die **Zielaufgaben** fassen eine Sequenz zusammen und trainieren realitätsnah die neu erworbenen Sprachkompetenzen.

Der Wortschatz wird systematisch vermittelt, ein Schwerpunkt liegt dabei auf den Wortverbindungen. Die neuen Wortfelder werden in Form eines **Bildlexikons** präsentiert. Die wichtigsten **Redemittel** werden **in übersichtlichen Kästen** zusammengefasst.

Die fünfte Seite bietet authentische **Lesetexte**, die Einblicke in die deutschsprachige Lebenswelt ermöglichen und zum interkulturellen Vergleich anregen.

Die letzte Seite fasst die wichtigsten Redemittel und Strukturen übersichtlich zusammen.

Nach jeweils zwei Einheiten folgen eine Deutsch-aktiv-Doppelseite und eine Panorama-Doppelseite.

Die **Deutsch-aktiv-Doppelseiten** dienen der Wiederholung von Wortschatz, Redemitteln und Strukturen im Kurs. Anhand von spielerischen Automatisierungs- und kooperativen Aufgaben mit Wettkampfcharakter wird das Gelernte gefestigt.

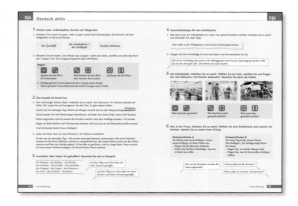

Großzügig bebilderte **Panorama-Seiten** bieten weitere Sprechanlässe und vermitteln interessante landeskundliche Informationen. Zusätzlich werden auch Menschen, die an den dargestellten Orten arbeiten, vorgestellt. Die Wortfelder und Redemittel der vorangehenden Einheiten werden angewendet und besonders um berufliche Aspekte erweitert.

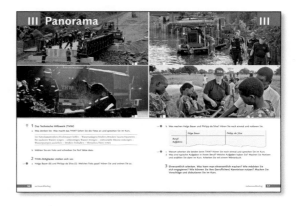

Augmented-Reality-Materialien

PANORAMA bietet eine neue Dimension des individuellen Lernens. Die zusätzlichen Materialien können zu Hause, unterwegs oder auch im Kurs mit dem Smartphone oder dem Tablet direkt aus dem Buch heraus angesehen und gehört werden.

Und so können Sie die Materialien abspielen:

1. Scannen Sie den QR-Code und laden Sie die kostenlose App **PagePlayer** herunter. Sie können die Inhalte zu PANORAMA auf Ihrem Smartphone oder Tablet speichern und jederzeit direkt aus dem Buch aufrufen.

2. Scannen Sie mit Ihrem Smartphone oder Tablet die ausgewählte Buchseite mit dem Icon ⦿. Das Material wird angezeigt und Sie können es direkt starten.

Folgende Materialien gibt es zu PANORAMA B1: **Wortschatz-Videos mit Übungsphasen** zu den meisten Wort-Bildleisten, **erklärende Grammatik-Animationen** zu ausgewählten Strukturen, **Videos mit Tipps zum Lese- und Hörverstehen** sowie **Quiz-Videos mit zusätzlichen landeskundlichen Informationen**.

Unter **www.cornelsen.de/panorama** finden Sie die Hörtexte zu den Kurs- und Übungsbüchern und weitere zusätzliche Materialien wie Lesetexte, didaktische Hilfen und interaktive Übungen.

Wir wünschen Ihnen viel Spaß und Erfolg beim Lernen und Lehren mit PANORAMA!

Inhalt

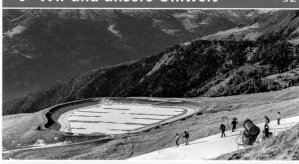

DACH bekannt

- **a** David Alaba
- **b** Bahnhofsuhr
- **c** Angela Merkel
- **d** Johanna Spyri
- **e** Albert Einstein
- **f** Rimowa-Koffer
- **g** Swarowski-Ohrringe
- **h** Steinway-Flügel

1 Berühmte Personen und Produkte

a Welche Personen oder Produkte auf den Fotos links kennen Sie? Berichten Sie im Kurs.

> *Das ist eine/ein ... Ich kenne die Firma. Sie produziert ...*

> *Ich kenne ... Sie/Er ist ... Sie/Er hat ...*

1.02–09 **b** Quiz: Wer oder was ist das? Hören Sie und ordnen Sie die Fotos auf der linken Seite zu.

c Welche Fotos links und rechts gehören zusammen? Lesen Sie auf Seite 145 und 146 und ordnen Sie zu.

> *Foto 1 gehört zu ..., weil ...*

1.02–09 **d** Wählen Sie eine Person oder ein Produkt. Hören Sie dazu den Text in b noch einmal, lesen Sie den entsprechenden Text auf Seite 145 und 146 und machen Sie Notizen. Stellen Sie Ihre Person / Ihr Produkt im Kurs vor.

> Name: ...
> Land: ...

2 Und wer sind Sie?

a Kursspaziergang. Gehen Sie durch den Kursraum, fragen und antworten Sie.

Name?   Familie?   Hobbys?
Land?   Lieblingsessen?   Lieblingsfarbe?

b Schreiben Sie einen Steckbrief über sich, nennen Sie aber Ihren Namen nicht.

> Familie: verheiratet, eine Tochter   Lieblingsessen: Nudeln mit Gemüse und Hähnchen
> Land: China   Lieblingsfarbe: ich keine, meine Tochter: hellblau
> Hobbys: Comics lesen, kochen   ...

c Kurs-Quiz: Wer ist das? Mischen Sie die Steckbriefe. Lesen und raten Sie.

> Die Person kommt aus China.
> Sie hat ein Kind und ist ...

> Ich glaube, das ist Lei!

Freitag ist Skype-Tag

Wir sind modern, flexibel und wir leben mobil. Wir ziehen zum Studium in eine andere Stadt um, wir gehen für einen neuen Job ins Ausland – alles kein Problem, oder? Man schätzt, dass ca. acht Prozent von den Paaren in Deutschland und Österreich in einer Fernbeziehung leben, also nicht in der gleichen Stadt
5 *wohnen. Das ist nicht immer einfach. Genauso wie die Trennung von guten Freunden oder von der Familie.*

Cem (26) hat seine Freundin Inga an der Universität in Riga kennengelernt und die beiden führen seit fast zwei Jahren eine Fernbeziehung. Cem kennt die
10 Vor- und Nachteile: „Wir haben uns verliebt und waren gerade drei Monate zusammen, als ich zurück nach Jena gegangen bin. Das war hart und ich habe mich oft einsam gefühlt. Jetzt habe ich mich an die Situation gewöhnt, wir sehen uns regelmäßig und
15 skypen jeden Freitag. Wir sprechen offen über alles, streiten auch manchmal … Am Anfang waren wir am Computer immer nur lieb und nett, wir wollten den anderen nicht verletzen. Einmal war ich am Freitag nicht zu Hause. Ich bin zu einer Party gegangen und wollte nicht, dass Inga sauer ist, deshalb habe ich gelogen und ihr erzählt, dass ich mit einem Freund für eine Prüfung gelernt
20 habe. Das war sehr dumm, denn später hat sie die Lüge bemerkt und war natürlich wütend. Heute sind wir beide sehr ehrlich, nur so kann man sich vertrauen. Wir sehen uns alle zwei Monate und freuen uns immer auf den anderen. Das ist ein Vorteil von Fernbeziehungen: Langweilig ist es nie!"

1 Freitag ist Skype-Tag.

a Was denken Sie: Was ist das Thema in dem Artikel? Lesen Sie die Überschrift und sehen Sie das große Foto an. Sprechen Sie im Kurs.

b Zu welchen Personen passen die Sätze? Lesen Sie und ordnen Sie zu.

1. Weil wir so oft skypen, weiß ich heute mehr von ihm als früher.
2. Ich finde es nicht gut, dass wir viele Dinge am Computer entscheiden müssen.
3. Es ist sehr wichtig, dass man auch beim Skypen offen über alles spricht.

c Welche Wörter aus dem Text passen? Ordnen Sie die markierten Wörter zu.

1. kein Kind mehr sein *einigen*
2. gemeinsam eine Lösung finden *vertrauen*
3. der anderen Person glauben *abhängig*
4. die andere Person brauchen *enger*
5. eine Beziehung ist intensiver *streiten*
6. (laut und emotional) diskutieren
7. man ist ein Paar, wohnt aber weit weg *fern*
8. sich allein fühlen
9. etwas ist komisch
10. immer sagen, was richtig/wahr ist
11. zu etwas *nein* sagen
12. jemand/etwas fehlt einer Person

> 1. erwachsen sein

d Was ist für die Personen wichtig? Wählen Sie eine Person und erzählen Sie.

> *Cem lebt in … und Inga in … Sie führen … Für Cem ist wichtig, dass …*

25

30

Kerstin (55) kommt aus Berlin, lebt aber seit zwei Jahren im Süden von Spanien. Sie hat ihren Job in Berlin gekündigt, als ihr Sohn das Abitur gemacht hat, und arbeitet jetzt als Buchautorin. „Meine Arbeit kann ich überall machen, mit dem Internet ist das kein Problem. Und mein Sohn ist erwachsen und ist nicht mehr von mir abhängig. Er lebt sein eigenes Leben in Deutschland. Trotzdem war es am Anfang merkwürdig, dass ich so weit weg war. Früher sind wir oft zusammen essen gegangen und er hat mir von der Uni oder von seinen Beziehungsproblemen erzählt. Das habe ich in Spanien sehr vermisst und habe dann vorgeschlagen: Komm, wir sagen jetzt ‚Freitag ist Skype-Tag'! Jetzt skypen wir jede Woche, nicht immer am Freitag, aber meistens. Heute habe ich das Gefühl, dass unsere Beziehung fast enger als früher ist. Das ist toll. Am schönsten ist es aber natürlich, wenn er zu Besuch kommt."

35

40

Luisa (38) ist berufstätig und hat zwei Kinder. Seit einem Jahr arbeitet ihr Mann Max auf einer Baustelle in Dubai und kommt nur jeden dritten Monat nach Hause. Luisa: „Natürlich verstehe ich, dass Max dieses Projekt nicht absagen konnte. Er verdient dort viel Geld, aber ich bin jetzt mit den Kindern allein und das ist manchmal sehr anstrengend. Max und ich skypen jeden Freitag, aber das ist oft nervig, weil die Verbindung schlecht ist. Für mich ist es sehr wichtig, dass wir die Familiendinge zusammen entscheiden. Manchmal können wir uns nicht einigen und Diskussionen über Skype sind schwierig. Auch die Kinder sind oft traurig und vermissen ihren Vater. Ich natürlich auch. Ich bin froh, wenn Max wieder zurückkommt!"

45

2 Fernbeziehung: Vor- und Nachteile

a Was sind die Vor- und Nachteile? Sammeln Sie.

> Vorteile:
> man freut sich auf die Partnerin / den Partner

> Nachteile:
> man sieht sich lange nicht

b Und Sie? Was denken Sie über Fernbeziehungen? Diskutieren Sie im Kurs.

Vor- und Nachteile nennen

Der Vorteil von einer Fernbeziehung ist, dass …	Der Nachteil von einer Fernbeziehung ist, dass …
Es ist gut/schön, dass …	Es ist nervig/schwierig, dass …
Es kann positiv sein, wenn …	Es kann auch schlecht sein, wenn …
Das Wichtigste ist, dass …	Negativ ist, wenn …, weil …

> *Eine Fernbeziehung kann schön sein. Der Vorteil ist, dass man Zeit für sich hat und sich auf den Partner freut.*

> *Ich finde es sehr nervig, dass man …*

c Was denken Sie: Hat eine Fernbeziehung mehr Vor- oder mehr Nachteile? Schreiben Sie.

> *Ich denke, eine Fernbeziehung ist … Denn in einer Fernbeziehung … Das Wichtigste ist, dass … Deshalb kommt eine Fernbeziehung für mich (auf jeden Fall / vielleicht / nicht) in Frage.*

3 Die ideale Beziehung

a Was ist Ihnen an einer Partnerin / an einem Partner am wichtigsten? Markieren Sie drei Wörter, sprechen Sie im Kurs und machen Sie eine Kursstatistik. Die Bildleiste hilft.

Kinder mögen · lustig · eifersüchtig · pünktlich · fleißig · zuverlässig · treu · ernst · intelligent · ordentlich · fröhlich · sympathisch · höflich · gut aussehen · ehrlich

Für mich ist am wichtigsten, dass sie/er gut aussieht.

Ich finde am wichtigsten, dass sie/er ... ist.

Sieben Personen finden am wichtigsten, dass ...

Fast niemand findet am wichtigsten, dass ...

1.10 b Was ist für eine Beziehung wichtig? Hören Sie das Interview und unterstreichen Sie in a.

1.10 c Was ist richtig? Hören Sie noch einmal und kreuzen Sie an.

	richtig	falsch
1. Eine Studie hat nach den Partnerwünschen von Männern und Frauen gefragt.	✓	
2. Frauen und Männer warten nicht gern auf die Partnerin / den Partner.	✓	✗
3. Männer interessieren sich am meisten für das Aussehen.	✗	✓
4. Frauen wollen öfter mit dem Partner über Gefühle sprechen.	✓	
5. Frauen erinnern sich oft zu spät an den Geburtstag von ihrem Partner.	✗	✓
6. Männer wollen von ihrer Arbeit erzählen.	✗	✓
7. Männer verabreden sich gerne mit Frauen, die lustig sind.	✓	
8. Frauen wollen, dass der Mann sich um sie kümmert.		✓
9. Viele Männer wollen sich bei ihrer Partnerin vom Alltagsstress erholen.	✓	✗

4 Verben mit Präpositionen

a Suchen Sie die Verben in 3c und ergänzen Sie die Präpositionen.

fragen *nach* (Dat.) warten *auf* (Akk.) erzählen *von* (Dat.)

sich kümmern *um* (Akk.) sich interessieren *für* (Akk.) sich verabreden *mit* (Dat.)

sich erinnern *an* (Akk.) sprechen *mit* (Dat.) *über* (Akk.) sich erholen *bei* (Dat.) *vom*

b Kursspaziergang: Was ist für Sie in einer Freundschaft/Partnerschaft wichtig? Schreiben Sie einen Satz mit einem Verb aus a. Gehen Sie durch den Kursraum, bei *stopp* sprechen Sie mit der Partnerin / dem Partner.

Ich möchte mit meiner Freundin über alles sprechen. Und du?

Für mich ist wichtig, dass mein Freund ...

■ über Beziehungen sprechen – eine Person beschreiben – Personenbeschreibung – Verben mit Präpositionen – Präpositionalpronomen

1

5 Julia Bode ist verliebt.

a Was ist richtig? Hören Sie und kreuzen Sie an.

1. ☐ Julia ist in Patrick verliebt, aber er interessiert sich nur für sein Mountainbike. Julia ist unglücklich und bittet Carla, die Patrick aus der Schule kennt, um Hilfe.

2. ☑ Julia ist in Patrick verliebt und möchte ihn besser kennenlernen. Sie bittet Carla, die ihn aus der Schule kennt, um Hilfe. Carla hat eine Idee.

unehrlich

untreu

b Wie ist Patrick? Hören Sie noch einmal und ordnen Sie zu. Nicht alles passt.

groß – eine tolle Figur – schlank – ehrlich – lustig – ~~blaue Augen~~ –
dunkle Haare – sportlich – nett – offen – ernst – höflich – frech – dick

das Aussehen	der Charakter
blaue Augen	

ordentlich

höflich

c Was passt zusammen? Hören Sie noch einmal und verbinden Sie.

1. Mit wem will sich Julia verabreden?   a Vom Theaterkurs in der Schule.
2. Woran soll sich Carla erinnern?   b Auf Patrick.
3. Wovon hat Carla erzählt?   c Mit Patrick.
4. Worüber hat Carla mit Patrick gesprochen? d An das Straßenfest im Mai.
5. Auf wen soll Julia am Samstag warten?   e Über Sport und die Lehrer.

zuverlässig

d Präpositionalpronomen. Lesen Sie und ergänzen Sie den Grammatikkasten.

> **Präpositionalpronomen: *wo(r)-* und *da(r)-***
>
> | **bei Sachen** | **bei Personen** |
> |---|---|
> | Woran soll sich Carla erinnern? | An wen soll sich Carla erinnern? |
> | _____ das Fest. | _____ Patrick. |
> | Ah, daran erinnere ich mich auch. | Ah, an ihn erinnere ich mich auch. |
> | ***wo(r)-* / *da(r)-* + Präposition** | **Präposition + Fragewort/Pronomen** |
> | wovon, worauf, wofür, worüber ... | von wem, auf wen, für wen, über wen ... |
> | davon, darauf, dafür, darüber ... | von ihr/ihm, auf sie/ihn, für sie/ihn ... |

fleißig

e Sprachschatten. Fragen und antworten Sie mit den Verben in 4a.

Wofür interessierst du dich?

Für Musik.

Für Musik? Toll, dafür interessiere ich mich auch!

fröhlich

ernst

f Und wie soll Ihre Traumpartnerin / Ihr Traumpartner sein? Fragen und antworten Sie.

Soll deine Partnerin / dein Partner auf Mode achten?

Nein, Kleidung ist für mich nicht wichtig. Darauf achte ich auch nicht.

eifersüchtig

6 Wer war das nur?

a Welche Überschrift passt zu welchem Abschnitt? Lesen Sie und ordnen Sie zu.
I didn't recognise my colleague
1. Ich habe meine Kollegin nicht erkannt!
2. Bin ich krank oder nicht?
Am I sick or not?

How do I know the woman?
3. Woher kenne ich die Frau nur?
4. Wenn der Name fehlt ...
If the name is missing

Zeit für dich 10/17

25

Aus dem Leben von Timo Brunner

3 Wer war das nur? Kennen Sie die peinliche Situation, wenn Sie jemand grüßt und Sie nicht wissen, wer das ist? Am letzten Samstag bin ich in meinen Lieblingssupermarkt gegangen. Am Eingang lächelt mich eine hübsche Frau an. Ich denke:
5 Nett! Vielleicht gefalle ich ihr? Und ich lächle vorsichtig zurück. Da sagt sie freundlich: „Guten Morgen, Herr Brunner, machen Sie auch Ihren Wochenendeinkauf?" Ich antworte unsicher: „Äh, ja. Guten Morgen", und denke: Sie weiß sogar meinen Namen! Kenne ich sie? Ich habe das Gefühl, dass ich
10 sie auch schon einmal gesehen habe, aber wo bloß?

1 Das ganze Wochenende musste ich dann an die Frau denken. Wer war das nur? Die Antwort habe ich gleich am Montagmorgen im Aufzug in unserer Firma bekommen. Frau Mühlenhaupt ist eingestiegen. Sie arbeitet in der Marketingabteilung
15 und sieht – wie immer – perfekt aus. Am Samstag hatte sie Jeans und ein T-Shirt an, sie hatte eine andere Frisur und sie war nicht geschminkt. Sie hat ganz anders ausgesehen und ich habe sie in „meinem" Supermarkt nicht erwartet.

4 Wenn man sich an jemanden nicht erinnert, kann das ganz schön peinlich sein. Ich kann mir auch
20 nicht gut Namen merken. Deshalb hoffe ich immer, dass es bei Festen oder Konferenzen Namensschilder gibt. Oder ich verwende eine andere Strategie: Ich spreche die Menschen nicht direkt an und hoffe, dass ein anderer sie anspricht. Das ist aber manchmal nicht einfach.

2 Zum Glück bin ich nicht der einzige Mensch, dem es so geht. Es gibt sogar Menschen, die sich überhaupt keine Gesichter merken können. Das heißt, sie erkennen die Menschen einfach nicht – sie sind
25 gesichtsblind. Zwei Prozent von den Deutschen leiden an dieser Krankheit (Prosopagnosie) und sie wissen sogar oft nicht davon. Sie entwickeln schon als Kinder Tricks und Strategien: Sie merken sich typische Bewegungen, Schmuck, die Stimme oder andere Eigenschaften. Als ich von dieser Krankheit gelesen habe, habe ich gleich gedacht: Bin ich gesichtsblind? Dann hat mich aber ein Satz beruhigt: „Wenn man seine Mutter, die gerade beim Friseur* war, auf der Straße nicht er-
30 kennt, dann ist es sicher, dass man diese Krankheit hat." Na, zum Glück habe ich meine Mutter letzte Woche in einem Café getroffen und habe ihr fröhliches Lächeln schon von Weitem erkannt. Gesichtsblind bin ich also nicht!

b Wählen Sie einen Abschnitt und fassen Sie ihn in zwei Sätzen zusammen.
c Welcher Abschnitt ist es? Lesen Sie Ihre Sätze aus b vor, die anderen raten.
d Und Sie? Haben Sie auch schon einmal einen Namen vergessen oder eine Person nicht erkannt? Erzählen Sie im Kurs.

* D+A: der Friseur / die Friseurin – CH: der Coiffeur / die Coiffeuse

Wichtige Sätze

über (Fern-)Beziehungen sprechen

Wir haben uns vor ... Monaten/Jahren in ... kennengelernt. Wir waren erst kurz zusammen, als ... Das war hart und ich habe mich oft einsam gefühlt.
In einer Beziehung muss man ehrlich/... sein. Für mich ist wichtig, dass wir über alles sprechen können / dass ...

Ich denke, eine Fernbeziehung ist gut/schwierig/... Man hat Zeit für sich und freut sich auf die Partnerin / den Partner. Der Vorteil ist, dass ... Aber ich finde es sehr nervig, dass wir uns nur selten sehen / dass ... Ich vermisse sie/ihn.

Für mich kommt eine Fernbeziehung (auf jeden Fall / vielleicht / nicht) in Frage.

eine Person beschreiben

Sie/Er ist groß/ehrlich/... und hat eine tolle Figur / blaue Augen / ...
Meine Partnerin / Mein Partner sollte intelligent/treu/zuverlässig/... sein.
Für mich ist wichtig, dass meine Partnerin / mein Partner ...
Ich finde am wichtigsten, dass sie/er (nicht) eifersüchtig/offen ... ist.

Vor- und Nachteile nennen

Der Vorteil von ... ist, dass ...
Es ist gut/schön, dass ...
Es kann positiv sein, wenn ...
Das Wichtigste ist, dass ...

Der Nachteil von ... ist, dass ...
Es ist nervig/schwierig, dass ...
Es kann auch schlecht sein, wenn ...
Negativ ist, wenn ..., weil ...

Strukturen

Verben mit Präpositionen

warten auf (Akk.)   erzählen von (Dat.)   fragen nach (Dat.)
sich kümmern um (Akk.)   sich verabreden mit (Dat.) sprechen mit (Dat.) über (Akk.)
sich erinnern an (Akk.)   sich erholen von (Dat.)

▶ Weitere Verben mit Präpositionen s. Übungsbuch „Verben mit Präpositionen"

Präpositionalpronomen: wo(r)- und da(r)-

bei Sachen
Woran soll sich Carla erinnern?
An das Fest.
Ah, daran erinnere ich mich auch.

Wovon hat Carla erzählt?
Vom Theaterkurs.
Aha, davon hat sie erzählt.

bei Personen
An wen soll sich Carla erinnern?
An Patrick.
Ah, an ihn erinnere ich mich auch.

Von wem hat Carla erzählt?
Von Patrick.
Aha, von ihm hat sie erzählt.

wo(r)- / da(r)- + Präposition
woran, worauf, wofür, worüber ...
daran, darauf, dafür, darüber, davon ...

Präposition + Fragewort/Pronomen
an wen, auf wen, für wen, über wen ...
an sie/ihn, auf sie/ihn, für sie/ihn ...

▶ Phonetik, S. 147

www.koelner-nachrichten.de/koeln

| Startseite | **Köln** | Region | Sport | Wetter |

Share   *change*   *trending*

Teilen und Tauschen liegen im Trend

Internet-Plattformen bieten immer neue Möglichkeiten, wie man Dinge und Hilfe teilen oder tauschen kann – mit und ohne Geld. Auch die Kölner/innen machen bei dem weltweiten Trend mit.

Vor sechs Monaten sind ihre beiden Töchter ausgezogen, jetzt haben Marianne und Gerd Niebel viel Platz im Haus. „Bei uns ist es ziemlich ruhig geworden. Die beiden Zimmer von unseren Töchtern waren leer und so haben wir uns gedacht: Wir vermieten sie an Touristen.
5 Wir haben Lust, neue Leute kennenzulernen. Und es macht uns Spaß, uns um sie zu kümmern. Einen weiteren Vorteil hat es auch noch: Wir verdienen damit ein bisschen Geld." mehr

Lisa Kluge findet, dass nicht jeder alles besitzen muss. Sie tauscht seit einem Jahr über das Internet. „Es reicht zum Beispiel, wenn es in einer
10 Straße eine oder zwei Bohrmaschinen gibt. Früher hat man die Nachbarn gefragt, wenn man etwas gebraucht hat. Heute ist es sehr praktisch, im Internet nach einem Werkzeug oder einer Leiter in der Nähe zu suchen. Also, ich leihe den Nachbarn gern meine Bohrmaschine." mehr

15 Felix Muñoz braucht sein Auto nur selten. „Ich bezahle Steuern und Versicherung für ein Auto, das jeden Tag viele Stunden einfach nur auf dem Parkplatz steht. Deshalb habe ich mich vor drei Monaten entschieden, mein Auto zu vermieten. Das geht ganz einfach über das Internet – zum Beispiel unter www.drivy.de. So versuche ich,
20 ein bisschen Geld zu verdienen und etwas für die Umwelt zu tun." mehr

Elisabeth Müller ist seit vielen Jahren Mitglied in einem Tauschring – also einem Verein, in dem die Mitglieder Dienstleistungen ohne Geld tauschen. „Jeder braucht manchmal Hilfe und ich habe Zeit, die ich
25 anbieten kann. Ich kann zum Beispiel babysitten. Aber ich brauche auch mal Hilfe. Letzte Woche war der Stecker von meiner Mikrowelle kaputt. Über den Tauschring ist es leicht, Hilfe zu organisieren." mehr

1 Der Trend von heute: tauschen und teilen

a Was denken Sie: Was tauschen oder teilen die Leute? Lesen Sie den Einleitungstext und sammeln Sie Ideen.

> *Ich glaube, die Leute teilen ihr Werkzeug.*

> *Ich denke, …*

b Wer tauscht oder teilt was und seit wann? Lesen Sie und ergänzen Sie die Tabelle.

	was?	seit wann?
Marianne und Gerd Niebel	viel Platz im Haus Zimmer vermieten Touristen	seit ihre Töchter ausgezogen. 6 monaten
Lisa Kluge	zwei Bohrmaschinen Werkzeug ausleihen	einem Jahr
Felix Muñoz	sein Auto vermieten	jeden Tag seit drei Monaten
Elisabeth Müller	Babysitten Zeit	Nächst Woche seit vielen Jahren

c Warum tauschen und teilen die Personen? Unterstreichen Sie die Gründe und erzählen Sie.

2 Infinitiv mit *zu*

a Suchen Sie im Text Infinitive mit *zu* und ergänzen Sie den Grammatikkasten.

> **Infinitiv mit *zu***
>
> **haben + *Nomen* + zu + *Inf.***   Wir _____, nette Leute <u>kennenzulernen</u>.
> *genauso:* Zeit/Angst/Interesse haben, den Wunsch / das Glück / ein Problem haben …
>
> **es macht + *Nomen* + zu + *Inf.***   Es _____ uns _____, uns um sie zu <u>kümmern</u>.
>
> **es ist + *Adjektiv* + zu + *Inf.***   Es ist _____, Hilfe zu <u>organisieren</u>.
>
>   Es ist _____, im Internet nach einer Leiter zu <u>suchen</u>.
> *genauso:* angenehm, anstrengend, bequem, gut, interessant, schwierig, wichtig …
>
> ***Verb* + zu + *Inf.***   Ich habe mich _____, mein Auto zu <u>vermieten</u>.
>
>   So _____ ich, ein bisschen Geld zu <u>verdienen</u>.
> *genauso:* anfangen, aufhören, empfehlen, raten, vergessen, vorschlagen, sich wünschen …

1.12 b Ein Lied über das Tauschen und Teilen. Was ist richtig? Hören und unterstreichen Sie.

1. Der Mann bietet sein Haus / ein Zimmer / sein Werkzeug an.
2. Die Frau bietet ihre Kamera / ihre Bilder / ihre Leiter an.
3. Beide machen ihre Angebote im Haus / im Internet / in der Zeitung.

1.12 c Hören Sie noch einmal und singen Sie den Refrain auf Seite 155 mit.
d Schreiben Sie eine dritte Strophe und lesen Sie die Strophe im Kurs vor.

e Kursspaziergang: Wollen Sie bei einem Tauschring mitmachen? Notieren Sie Ideen und schreiben Sie Sätze. Gehen Sie durch den Kursraum, fragen und antworten Sie.

Was schlägst du vor?
Was kannst du anbieten?
Wofür hast du Zeit?
Wozu hast du (keine) Lust?
Was wünschst du dir?

Ich schlage vor, … zu tauschen.

3 Es ist doch selbstverständlich, sich zu helfen.

a Wo sind die Personen? Worüber sprechen sie? Sammeln Sie Ideen. Die Bildleiste hilft.

Die Personen stehen im Treppenhaus* und ...

1.13 ⊙
02 ▶

b Was ist kaputt? Hören Sie und kreuzen Sie an.

1. ☐ die Leiter *ladder* 3. ☐ die Treppe *steps* 5. ☐ die Klingel* *bell* 7. ☑ die Glühbirne *lightbulb*
2. ☑ die Steckdose 4. ☐ der Schalter *counter* 6. ☐ das Knie *knee* 8. ☐ das Fahrrad*
   socket *bike*

1.13 ⊙
02 ▶

c Was passt zusammen? Hören Sie noch einmal und verbinden Sie.

1 → C
2 → A
3 → B
4 → D

1. Es ist für Helga Mertens wichtig, a die Steckdose am Abend zu reparieren.
2. Stefan Bode hat Zeit und Lust, b für ihren Nachbarn einen Kuchen zu backen.
3. Helga Mertens schlägt vor, c Hilfe von einem Hausmeister zu bekommen.
4. Für Stefan Bode ist es normal, d den Nachbarn zu helfen.

d Wählen Sie aus den Sätzen eine Stimmung und lesen Sie den gekürzten Dialog auf Seite 138 zu zweit laut.

1. Sie haben schlechte Laune. 3. Sie haben Stress.
2. Sie sind sehr müde. 4. Sie hören nicht gut.

4 Hausgemeinschaften

a Was ist eine Hausgemeinschaft? Ergänzen Sie den Lexikoneintrag.

gemeinsamen – Hausgemeinschaft – Kontakt – mehrere – nutzen – Räume

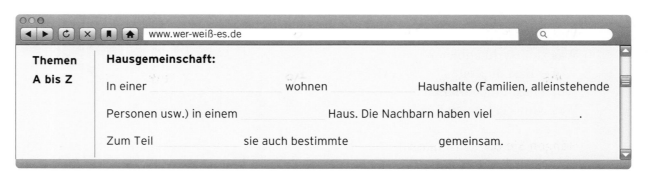

Themen	Hausgemeinschaft:
A bis Z	In einer _____ wohnen _____ Haushalte (Familien, alleinstehende
	Personen usw.) in einem _____ Haus. Die Nachbarn haben viel _____ .
	Zum Teil _____ sie auch bestimmte _____ gemeinsam.

* D+CH: das Treppenhaus – A auch: das Stiegenhaus | D+CH: die Klingel – A auch: die Glocke | D + A: das Fahrrad – CH: das Velo

die Klingel, -

b Wer? Was? Wo? Wie? Warum? Lesen Sie und schreiben Sie fünf Fragen zum Text.

www.kirchgasse8.blog.eu

- STARTSEITE
- AKTUELL
- ÜBER UNS
- KONTAKT
- UWES BLOG

Kirchgasse

Unsere Hausgemeinschaft

Ich bin Uwe und lebe nun über zwei Jahre in einer Hausgemeinschaft in Wiesbaden. Eigentlich war mein Plan, hier nur für ein halbes Jahr einzuziehen. Aber dann hat es mir so gut gefallen, dass ich geblieben bin. Unsere Hausgemeinschaft ist eine tolle
5 Sache. Viele Menschen verstehen nicht, dass das eine super Idee ist. Deshalb schreibe ich von heute an, was ich hier jeden Tag erlebe.
   In unserem Haus leben 22 Menschen im Alter von 0 bis 80 Jahren zusammen. Wir unternehmen viel miteinander. Unter mir wohnt ein älterer Herr, Anton Weiler. Er lebt schon über fünf Jahre in der Hausgemeinschaft, also: von Anfang an! Er ist
10 Rentner* und bastelt gern. Im Keller haben wir zusammen eine Werkstatt mit allem, was man braucht – von der Zange und dem Hammer bis zur Leiter. Und Anton ist meistens dort. Ich glaube, er kann alles! Er hat mir zum Beispiel neue Lautsprecher gebaut. Ich bringe ihm immer Wasser vom Getränkemarkt mit, weil er kein Auto mehr hat. Anton meint: „Ich habe mir schon früh überlegt, dass ich im Alter nicht
15 allein leben möchte. Und diese Hausgemeinschaft ist ideal. Ich bleibe hier – wenn es geht – für immer!"

das Treppenhaus, -äu-er

die Stufe, -n

die Leiter, -n

Präpositionen *für*, *über* und *von ... an* (Zeit)

für ein halbes Jahr	(|◄►|)	= *ein halbes Jahr lang*
für immer	(|◄►|)	= *ein Leben lang*
über zwei Jahre	(>)	= *mehr als zwei Jahre*
von Anfang an	(|—►)	= *seit dem Anfang*

die Glühbirne, -n

c Fragen und antworten Sie zu zweit. Arbeiten Sie mit den Fragen in b.

der Schalter, -

5 Kurs-Tauschring

a Wie können Sie sich im Kurs gegenseitig helfen? Was können Sie anbieten? Was suchen Sie? Schreiben Sie zwei Anzeigen wie im Beispiel.

Ich suche ...
Ich suche einen Babysitter für unsere dreijährige Tochter – für ein oder zwei Nachmittage pro Woche (14 bis 17 Uhr) oder abends ab 19 Uhr.
Piotr, Grüner Weg 7
Tel.: 0171 653 62 41

Ich biete ...
Ich habe eine große Leiter aus Metall. Sie ist 2,50 Meter hoch und leicht. Man kann sie auch in einem kleinen Auto transportieren.
Maria, Auf dem Hügel 49
Tel.: 0176 978 53 42

die Steckdose, -n

der Hammer, -

b Hängen Sie die Anzeigen im Kurs auf. Lesen und wählen Sie eine Anzeige aus. Rufen Sie die Person an und spielen Sie Dialoge im Kurs.

*D: der Rentner – A: der Pensionist – CH: der Pensionierte

die Zange, -n

6 Filmtipp der Woche

a Was denken Sie: Was sagen die Personen auf dem Foto? Schreiben Sie Sprechblasen.

b Welche Überschrift passt? Lesen Sie und ordnen Sie zu. Nicht alles passt.

1. Alt und Jung tauschen die Rollen *Old and young swap roles*
2. Gute Unterhaltung *Good entertainment*
3. Eine neue WG mit alten Freunden *New roommate*
4. Im Alter noch einmal studieren *Study again you are older*

Fernsehen heute 29.8. – 11.9.

Filmtipp

Wir sind die Neuen

3.4 2 Anne (60) ist Biologin und muss aus ihrer alten Wohnung in München ausziehen. Aus finanziellen Gründen möchte sie eine Wohngemeinschaft gründen. So fragt sie ihre alten Freunde (den Single Eddi und den erfolglosen Juristen Johannes), mit denen
5 sie schon während des Studiums zusammengelebt hat. Beide sind einverstanden – und das Abenteuer beginnt.

1 Ihre neuen Nachbarn sind die jungen Studenten Katharina, Barbara und Thorsten. Sie sind ganz anders, als Anne, Eddi und Johannes früher waren. Sie lernen fleißig für ihre Prüfung bzw. bereiten ihre Hochzeit vor – und brauchen viel Ruhe. Die Hausordnung ist für sie sehr wichtig. So beschweren sie sich schon bald bei der Alten-
10 WG: Anne, Eddi und Johannes hören zu laut Musik, machen spät noch Lärm, trinken viel Alkohol und rauchen. Jung und Alt streiten. Doch eines Tages ändert sich alles, als die Jungen die Alten um Hilfe bitten müssen …

2 Gisela Schneeberger (Anne) und Heiner Lauterbach (Eddi) spielen die Hauptrollen in dieser leicht romantischen Generationen-Komödie. Es macht Spaß, das sympathische und witzige Spiel mit den Klischees von Jung und Alt zu sehen!

15 Komödie, Deutschland 2014, Regie: Ralf Westhoff, 91 Minuten
Humor ★★★☆☆   Action ☆☆☆☆☆   Spannung ★☆☆☆☆   Gefühl ★★☆☆☆

---

c Was ist richtig? Lesen Sie noch einmal und kreuzen Sie an.

	richtig	falsch
1. Anne muss Geld sparen und zieht mit Freunden in eine Wohngemeinschaft.	✓	
2. Katharina, Barbara und Thorsten feiern gern und laut.	✓	✓
3. Eddi und Johannes brauchen den ganzen Tag Ruhe und lieben Ordnung.		✓
4. Der Film ist sehr romantisch, aber auch aufregend. Es passiert viel.	✓	✓
5. Der Film dauert ca. 1,5 Stunden.	✓	✓

d Wie bewerten die Personen den Film? Hören Sie und markieren Sie die Sterne.

Ben: Humor ☆☆☆☆☆ *4/5* Action ☆☆☆☆☆ *0* Spannung ☆☆☆☆☆ *1/2* Gefühl ☆☆☆☆☆ *1/2*
Lisa: Humor ☆☆☆☆☆ *4/5* Action ☆☆☆☆☆ *0/1* Spannung ☆☆☆☆☆ *3/4* Gefühl ☆☆☆☆☆ *3/4*

1.14

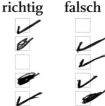

e Und Ihr Lieblingsfilm? Schreiben Sie einen Filmtipp und präsentieren Sie ihn im Kurs. Die Redemittel auf Seite 21 helfen.

Was passiert? Was ist besonders? Welche Schauspieler spielen mit? Warum mögen Sie den Film? Wie viele Sterne bekommt Ihr Film?

Wichtige Sätze

über Tauschmöglichkeiten sprechen

Ich brauche mein Auto/... nur selten. Deshalb habe ich mich entschieden, mein Auto/... zu vermieten. Das geht ganz einfach über das Internet. Ich finde, dass nicht jeder alles besitzen muss. Ich leihe mein Werkzeug/... gern an Nachbarn.

Ich bin Mitglied in einem Tauschring. Über den Tauschring ist es leicht, Hilfe zu organisieren. Ich finde es schön, sich zu helfen.

über Nachbarschaftshilfe sprechen

Wir haben viel Kontakt und jeder versucht, dem anderen zu helfen.
Ich kann Dinge im Haus / Elektrogeräte/Fahrräder ... reparieren.
Ich habe eine kleine Werkstatt. Ich habe Zeit, ... zu ...

über Filme sprechen / Filme bewerten

Der Film dauert ... Die Hauptrolle spielt ... Es ist eine Komödie / ein Krimi / ...
Der Film ist sehr lustig/romantisch/..., aber nicht sehr spannend/aufregend/...
Im Film passiert viel / nicht so viel. Die Geschichte ist einfach: ...
Es gibt witzige/langweilige/lange/... Dialoge.
Ich mag den Film (nicht), / Mir gefällt der Film (nicht), weil ...

Strukturen

Infinitiv mit *zu*

haben + *Nomen* + zu + *Inf.*   Wir haben Lust, nette Leute <u>kennenzulernen</u>.
genauso: Zeit/Angst/Interesse haben, den Wunsch / das Glück / ein Problem haben

es macht + *Nomen* + zu + *Inf.* Es macht uns Spaß, uns um sie zu <u>kümmern</u>.

es ist + *Adjektiv* + zu + *Inf.*   Es ist leicht, Hilfe zu <u>organisieren</u>.
                                Es ist praktisch, im Internet nach einer Leiter zu <u>suchen</u>.
genauso: angenehm, anstrengend, bequem, gut, interessant, schwierig, wichtig ...

Verb + zu + *Inf.*   Ich habe mich entschieden, mein Auto zu <u>vermieten</u>.
                                So versuche ich, ein bisschen Geld zu <u>verdienen</u>.
genauso: anfangen, aufhören, empfehlen, raten, vergessen, vorschlagen,
sich wünschen ...

Präpositionen *für*, *über* und *von ... an* (Zeit)

für ein halbes Jahr	(|←→|)	= *ein halbes Jahr lang*
für immer	(|←→|)	= *ein Leben lang*
über zwei Jahre	(>)	= *mehr als zwei Jahre*
von Anfang an	(|→)	= *seit dem Anfang*

▶ Phonetik, S. 147

1 Personen beschreiben

a   Wie kann eine Person sein? Sammeln Sie Adjektive zur Personenbeschreibung an der Tafel.

b   Wörter raten. Arbeiten Sie in zwei Gruppen. Je eine Person aus beiden Gruppen kommt nach vorne. Gruppe 1 wählt ein Wort von der Tafel und beschreibt die Bedeutung, darf dabei aber das Wort nicht sagen. Die beiden Personen raten. Wer das Wort als Erste/r errät, bekommt einen Punkt. Dann tauschen die Gruppen die Rollen. Welche Gruppe hat gewonnen?

c   Ratespiel: Welcher Beruf ist das? Arbeiten Sie in Gruppen. Notieren Sie drei Berufe. Wie muss eine Person sein, die diesen Beruf gut machen möchte? Sammeln Sie zu jedem Beruf passende Adjektive. Beschreiben Sie dann die Person. Die anderen Gruppen raten den Beruf. Welche Gruppe hat die meisten Berufe erraten?

> *Die Person muss stark sein.*

> *Sie muss zuverlässig sein.*

> *Sie muss gern anderen helfen.*

> *Sie muss ...*

2 Nachbarschaftshilfe. Arbeiten Sie zu viert und sprechen Sie wie im Beispiel. Tauschen Sie immer die Rollen.

> *Kannst du dich heute um meinen Sohn / um die Glühbirne in der Küche kümmern?*

> *Ja klar. Das mache ich gern.*

> *Um wen / Worum soll sich Naomi kümmern?*

> *Um den Sohn. / Um die Glühbirne in der Küche.*

3 Der Film *Wir sind die Neuen*. Arbeiten Sie zu zweit. Ihre Partnerin / Ihr Partner arbeitet auf Seite 138. Was machen die alten Mieter? Ergänzen Sie die Präpositionen und bilden Sie Sätze. Ihre Partnerin / Ihr Partner kontrolliert. Tauschen sie dann die Rollen.

sich ... die neue Wohnung freuen – sich ... die Zeit erinnern, als sie jung waren – nicht ... ihre Gesundheit denken – sich ... Politik interessieren – ... dem Studium von den Nachbarn fragen – ... den Nachbarn ... ihre Probleme sprechen

> *Die alten Mieter freuen sich ...*

Ihre Partnerin / Ihr Partner
Die jungen Mieter ...
laden die Nachbarn zum Kaffee ein.
ärgern sich über den Lärm.
bitten die Nachbarn zum Schluss um Hilfe.

träumen von der Hochzeit.
kümmern sich um die Ordnung im Haus.
bereiten sich auf eine Prüfung vor.

4 Infinitiv mit *zu*. Fangen Sie einen Satz wie im Beispiel an, eine andere Person im Kurs ergänzt den Satz spontan und fängt einen neuen Satz an.

Ich habe (kein/keine) ...

Lust – Angst – Interesse – das Glück – das Problem

Es ist ...

schwer – anstrengend – wichtig – leicht – schön – gut – bequem

Ich habe (mich) ...

entschieden – aufgehört – angefangen – vergessen

> *Ich habe Angst, ...*

> *alleine im Park spazieren zu gehen. Es ist schön, ...*

5 Ein Tauschring: Vor- und Nachteile

a Arbeiten Sie zu zweit. Sammeln Sie Vor- und Nachteile bei einem Tauschring.

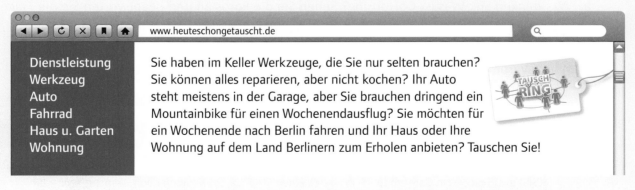

www.heuteschongetauscht.de

Dienstleistung
Werkzeug
Auto
Fahrrad
Haus u. Garten
Wohnung

Sie haben im Keller Werkzeuge, die Sie nur selten brauchen? Sie können alles reparieren, aber nicht kochen? Ihr Auto steht meistens in der Garage, aber Sie brauchen dringend ein Mountainbike für einen Wochenendausflug? Sie möchten für ein Wochenende nach Berlin fahren und Ihr Haus oder Ihre Wohnung auf dem Land Berlinern zum Erholen anbieten? Tauschen Sie!

> *Vorteile: Geld sparen, ...*   *Nachteile: Sachen kaputt zurückbekommen, ...*

b Diskutieren Sie in Gruppen.

> *Der Vorteil bei einem Tauschring ist, dass ...*   *Negativ ist, wenn ...*

I Panorama

1

2

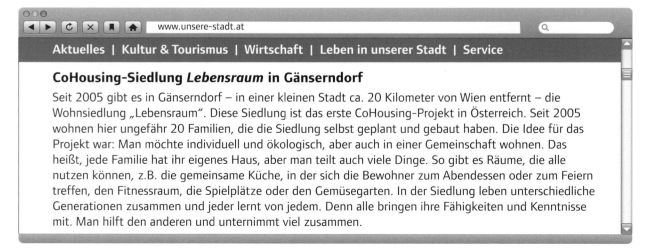

1 CoHousing

a Was denken Sie: Was ist CoHousing? Sehen Sie die Fotos an und beantworten Sie die Fragen.

   Wer wohnt dort?   Warum wohnen die Menschen dort?   Was gibt es dort?

b Wer? Warum? Was? Lesen Sie und vergleichen Sie mit Ihren Vermutungen in a.

---

www.unsere-stadt.at

Aktuelles | Kultur & Tourismus | Wirtschaft | Leben in unserer Stadt | Service

CoHousing-Siedlung *Lebensraum* in Gänserndorf

Seit 2005 gibt es in Gänserndorf – in einer kleinen Stadt ca. 20 Kilometer von Wien entfernt – die Wohnsiedlung „Lebensraum". Diese Siedlung ist das erste CoHousing-Projekt in Österreich. Seit 2005 wohnen hier ungefähr 20 Familien, die die Siedlung selbst geplant und gebaut haben. Die Idee für das Projekt war: Man möchte individuell und ökologisch, aber auch in einer Gemeinschaft wohnen. Das heißt, jede Familie hat ihr eigenes Haus, aber man teilt auch viele Dinge. So gibt es Räume, die alle nutzen können, z.B. die gemeinsame Küche, in der sich die Bewohner zum Abendessen oder zum Feiern treffen, den Fitnessraum, die Spielplätze oder den Gemüsegarten. In der Siedlung leben unterschiedliche Generationen zusammen und jeder lernt von jedem. Denn alle bringen ihre Fähigkeiten und Kenntnisse mit. Man hilft den anderen und unternimmt viel zusammen.

1.15 ⊙

c Stimmen aus der Siedlung *Lebensraum*. Wer macht was?
Hören Sie und machen Sie Notizen.

> Andreas Nowak   Verena Bauer   Josef Moser
> Beruf: Koch   ...   ...
> im Lebensraum: ...

> Andreas Nowak ist Koch von Beruf. Er findet es gut, privat nicht
> jeden Tag kochen zu müssen. In der Siedlung bietet er ...

2 Und Sie? Was können Sie für die Gemeinschaft machen? Präsentieren Sie im Kurs.

1. Was können Sie? Welche Ideen haben Sie? Notieren Sie.
2. Suchen Sie drei Partnerinnen oder Partner und schreiben Sie ein Programm für die Gemeinschaftsräume.
3. Präsentieren Sie Ihr Programm im Kurs.

Die Kochbox

Kochen wie die Profis

Bereitest du dein Essen gern selbst zu, aber du hast keine Zeit zum Einkaufen? Dann probier unsere Kochbox! Wir liefern frische Zutaten für drei verschiedene Gerichte zu günstigen Preisen.

Klassik Box

3 Gerichte mit Fleisch oder Fisch (inkl. Rezepte) für 2 bis 4 Personen ab 39,90 €

Veggie Box

3 vegetarische Gerichte (inkl. Rezepte) für 2 bis 4 Personen ab 29,90 €

Unser Service: bequeme Bestellung im Internet und kostenlose Lieferung zum Wunschtermin. **Mehr Infos unter www.kochbox.de**.

Der Pinguin –
Ihr Tiefkühl-Lieferservice

Die Eiszeit steht vor der Tür!

Sie wollen ...
- sich gesund ernähren,
- schnell einkaufen,
- nicht lange kochen, braten oder backen.

Wir bieten ...
- leckere, tiefgekühlte Lebensmittel und Fertiggerichte (Eis, Torten, Suppen, Obst und Gemüse, Pizza, Soßen usw.),
- lang haltbare Lebensmittel,
- einfache und schnelle Bestellung im Internet,
- Lieferung zu Ihrem Wunschtermin,
- kostenlose Lieferung bei einer Bestellung ab 25 €.

Und hier finden Sie uns:
www.pinguin-lieferservice.de

1 Essen und Trinken von A bis Z

a Welche Wörter kennen Sie? Machen Sie eine Liste. Schreiben Sie Nomen, Verben und Adjektive. Wer ist zuerst fertig?

> A: Apfel, B: backen ...   (Q, X, Y)

b Was kochen und essen Sie gern? Wie oft kochen Sie? Wo kaufen Sie ein? Sprechen Sie im Kurs.

2 Wir liefern ...

a Arbeiten Sie in drei Gruppen und wählen Sie eine Anzeige. Lesen Sie und notieren Sie die Informationen. Die Bildleiste hilft.

Was kann man bestellen? Wie bestellt man? Wann kommt die Lieferung? Wie viel kostet es?

b Bei wem und was möchten Sie bestellen? Warum? Bilden Sie neue Gruppen und stellen Sie Ihren Lieferservice vor. Wählen Sie dann den besten Lieferservice aus.

*A: der Fleischer – CH+D auch: der Metzger | A+CH: der Rahm – D: die Sahne | A: der Topfen – D+CH: der Quark | A: das Würstel – D: das Würstchen | A: die Semmel – D+CH: das Brötchen

Der Frische-Korb

von deinem Bäcker, Bauern und Fleischer*

Wir garantieren:
- gesunde Ernährung
- frischen Fisch und frisches Fleisch aus der Region
- wöchentliche Lieferung an einem Tag, den du auswählen kannst, oder nur eine einzige Lieferung
- nur Bio-Lebensmittel

Bestell deinen Frische-Korb im Internet (www.frische-korb.at) oder per Telefon (0316/99887766). Wir liefern kostenlos.

Gesunder Fitnesskorb
mit frischem Obst und Gemüse (nach Saison, je 1 kg), 10 Bio-Eiern, 1 Brot, 1 l Milch und 2 Milchprodukten (süßer Rahm*, Käse, Topfen* o. ä.), 200 g fettarmer Wurst – 20 Euro

Toller Grillkorb für heiße Sommertage
mit 4 Steaks und 8 Bratwürsteln*, 3 verschiedenen Soßen, 8 Semmeln* – 27 Euro

die Zutat, -en

das Milch-produkt, -e

frisch

tiefgekühlt

haltbar

c Adjektive nach dem Nullartikel. Lesen Sie noch einmal und unterstreichen Sie die Adjektive. Ergänzen Sie den Grammatikkasten.

Adjektive nach dem Nullartikel		
Nominativ	**Akkusativ**	**Dativ**
m gesunder Fitnesskorb	frischen Fisch	leckerem Fisch
n leckeres Gemüse	frisch___ Fleisch	frisch___ Obst
f bequem___ Bestellung	gesund___ Ernährung	fettarm___ Wurst
Pl. vegetarisch___ Gerichte	frisch___ Zutaten	günstig___ Preisen

Der definite Artikel hilft: der Fisch → frischer Fisch; den Fisch → frischen Fisch

fett(ig)

mager

d Ratespiel. Schreiben Sie, was Sie gern essen. Die anderen fragen und raten.

1.16 **e** Was ist richtig? Hören Sie und kreuzen Sie an.

1. ☐ Monika bestellt frische Lebensmittel.
2. ☐ Sie isst nicht gern alten Käse.
3. ☐ Benny hat frische Zutaten für drei Gerichte bestellt.
4. ☐ In der Kochbox gab es leckeres, weiches Brot.

reif

f Ihr Lieferdienst: Was? Wie? Wann? Wie viel? Schreiben Sie eine Anzeige.

hart

weich

3 Gesund durch den Tag

a Wie geht die Überschrift weiter? Lesen Sie und kreuzen Sie an.

1. ☐ ..., der mir nicht gefallen hat.
2. ☐ ..., der gar nicht so schwer war.
3. ☐ ..., bei dem ich immer Hunger hatte.

www.mein-gesund-durch-den-tag-blog.de

Gesund durch den Tag – ein Versuch, ...

Ich will versuchen, gesünder zu leben, und hier berichte ich von meinem Versuch.
Mein erster Tag:

06:30 ☐ Ich stehe auf, obwohl es noch sehr früh ist. Heute startet mein Projekt: Gesund durch den Tag! Zum Frühstück gibt es Müsli mit einem Apfel und Joghurt. Dazu trinke ich frischen Orangensaft und einen Kaffee. Obwohl es kalt ist, fahre ich mit dem Fahrrad ins Büro. Die frische Luft macht gute Laune.

5 **11:30** ☐ Nein, heute esse ich keine Schokolade vor dem Mittagessen. Langsam habe ich Hunger, aber bis halb eins muss ich noch warten, dann gehe ich mit den Kollegen in die Kantine. Mal sehen, was es heute zum Mittagessen gibt.

12:30 Hurra, Mittagszeit! Ich habe großen Hunger! Ich nehme aber nur einen Salat mit Käse, obwohl ich lieber eine Currywurst essen würde. ☐ Und nein, ich 10 verzichte auf den Nachtisch. Bis jetzt ist es nicht so schwer, mich gesund zu ernähren.

15:00 Jetzt brauche ich einen Kaffee: Latte Macchiato! Nein, ein Espresso ist gesünder. ☐ Ich muss stark sein: also ein Espresso. Dazu gibt es einen Obstsalat mit Erdbeeren, Blaubeeren*, Weintrauben und Melone. Obwohl ich 15 normalerweise nachmittags immer Kuchen esse, fehlt mir heute nichts.

17:00 ☐ Ich fühle mich sehr gut, obwohl ich heute auf viele leckere Sachen verzichtet habe. Und ich bin auch nicht sehr hungrig. Ich schaffe es tatsächlich mit der gesunden Ernährung! Ich schreibe Stefan eine SMS. Vielleicht hat er Lust, mit mir joggen zu gehen?

20 **19:00** Zurück vom Joggen. Das war super, Stefan und ich müssen öfter gemeinsam joggen, dann wird das Fußballtraining auch leichter. Jetzt muss ich zuerst duschen und dann ...

b Zu welcher Uhrzeit passen die Sätze? Lesen Sie noch einmal und ordnen Sie zu.

1. Hm, ein Stück Schokolade ... Ich habe doch immer eine Tafel im Büro ...
2. Feierabend, wie schön! Zufrieden fahre ich mit dem Fahrrad nach Hause.
3. Hurra, heute geht es los!
4. Zum Glück schmeckt der Salat lecker.
5. Aber Latte Macchiato schmeckt einfach besser ...

* D: die Blaubeere – A+CH+D auch: die Heidelbeere

4 Nebensätze mit *obwohl*

a Lesen Sie den Text in 3a noch einmal und unterstreichen Sie die Sätze mit *obwohl*. Ergänzen Sie den Grammatikkasten.

Nebensätze mit *obwohl*

Ich stehe auf,   obwohl _____   _____ .

Ich nehme aber nur einen Salat, obwohl _____   _____ .

Ich fahre mit dem Fahrrad, obwohl _____ ist.

Obwohl-Sätze stehen oft auch am Anfang:

Obwohl _____ _____ , fahre ich mit dem Fahrrad.

b Kurskette. Arbeiten Sie zu viert. Wählen Sie einen Satz im Schüttelkasten und sprechen Sie wie im Beispiel.

Ich stehe früh auf, obwohl ... – Ich fahre mit dem Fahrrad ins Büro, obwohl ... – Ich fühle mich sehr gut, obwohl ... – Ich esse jetzt ein großes Eis, obwohl ...

Ich stehe früh auf, obwohl ich müde bin.

Ich bin müde, obwohl ich lange geschlafen habe.

Ich habe lange geschlafen, obwohl ich heute einen Termin im Büro habe.

Ich habe heute einen Termin im Büro, obwohl ...

5 Gesund durch den Tag: am Abend

a Was denken Sie: Wie geht der Tag zu Ende? Schreiben Sie den letzten Absatz in 3a zu Ende und vergleichen Sie dann im Kurs.

b Was ist wirklich passiert? Hören Sie und überprüfen Sie Ihre Vermutung in a.

1.17

03

6 Das habe ich heute gegessen ... Machen Sie an einem Tag mit Ihrem Smartphone Fotos von Ihren Mahlzeiten und schreiben Sie einen Blogbeitrag wie in 3a.

7 Neue Trends – Foodies

a Was denken Sie: Was sind Foodies? Sammeln Sie Ideen.

b Was sind Foodies? Lesen Sie und überprüfen Sie Ihre Vermutungen in a.

Foodies – ein neuer Trend

„Oh, das sieht lecker aus! Da muss ich ein Foto machen." Fotos von Essen werden immer beliebter: Man macht ein Foto, schreibt dazu einen Kommentar, stellt es in ein soziales Netzwerk und teilt es
5 mit Freunden überall auf der Welt. Und dann freut man sich, wenn viele Leute auf „Gefällt mir" klicken. Diese Fotos nennt man Foodies. Foodies sind also ähnlich wie Selfies. Es gibt Fotos von leckeren Salaten,
10 saftigen Steaks, gegrilltem Fisch und frischer Pasta, von einer wunderbaren Vorspeise oder einem interessanten Nachtisch. Man macht Foo-
15 dies von Gerichten im Restaurant oder aus der eigenen Küche. Für viele Menschen gehört das Smartphone zum Essen wie Messer und Gabel.
20 Man braucht bei Instagram in der Gruppe „I ate this" („Das habe ich gegessen") nur „Berlin" einzugeben, dann findet man fast eine halbe Million Foodies aus Berlin von über 25.000 Menschen aus der gan-
25 zen Welt. Am häufigsten sieht man auf diesen Foodies natürlich die Currywurst.

Wie ist es zum Foodie-Trend gekommen? Essen zu fotografieren und zu teilen, finden viele Menschen interessant. Man fotografiert und kommentiert seinen Alltag mit dem Smartphone. Mit den Fotos 30 wollen die Menschen sagen: „Ich war dabei und ich habe das gesehen, gemacht, gegessen oder getrunken." Mit Foodies zeigt man, dass man zu Hause etwas Leckeres gekocht hat oder auch: „Ich brauche nicht 35 zu kochen, ich gehe essen." Der Trend heißt „POIDH" („Pics or It Didn't Happen"). Auf Deutsch heißt das ungefähr: „Wenn es kein Foto gibt, dann ist es auch 40 nicht passiert." Man braucht also nichts mehr zu schreiben, das Foto sagt mehr als Tausend Worte. Erst das Smartphone und der Blick auf das Display 45 machen aus dem Erlebnis eine Realität.
Obwohl das Fotografieren von Gerichten in vielen Restaurants verboten ist, gibt es immer mehr Foodies im Internet. Die Restaurantbesitzer haben 50 Angst, ihre Gäste zu verlieren, weil die Bildqualität oft sehr schlecht ist.

c Lesen Sie noch einmal und schreiben Sie drei W-Fragen zum Text. Fragen und antworten Sie.

d Was sind die Vorteile von Foodies? Was ist richtig? Lesen Sie noch einmal und kreuzen Sie an.

	richtig	falsch
1. Man braucht keine Kommentare zu den Foodies zu schreiben.	☐	☐
2. Man braucht keine Nachrichten an Freunde zu schreiben, man schickt Foodies.	☐	☐
3. Man braucht nur im Internet nachzusehen, was Freunde heute gegessen haben.	☐	☐
4. Man braucht nicht zu antworten, man braucht nur auf „Gefällt mir" zu klicken.	☐	☐

:: *brauchen + zu* **+ Infinitiv**

Ich brauche nicht zu kochen. = Ich muss nicht kochen.
Ich brauche keine Nachrichten zu schreiben. = Ich muss keine Nachrichten schreiben.
Ich brauche nur „Berlin" einzugeben. = Ich muss nur „Berlin" eingeben.
---

e Machen Sie auch Foodies? Oder gibt es andere Trends, die Sie (nicht) gut finden? Sprechen Sie im Kurs.

Wichtige Sätze

über Essgewohnheiten sprechen

Ich bereite das Essen gern selbst zu, weil ich mich gesund ernähren will /
weil ich gern koche / ...
Ich bestelle jede Woche / ... bei einem Lieferservice, weil ich dann nicht einkaufen
muss / weil es schnell geht / ...

über Ernährung / gesunden Lebensstil sprechen

Ich will versuchen, gesünder zu leben und mich gesund zu ernähren.
Ich esse nur ..., obwohl ich ... Obwohl ich normalerweise ..., fehlt mir nichts.
Es ist nicht so schwer, sich gesund zu ernähren.
Nein, heute esse ich kein/e/n ... Ich verzichte auf ... Nein, ... ist gesünder.

über Trends sprechen

Der Trend heißt ...   Man will damit sagen: ...
... wird/werden immer beliebter.   Man braucht also nicht mehr zu ..., weil ...
Wie ist es zum ...-Trend gekommen?   Obwohl ... oft verboten/... ist, gibt es ...

Strukturen

Adjektive nach dem Nullartikel

	Nominativ	Akkusativ	Dativ
m	gesunder Fitnesskorb	frischen Fisch	leckerem Fisch
n	leckeres Gemüse	frisches Fleisch	frischem Obst
f	bequeme Bestellung	gesunde Ernährung	fettarmer Wurst
Pl.	vegetarische Gerichte	frische Zutaten	günstigen Preisen

Der definite Artikel hilft: der Fisch → frischer Fisch; den Fisch → frischen Fisch

Nebensätze mit *obwohl*

			Satzende (Verb)
Ich stehe auf,	obwohl	es noch sehr früh	ist.
Ich nehme einen Salat,	obwohl	ich lieber eine Currywurst	essen würde.

Obwohl-Sätze stehen oft auch am Anfang:

	Satzende	Position 2	
Obwohl es kalt	ist,	fahre	ich mit dem Fahrrad.

brauchen + *zu* + Infinitiv

Ich brauche nicht zu kochen. = Ich muss nicht kochen.
Ich brauche keine Nachrichten zu schreiben. = Ich muss keine Nachrichten schreiben.
Ich brauche nur „Berlin" einzugeben. = Ich muss nur „Berlin" eingeben.

► Phonetik, S. 147

prinzessinnengärten

1 Der Prinzessinnengarten

a Wo ist der Garten? Was macht man dort? Sprechen Sie im Kurs. Die Bildleiste hilft.

b Welches Foto passt? Lesen Sie und ordnen Sie zu.

32 | UNSERE UMWELT III/17

Wir stellen vor:
Ein Gartenparadies in Berlin-Kreuzberg

☐ Wenn man am Moritzplatz aus der U-Bahn kommt, befindet man sich an einem normalen Großstadtplatz: überall Hochhäuser, viel Verkehr, viele Menschen, viel Lärm. Nur eine Ecke ist anders – grün. Am Tor steht: *Prinzessinnengarten*. Ist das vielleicht ein Schrebergarten wie viele andere in Berlin? Nein. Auf der 6.000 m² großen Fläche wachsen und blühen auch viele Pflanzen, aber die Organisation im Garten ist anders.

☐ Max, der zum Organisationsteam gehört, erklärt: „Der Prinzessinnengarten ist ein Gemeinschaftsgarten. Es gibt keine privaten Beete und alle pflegen den Garten gemeinsam." Fast 1.000 Menschen helfen hier freiwillig und es gibt ca. 20 Personen, die die Arbeit organisieren und Kurse anbieten. Die Menschen treffen sich, gießen die Pflanzen, ernten gemeinsam und feiern Feste.

☐ Im Prinzessinnengarten wachsen die meisten Pflanzen in Kisten. „So ist es leichter, die Pflanzen zu pflegen und – wenn der Garten vielleicht mal umziehen muss – zu transportieren", sagt Max.

☐ Mitten im Garten gibt es auch ein Café, in dem die Gäste unter hohen Bäumen sitzen, Kaffee trinken und leckere Gerichte mit dem Gemüse essen, das man geerntet hat.

☐ Direkt neben dem Gartencafé gibt es Bienenstöcke. „Bienen sind für unser Obst und Gemüse und für alle Pflanzen, die blühen, sehr wichtig", sagt Max. „Wenn man Glück hat, kann man auch unseren Honig im Café kaufen, aber den gibt es nicht immer – nur dann, wenn die Bienen mehr Honig haben, als sie brauchen, dürfen wir einen Teil ernten."

die Fläche, -n

das Beet, -e

c Wo? Was? Wer? Wie? Warum? Lesen Sie noch einmal und machen Sie Notizen. Erzählen Sie dann.

2 Wir hätten auch gern einen Garten.

die Kiste, -n

1.18
04

a Worum geht es? Was ist richtig? Hören Sie und kreuzen Sie an.

1. ☐ Julia und Stefan Bode sehen eine Sendung über den Prinzessinnengarten und möchten dort mitarbeiten.
2. ☐ Julia und Stefan Bode sehen eine Sendung über den Prinzessinnengarten und möchten einen Gemeinschaftsgarten gründen.

1.18
04

b Was möchten Julia und Stefan? Hören Sie noch einmal und kreuzen Sie an.

1. ☐ einen Gemeinschaftsgarten haben
2. ☐ hinter dem Haus aufräumen
3. ☐ normale Beete haben
4. ☐ Gemüse und Blumen pflanzen
5. ☐ einen Kurs anbieten
6. ☐ Kisten mit Beeten haben
7. ☐ Bienen halten

pflanzen

c Konjunktiv II: Wer würde gern mitmachen? Julia und Stefan schreiben einen Zettel an die Nachbarn. Lesen Sie den Grammatikkasten und schreiben Sie den Text mit den Informationen in b.

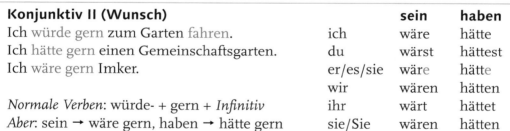

Liebe Nachbarn,
mein Vater und ich hätten gern ... Wir würden gern ...
Wer würde gern mitmachen?
Eure Julia & Stefan Bode

gießen

Konjunktiv II (Wunsch)		sein	haben
Ich würde gern zum Garten fahren.	ich	wäre	hätte
Ich hätte gern einen Gemeinschaftsgarten.	du	wärst	hättest
Ich wäre gern Imker.	er/es/sie	wäre	hätte
	wir	wären	hätten
Normale Verben: würde- + gern + *Infinitiv*	ihr	wärt	hättet
Aber: sein → wäre gern, haben → hätte gern	sie/Sie	wären	hätten

blühen

d Was würden Sie gern tun? Was hätten Sie gern? Was wären Sie gern? Schreiben Sie drei Wünsche und hängen Sie sie im Kursraum auf. Wer hat was geschrieben? Raten Sie.

ernten

3 Kurs-Gemeinschaftsgarten. Was würden Sie dort gern machen? Sammeln Sie Ideen, schreiben Sie einen kurzen Text und machen Sie ein Plakat. Präsentieren Sie dann Ihren Gemeinschaftsgarten im Kurs.

die Erde (Sg.)

über Wünsche sprechen

Wir würden (nicht) so gern ... / Wir hätten gern einen/ein/eine ...
Wir wären gern ... / Wir möchten (nicht) ...
Unser Wunsch ist, ... zu ... / Wir wünschen uns einen/ein/eine ...

die Biene, -n
(Bienen halten)

4 Ein Winterurlaub in Österreich

1.19 **a** Welches Foto passt nicht? Warum passt das Foto nicht? Hören Sie und sprechen Sie im Kurs. Die Bildleiste hilft.

1.19 **b** Fabian (F), Anna (A) oder Frau Hackl (H)? Wer sagt was? Hören Sie und notieren Sie.

1. ☐ Fliegen wäre schneller und bequemer.

2. ☐ Früher gab es mehr Schnee.

3. ☐ Die Gletscher werden immer kleiner, weil die Temperaturen steigen.

4. ☐ Stimmt es, dass es wenig Schnee gibt, weil das Klima sich ändert?

5. ☐ Im Sommer gab es große Hitze und viele Gewitter.

6. ☐ Der Wintertourismus ist für die Wirtschaft wichtig.

1.19 **c** Was passt? Hören Sie noch einmal und verbinden Sie.

1. Wenn wir fliegen würden,   a hätten wir auch im Dezember genug Schnee.
2. Wenn Sie später kommen würden,   b dann wären wir in drei Stunden zu Hause.
3. Wenn wir am Stubaier Gletscher wären, c hätten wir nicht genug Geld.
4. Wenn die Touristen nur im Sommer   d dann würde es bestimmt Schnee geben.
   kommen würden,

5 Bedingungssätze

a Lesen Sie die Sätze in 4c und ergänzen Sie den Grammatikkasten.

> **Bedingungssätze**
>
> **Wenn**   **Konjunktiv II**   *(dann)* **Konjunktiv II**
>
> Wenn wir am Gletscher _____, dann _____ wir
> auch im Dezember Schnee.

b Kurskette: Wenn ich einen Winterurlaub machen würde, dann … Sprechen Sie im Kurs.

Snowboard fahren – Ski fahren – im Schnee wandern – viel fotografieren – immer frieren – viel Spaß haben – meine Freundin / meinen Freund mitnehmen – Angst vor einer Lawine haben – …

> *Wenn ich einen Winterurlaub machen würde, …*

* D+A: der Urlaub – CH: die Ferien

4

das Klima (Sg.)

der Klimawandel (Sg.)

6 Klimawandel in den Alpen

a Welche Überschrift passt? Lesen Sie und kreuzen Sie an.

1. ☐ Ein früher Start in die Skisaison
2. ☐ Ohne Schnee kein Skifahren und kein Trinkwasser
3. ☐ Die Schneetechnik wird immer besser

8 | UNSERE UMWELT III/17

Es passiert immer öfter: Die Skisaison fängt an, aber die Berge sind grün und braun – sogar in den Alpen gibt es an vielen Orten keinen Schnee. Verändert sich das Klima
5 oder ist es nur Zufall? Die Klima-Experten sagen: Die Durchschnittstemperatur in den Alpen ist in den letzten Jahrzehnten um zwei Grad Celsius gestiegen, weil die Menschen immer mehr CO_2 produzieren. Mit anderen
10 Worten: Der Klimawandel ist die Ursache für den Schneemangel und der Mensch ist schuld.

Was würde es aber für den Tourismus bedeuten, wenn es keinen Schnee im Winter
15 geben würde? Ohne Schnee würden keine Touristen kommen. Deshalb muss die Technik helfen: Vor 25 Jahren hatten zwei Prozent von den Skipisten in den Alpen Schneekanonen und Kunstschnee, jetzt sind es fast 50
20 Prozent. „Wenn wir die Schneekanonen nicht hätten, dann würden wir zumachen", meint Franz Meier, Skischulleiter in Kaprun. Leider verbrauchen die Schneekanonen viel

Strom und Wasser, sie machen die Umwelt-
25 probleme also nur noch schlimmer. Auch viele Pflanzen und Tiere leiden unter dem wenigen Schnee, denn sie brauchen den kalten Winter und die dicke Schneedecke.

Ab 2000 Metern gibt es noch genug Schnee
30 – meistens auch ohne Technik. Diese Gebiete sind zwischen Oktober und Mai noch schneesicher. Aber auch hier steigen langsam die Temperaturen. Die Gletscher gehen jedes Jahr um viele Meter zurück. In den letz-
35 ten 40 Jahren haben sie fast 30 Prozent von ihrer Fläche verloren. Das ist schlecht für die Natur und die Menschen. In den Sommermonaten gibt es deshalb weniger Wasser zum Trinken und für die Landwirtschaft.

die Umwelt (Sg.)

die Landschaft, -en

der Gletscher, -

die Temperatur, -en

b Lesen Sie noch einmal und machen Sie eine Mindmap. Präsentieren Sie dann Ihre Mindmap im Kurs.

der Tourismus

die Landwirtschaft

der Klimawandel in den Alpen

die Natur

sinken

steigen

c Was denken Sie: Was wäre, wenn …? Ergänzen Sie und schreiben Sie die Sätze auf einzelne Zettel. Hängen Sie die Sätze im Kurs auf. Welche finden Sie am besten? Unterschreiben Sie.

Wenn die Menschen weniger Auto fahren würden, …

Wenn das Klima bei uns wärmer wäre, …

Wenn es keinen Wintersport mehr geben würde, …

die Hitze (Sg.)

das Gewitter, -

7 Extremes Wetter

a Welches Wetter passt zu welcher Überschrift?
Lesen Sie und notieren Sie *a*, *b* oder *c*.

a Regen   b Schnee   c Hitze

1 ☐ **Schneechaos in der Stadt**

2 ☐ Sahara-Temperaturen und schulfrei in der Hauptstadt

3 ☐ *Die Natur leidet unter dem heißen Mai*

4 ☐ Nass und kühl:
Wo bleibt der Sommer?

5 ☐ *Sturm in NÖ:*
Land unter Wasser

b Welche Überschriften passen? Lesen Sie und ordnen Sie zu.

1. ☐ Ein schwerer Sturm mit 100 Kilometer starkem Wind hat heute Nacht in Niederösterreich viele Bäume entwurzelt und Dächer beschädigt. In einigen Orten sind bis zu 120 Millimeter Regen in zwölf Stunden  gefallen. „Die Landschaft ist hier zu einer Seenlandschaft geworden", beschreibt der Bürgermeister von Ybbs an der Donau die Situation. Es ist offiziell der nasseste September seit 50 Jahren.

2. ☐ Der Sommer hat Berlin im Griff: In vielen Stadtteilen sind die Temperaturen gestern auf 34 Grad gestiegen – und es wird noch heißer. Für Freitag melden die Meteorologen bis zu 35 Grad und am Sonntag kann das Thermometer sogar auf 38 Grad klettern. Bei diesen extremen Temperaturen wird das Leben in der Großstadt langsamer, die Straßenbahnen fahren teilweise nicht, weil die Gleise zu heiß sind, aber die Kinder freuen sich: Sie haben in der Schule frei bekommen.

3. ☐ Der Winter ist dieses Jahr früh in Hamburg angekommen. In der Innenstadt sind in der Nacht zwei Zentimeter Schnee gefallen. Mehrere Buslinien sind ausgefallen und es gab viele kleine Autounfälle. Der Wetter- und Straßendienst warnt vor gefährlichen Straßenbedingungen.

8 Wie ist das Wetter in Ihrem Land? Was bedeutet dort „extremes" Wetter? Erzählen Sie im Kurs.

Wichtige Sätze

über ein Stadtgartenprojekt sprechen

Im Gemeinschaftsgarten gibt es keine privaten Beete, die Menschen pflegen den Garten gemeinsam: Sie treffen sich, gießen die Pflanzen, ernten gemeinsam und feiern Feste. Man kann hier auch Kurse machen. Die meisten Pflanzen wachsen in Kisten, weil man sie dann einfacher transportieren kann.

über Wünsche sprechen

Wir würden (nicht) so gern … / Wir hätten gern einen/ein/eine …
Wir wären gern … / Wir möchten (nicht) …
Unser Wunsch ist, … zu … / Wir wünschen uns einen/ein/eine …

über Klima und Umwelt sprechen / Umweltprobleme beschreiben

In den Alpen verändert sich das Klima. Die Durchschnittstemperatur ist um zwei Grad Celsius gestiegen. Der Klimawandel ist die Ursache für den Schneemangel. Die Gletscher gehen jedes Jahr um viele Meter zurück.
Was würde es bedeuten, wenn es keinen Schnee im Winter geben würde? Ohne Schnee würden keine Touristen kommen. Die Schneekanonen machen die Umweltprobleme noch schlimmer. Pflanzen und Tiere leiden unter dem wenigen Schnee.

über extremes Wetter sprechen

Ein schwerer Sturm mit starkem Wind hat viele Bäume entwurzelt und Dächer beschädigt. In … sind bis zu … Millimeter Regen gefallen.
In … sind die Temperaturen auf … Grad gestiegen/gesunken.
Am … kann das Thermometer sogar auf … Grad klettern/sinken.
In … sind … Zentimeter Schnee gefallen. Der Wetterdienst warnt vor gefährlichen Straßenbedingungen.

Strukturen

Konjunktiv II (Wunsch)

		sein	haben
Ich würde gern zum Garten fahren.	ich	wäre	hätte
Ich hätte gern einen Gemeinschaftsgarten.	du	wärst	hättest
Ich wäre gern Imker.	er/es/sie	wäre	hätte
	wir	wären	hätten
Normale Verben: würde- + gern + *Infinitiv*	ihr	wärt	hättet
Aber: sein → wäre gern, haben → hätte gern	sie/Sie	wären	hätten

Bedingungssätze

Wenn	Konjunktiv II	(dann)	Konjunktiv II	
Wenn wir am Gletscher	wären,	dann	hätten	wir Schnee.
Wenn wir später	kommen würden,		würde	es Schnee geben.

▶ Phonetik, S. 148

1 Gesunde Menüs für den ganzen Tag

a Was sollte man zum Frühstück, Mittagessen und Abendessen essen, wenn man sich gesund ernähren möchte? Arbeiten Sie zu dritt und notieren Sie drei Vorschläge.

Unser gesundes Fitnessfrühstück   *Mittagessen für Sportler*   *Abendessen ...*

• *Müsli mit frischem Obst und*   ...   ...
  süßem Honig
• *ein weiches Ei*
• *grüner Tee*

b Präsentieren Sie Ihre Menüs im Kurs. Welches Menü würden Sie wählen? Sprechen Sie im Kurs.

2 Extremes Wetter

a Wie war das Wetter gestern in …? Arbeiten Sie zu zweit. Wählen Sie zwei Bilder und formulieren Sie je eine Schlagzeile.

schlecht – kalt – heiß – schwer –
stark – trocken – extrem – warm –
schlimm – nass – aktuell – …

der Regen – der Schnee – die Hitze –
die Kälte – der Wind – der Sturm –
das Gewitter – der Schneemangel – …

Starker Wind …

b Welches Bild passt? Hängen Sie die Schlagzeilen auf und lesen Sie sie vor. Die anderen raten.
c Wählen Sie dann eine Schlagzeile und schreiben Sie zu zweit einen Wetterbericht.

3 Wünsche

a Arbeiten Sie zu zweit. Nennen Sie einen Wunsch, Ihre Partnerin / Ihr Partner gibt einen Tipp. Tauschen Sie dann die Rollen.

zufriedener sein – viel Zeit haben – reich sein – mehr Geduld haben – auf einer Insel sein –
keine Angst vor … haben – eine sportliche Figur haben – nicht so oft einsam sein – jetzt einen
Kaffee haben – ordentlicher sein – einen Garten haben – gutes Wetter im Urlaub haben –
eine gute Köchin / ein guter Koch sein

Ich hätte gern eine sportliche Figur.

Dann mach doch mehr Sport.

Du könntest dich in einem Sportverein anmelden.

b Kurskette: Wenn ich Vegetarier wäre, dann … Sprechen Sie im Kurs wie im Beispiel.

> *Wenn ich Vegetarier wäre, dann würde ich auf Fleisch verzichten.*

> *Wenn ich auf Fleisch verzichten würde, wäre ich immer hungrig.*

> *Wenn ich immer hungrig wäre, …*

4 Bingo mit *obwohl*. Arbeiten Sie zu zweit. Ihre Partnerin / Ihr Partner arbeitet auf Seite 139. Bilden Sie Sätze. Ihre Partnerin / Ihr Partner kontrolliert und markiert das passende Feld auf ihrer/seiner Seite. Wenn Sie drei Felder zusammen „getroffen" haben, ist Ihre Partnerin / Ihr Partner an der Reihe.

Der Gletscher geht zurück. – Im Winter schneit es zu wenig. – Die Bauern in den Bergen verdienen weniger. – Viele Tiere und Pflanzen leiden. – Das Klima verändert sich. – Die Wassertemperatur im Meer steigt schnell. – Es gibt immer öfter schwere Stürme. – Im Frühling ist es zu heiß. – Es regnet zu selten.

> *Obwohl …, tun die Menschen zu wenig für die Natur.*

Ihre Partnerin / Ihr Partner

Obwohl die Temperaturen steigen, …	Obwohl die Luft immer schmutziger wird, …	Obwohl es im Sommer weniger Wasser gibt, …
Obwohl die Umweltprobleme zunehmen, …	Obwohl im Winter zu wenig Schnee in den Bergen liegt, …	Obwohl einige Tiere und Pflanzen sterben, …
Obwohl die Natur für die Menschen wichtig ist, …	Obwohl im Winter weniger Touristen in die Alpen kommen, …	Obwohl es immer öfter extremes Wetter gibt, …

5 Stadt- und Schrebergärten

a Arbeiten Sie zu zweit. Ihre Partnerin / Ihr Partner arbeitet auf Seite 139. Machen Sie Notizen und berichten Sie dann Ihrer Partnerin / Ihrem Partner. Dann berichtet sie/er.

Sind Stadtgärten und Schrebergärten gut für die Umwelt?
Was sind die Vor- und Nachteile?
Gibt es in Ihrem Land solche Gärten?

b Stellen Sie Fragen zur Präsentation Ihrer Partnerin / Ihres Partners.

Alles vegan!

Currywurst	mit Brötchen	3 Euro
	mit Pommes	4,50 Euro
Bouletten*	mit Salat	4,50 Euro
	mit Pommes	4,50 Euro
Gemüsekuchen (Stk.)		3,50 Euro

Food Truck Festival auf dem Spielbudenplatz in Hamburg (2016)

1 Foodtrucks

a Was denken Sie: Wo ist das? Was machen die Menschen dort? Sehen Sie die Fotos an und sprechen Sie im Kurs.

> *Auf dem Bild links ist eine Speisekarte. Vielleicht ...*

1.20 **b** Was sind Foodtrucks? Welche Informationen sind für Sie neu? Hören Sie und sprechen Sie im Kurs.

c Gibt es Foodtrucks oder Straßenküchen auch in Ihrer Heimat? Berichten Sie.

> *Bei uns gibt es keine Foodtrucks, aber ...*

> *Vor meiner Firma steht jeden Tag zwischen ... und ... Uhr ein Foodtruck mit ...*

2 Immer an einem anderen Platz. Foodtruck-Köche berichten.

1.21 **a** Welche Überschrift passt? Hören Sie und kreuzen Sie an.

1. ☐ Foodtrucks – ein neuer Trend
2. ☐ Vom Bürojob zum Foodtruck-Chef
3. ☐ Vegane Küche – eine neue Diät

* D: die Boulette / die Frikadelle – A: faschiertes Laibchen – CH: das Hackplätzchen

Foodtruck auf dem Food Truck Festival (2016)

1.21 ⊚ **b** Was ist falsch? Lesen Sie die Notizen. Hören Sie noch einmal und korrigieren Sie.

> _Idee:_   Job als Sekretärin zu langweilig,
>   Hobby Verkaufen zum Beruf machen
> _Vorbereitung:_   Truck kaufen und umbauen
> _Gerichte:_   nur vegane Produkte,
>   Spezialität: vegane Burger
> _Einkauf:_   auf dem Markt
> _Mitarbeiter:_   vier
> _Öffnungszeiten:_   mittags von 12:00 bis 15:00 Uhr
> _Ort:_   jeden Tag auf dem Spielbudenplatz
>   in Hamburg

c Schreiben Sie mit den Informationen in b einen Text.

3 Und Sie? Was würden Sie verkaufen, wenn Sie einen Foodtruck hätten? Mit wem würden Sie gern zusammenarbeiten? Wo würden Sie den Foodtruck aufstellen? Machen Sie Notizen und erzählen Sie im Kurs.

Unsere Stadt 5

Menschen & ihre Berufe

Unsere Frage heute: Welche Vor- und welche Nachteile hat Ihr Beruf?

Clemens (36):

Ich arbeite seit zwei Jahren in einem Bioladen hier um die Ecke. Ich bediene unsere Kunden und berate sie, wenn sie über ein Produkt mehr wissen wollen. Manchmal arbeite ich an der Kasse, das kann auch mal sehr stressig sein. Viele Kunden wohnen hier in der Nähe – genauso wie ich, wir sind also Nachbarn. Die Arbeitsbedingungen bei uns sind ziemlich gut: Der Lohn ist in Ordnung und man muss nicht viele Überstunden machen. Wir sind ein kleines Team – nur vier Mitarbeiter –, aber ein internationales: eine 5 Kollegin ist Deutsche, ein Kollege ist Pole und der Besitzer ist Italiener. Wir verstehen uns alle sehr gut.

Anja (32):

Ich bin seit zehn Jahren berufstätig. Als ich Auszubildende* war, habe ich mich auf Motorräder spezialisiert, und heute gehört es zu meinen Aufgaben, neue Aufträge von Kunden anzunehmen, aber auch die Frühjahrschecks zu machen, die Motoren zu prüfen und zu reparieren. Das finde ich interessant. Natürlich hat jeder Beruf auch seine Nachteile. Unsere Hände und Kleidung werden schnell schmutzig. 10 Und der Beruf ist körperlich anstrengend. Viele haben Knie- und Rückenschmerzen. Die Kollegen sind aber sehr nett, auch wenn wir hier nur zwei Frauen sind. Ich würde gern mit einem Kollegen – er ist auch ein Motorrad-Spezialist – eine eigene Motorradwerkstatt eröffnen.

Matteo (29):

Was ich an meinem Beruf mag? Man arbeitet viel mit Menschen zusammen und ist auch oft draußen, unterwegs in der Stadt – man darf also viel Auto fahren! Die Arbeit ist spannend, aber auch gefährlich, 15 weil die Menschen oft bei einer normalen Verkehrskontrolle schimpfen oder sogar Gewalt anwenden. Man ist unbeliebt und niemand von den „Kunden" sagt zu dir: „Danke, gut gemacht!" Dazu kommen schlechte Arbeitszeiten und man muss viel Büroarbeit am PC erledigen, oft an Besprechungen teilnehmen usw. Trotzdem mag ich meine Arbeit, es ist ein Beruf mit viel Verantwortung.

1 Menschen und ihre Berufe

1.22 ⊚ **a** Ratespiel: Was denken Sie: Wo ist das? Was machen die Personen? Welcher Beruf ist das? Hören Sie und sprechen Sie im Kurs. Die Bildleiste hilft.

| der Salon – das Büro – die Fabrik – das Geschäft – die Werkstatt – draußen | Polizist/in – Verkäufer/in – Kfz-Mechatroniker/in – IT-Spezialist/in – Handwerker/in – Friseur/in |

Ich glaube, das ist in einem ...   *Jemand ... wahrscheinlich ...*   *Vielleicht ist es eine/ein ...*

b Welche weiteren Berufe passen zu den Orten in a? Sammeln Sie im Kurs.

Zur Fabrik passt auch Direktor.

c Welcher Beruf in a passt? Lesen Sie die Texte oben und ordnen Sie zu.

d Was mögen die Personen an ihrem Beruf? Was mögen sie nicht? Lesen Sie noch einmal und unterstreichen Sie.

* D: die/der Auszubildende – A+CH: der Lehrling

Kunden beraten
und bedienen

e Wählen Sie einen Beruf aus c und machen Sie eine Mindmap.

Arbeitsplatz – Aufgaben – Vorteile – Nachteile

2 n-Deklination

a Clemens (C), Anja (A) oder Matteo (M)? Zu wem passen die Aussagen? Lesen Sie noch einmal und ordnen Sie zu.

1. ☐ Viele Nachbarn sind auch unsere Kunden.

2. ☐ Als Polizist ist man nicht immer sehr beliebt.

3. ☐ Ich möchte mich zusammen mit einem Kollegen selbstständig machen.

4. ☐ Viele Menschen sind zu uns unfreundlich.

5. ☐ Einer von meinen Kollegen ist Pole.

6. ☐ Ein Kollege von mir ist auch Motorrad-Spezialist.

an der Kasse
arbeiten

b Unterstreichen Sie die Nomen in a und ergänzen Sie den Grammatikkasten.

Überstunden
machen

n-Deklination		
	Singular	**Plural**
Nominativ	der Mensch	die Menschen
Akkusativ	den Menschen	die Menschen
Dativ	dem Menschen	den Menschen

männliche Personen: der Junge, der Student, der Herr, der _____ ,

der _____ , der _____ , der _____ ...

männliche Berufe: der Architekt, der Fotograf, der Bauer, der _____ ...
männliche Tiere: der Affe, der Bär, der Elefant, der Löwe, der Hase ...

männliche Nationalitäten auf -e*: der Brite, der Franzose, der _____ ...
**Aber:* der Deutsche, ein Deutscher = *Deklination wie Adjektiv*

Aufträge von
Kunden
annehmen

c Kursspaziergang: Quartett. Schreiben Sie vier Nomen aus jeder Kategorie im Grammatikkasten auf Kärtchen und an die Tafel, mischen Sie die Kärtchen und ziehen Sie dann eins. Gehen Sie durch den Kursraum und suchen Sie die drei anderen Personen.

den Motor
prüfen

Hast du den Kunden?

Ja, ich habe den ...

Wir suchen jetzt zusammen noch den ...

Büroarbeit
erledigen

⚑ ## 3 Und Ihr Beruf?

a Machen Sie eine Mindmap über einen Beruf, den Sie gut kennen.
b Schreiben Sie einen kurzen Text über den Beruf und stellen Sie ihn im Kurs vor.

an einer
Besprechung
teilnehmen

4 Stefans Arbeitstag

a Was denken Sie: Was passiert hier? Sprechen Sie im Kurs.

1.23 ◉
05 🎬 **b** Was muss Stefan alles tun? Hören Sie, ordnen Sie die Fotos und überprüfen Sie Ihre Vermutungen in a.

> *Zuerst passt Foto ... Stefan sitzt am Schreibtisch und ...*

1.23 ◉
05 🎬 **c** Frau Roth, Herr Schneider, Jannis, Stefan oder Julia? Wer will was von wem? Hören Sie noch einmal und sprechen Sie im Kurs.

> *Frau Roth will, dass Stefan ...*

den Prospekt bis morgen fertig machen – die Datei morgen bis 15 Uhr abgeben – die Fotos noch heute schicken – bei den Hausaufgaben helfen – auch an die Tochter denken – eine neue Hose anziehen – die Tür zumachen – den Ball mitnehmen

d Was schlagen Sie vor: Was sollte Stefan tun? Wie könnte er den Streit mit Julia lösen? Sprechen Sie im Kurs.

> *Er sollte ...*

> *Er könnte auch ...*

> *Er müsste vielleicht ...*

5 Konjunktiv II bei Modalverben

a Was müsste/könnte/sollte Stefan tun? Lesen Sie den Grammatikkasten und schreiben Sie Sätze mit den Informationen in 4c.

Konjunktiv II bei Modalverben			
höfliche Bitte	Könnten Sie den Prospekt bis morgen fertig machen?	ich	müsste
	Dürfte ich Sie anrufen, wenn ich noch Fragen habe?	du	müsstest
Vorschlag	Sie müssten die Datei morgen bis 15 Uhr abgeben.	er/es/sie	müsste
Ratschlag	Du solltest auch an deine Tochter denken.	wir	müssten
Wunsch/	Wenn ich den Prospekt nicht abgeben müsste,	ihr	müsstet
Bedingung	dann könnte ich dir helfen.	sie/Sie	müssten
		genauso: können, dürfen, wollen, sollen	

b Kurskette: Vorschläge fürs Deutschlernen.
Sprechen Sie wie im Beispiel.

jeden Tag zehn Minuten Vokabeln lernen – deutsche Zeitungen lesen – Filme auf Deutsch sehen – Grammatik wiederholen – mit einer Freundin / einem Freund zusammen lernen – online Übungen machen – deutsches Radio hören – Hausaufgaben machen – das Tagebuch auf Deutsch schreiben – in der Pause Deutsch sprechen – …

> *Paolo, du müsstest jeden Tag zehn Minuten Vokabeln lernen.*

> *Ja, das stimmt. Das sollte ich tun. Romana, du könntest …*

auf Vorschläge reagieren	
Ja, gute Idee! Das sollte ich/man tun.	Das ist keine gute Idee, finde ich.
Ja, das stimmt (auf jeden Fall).	Schade, / Tut mir leid, aber das geht nicht.
Du hast Recht. Ich könnte/müsste …	Vielleicht, aber ich könnte auch …

6 Diskussion: Stress im Alltag

a Was würden Sie empfehlen? Wählen Sie eine Situation und sammeln Sie Vorschläge.

> Sie müssen bis morgen eine wichtige Aufgabe erledigen und haben noch viel zu tun. Leider klopfen ständig Kollegen an Ihre Tür und wollen etwas von Ihnen. Auch Ihr Telefon klingelt oft.

> Ihre Freundin / Ihr Freund möchte ihren/ seinen Geburtstag feiern und eine große Party machen. Sie/Er ist allerdings auf Dienstreise und kommt erst einen Tag vor der Party zurück.

b Präsentieren Sie Ihre Vorschläge. Was denken die anderen? Diskutieren Sie im Kurs.

7 Ein Spiel „made in Germany"

a Was ist *Catan*? Lesen Sie und sprechen Sie im Kurs.

Interessantes aus DACH | 32

Ein Spiel „made in Germany"

Deutschland ist als ein Land bekannt, das viele moderne Produkte exportiert. Maschinen, Autos und Technologien „made 5 in Germany" sind in der Welt sehr beliebt. Was aber nur wenige Menschen wissen: Auch Spiele – und v.a. Brettspiele – gehören zu den erfolgreichen 10 Exportprodukten aus Deutschland. Eins davon ist ein 20 Jahre altes Spiel – mit einem Brett, Spielkarten, Würfeln und kleinen Figuren. Es heißt *Die Siedler* 15 *von Catan* oder einfach *Catan*.

Die Deutschen haben schon immer gern Brettspiele gespielt, jetzt werden aber auch in anderen Ländern solche Spiele immer 20 beliebter – sogar in dem Land, in dem man v.a. digital spielt, in den USA. Facebook-Gründer Mark Zuckerberg, Linked-In-Chef Reid Hoffman und 25 Hollywoodstars wie Mila Kunis sind begeisterte Fans von *Catan*. In Deutschland verkauft sich das Spiel ca. 100.000 mal pro Jahr, weltweit hat man es schon 30 22 Millionen mal verkauft und in 35 Sprachen übersetzt.

Mit diesem Erfolg ist im Ausland auch das Interesse an deutschen Spielen gestiegen: „German 35 games" gelten als eine besondere Art von Brettspielen, die anders sind als z.B. amerikanische Spiele. In den Spielen geht es oft um Zusammenarbeit und eine 40 kluge Strategie ist wichtiger als Glück.

Worum geht es bei *Catan*? Um eine fiktive Insel. Die Spielerinnen und Spieler müssen auf 45 dieser Insel Straßen und Städte bauen, dafür bekommen sie Punkte. Sie müssen miteinander handeln – z.B. Holz gegen Wolle, Stein oder Getreide tauschen. 50 Wer am besten handelt und baut, gewinnt.

Die Idee für das Spiel hatte Klaus Teuber, ein Zahntechniker aus Hessen, der 13 Jahre lang neben 55 seinem Beruf Spiele entwickelt hat. Als *Catan* zum Bestseller wurde, konnte Teuber seinen Job aufgeben und nur noch Spiele entwickeln.

60 Heute gibt es einen Roman über *Catan* und Hollywood möchte gern einen Film machen. Und ja, *Catan* gibt es heute natürlich auch als digitales Spiel, das man 65 auf seinem Computer, Tablet oder Smartphone spielen kann.

b Zu welchen Absätzen passen die Sätze? Lesen Sie noch einmal und notieren Sie die Zeilen.

1. _____ Catan ist ein Brettspiel, bei dem man handeln muss.

2. _____ Als er Catan entwickelte, war Klaus Teuber Zahntechniker von Beruf.

3. _____ Catan ist heute mehr als nur ein Brettspiel.

4. _____ Deutsche Brettspiele sind anders als amerikanische.

5. _____ Brettspiele sind nicht nur in Deutschland sehr beliebt.

6. _____ Deutschland ist ein Export-Land.

c Lesen Sie noch einmal und unterstreichen Sie die wichtigsten Informationen. Fassen Sie dann den Text kurz zusammen.

d Und Sie? Was spielen Sie gern? Was spielt man in Ihrem Land? Stellen Sie ein Spiel vor.

Wichtige Sätze

über Vor- und Nachteile von Berufen sprechen

Der Beruf ist spannend/anstrengend/gefährlich ...
Ich mag meinen Beruf, weil man viel mit Menschen arbeitet / man oft draußen ist / ...
Es ist ein Beruf mit viel Verantwortung.
Die Arbeitsbedingungen sind ziemlich gut / nicht so gut.
Wir haben gute/angenehme/schlechte Arbeitszeiten.
Der Lohn ist in Ordnung / zu niedrig / ... Man muss (nicht) viele Überstunden machen.
Wir verstehen uns alle sehr gut. / Die Kollegen sind sehr nett.

über den Arbeitsalltag sprechen

Ich muss viel Büroarbeit am PC erledigen und habe sehr viel zu tun.
Das schaffe ich (nicht). / Ich muss es irgendwie schaffen.
Ich muss ... bis morgen fertig machen und ... bis 15 Uhr abgeben.

auf Vorschläge reagieren

Ja, gute Idee! Das sollte ich/man tun.
Ja, das stimmt (auf jeden Fall).
Du hast Recht. Ich könnte/müsste ...

Das ist keine gute Idee, finde ich.
Schade, / Tut mir leid, aber das geht nicht.
Vielleicht, aber ich könnte auch ...

Strukturen

n-Deklination

	Singular	Plural
Nominativ	der Mensch	die Menschen
Akkusativ	den Menschen	die Menschen
Dativ	dem Menschen	den Menschen

männliche Personen: der Junge, der Student, der Kollege, der Kunde, der Nachbar, ...
männliche Berufe: der Architekt, der Fotograf, der Bauer, der Polizist ...
männliche Tiere: der Affe, der Bär, der Elefant, der Löwe ...
männliche Nationalitäten auf -e*: der Brite, der Franzose, der Pole ...
*Aber: der Deutsche, ein Deutscher = *Deklination wie Adjektiv*

Konjunktiv II bei Modalverben

höfliche Bitte	Könnten Sie den Prospekt fertig machen?	ich	müsste
	Dürfte ich Sie anrufen, wenn ich Fragen habe?	du	müsstest
Vorschlag	Sie müssten die Datei bis 15 Uhr abgeben.	er/es/sie	müsste
Ratschlag	Du solltest auch an deine Tochter denken.	wir	müssten
Wunsch/	Wenn ich den Prospekt nicht abgeben müsste,	ihr	müsstet
Bedingung	dann könnte ich dir helfen.	sie/Sie	müssten

genauso: können, dürfen, wollen, sollen

► Phonetik, S. 148

4. OG   Cafeteria ⇨
3. OG   ⇦ Orthopädie / Kinderstation ⇨
2. OG   ⇦ Operationssäle / Labor ⇨
1. OG   ⇦ Innere Medizin / Entbindungsstation
EG   Notaufnahme / Aufnahme ⇨

1 Im Krankenhaus

Auf Foto 7 hat sich der Mann das Bein gebrochen. Dort legt man einen Gipsverband an.

a Was macht man dort? Schreiben Sie Sätze zu den Fotos. Die Bildleiste hilft.

1.24 **b** Wer sind die beiden Frauen? Was machen sie? Hören Sie und sprechen Sie im Kurs.

c Welche Abteilung passt? Arbeiten Sie mit der Orientierungstafel und ergänzen Sie.

1. Hier werden Anmeldeformulare ausgefüllt.   *in der Aufnahme*

2. Hier werden Patienten am Wochenende behandelt.

3. Hier werden Kinder geboren.

4. Hier wird das Blut untersucht.

5. Hier werden Patienten behandelt, wenn sie sich ein Bein gebrochen haben.

6. Hier wird etwas gegessen oder getrunken.

1.24 **d** Hören Sie noch einmal und überprüfen Sie Ihre Lösung in c. Fragen und antworten Sie.

Wo werden Anmeldeformulare ausgefüllt?

In der Aufnahme. Wo werden ...?

2 Passiv

a Was passt? Ordnen Sie zu.

1. Die Ärztin untersucht den Mann.
2. Die Ärztin impft das Mädchen.
3. Das Mädchen wird (von der Ärztin) geimpft.
4. Der Mann wird (von der Ärztin) untersucht.

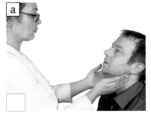
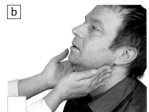

Patienten
aufnehmen

b Unterstreichen Sie die Passiv-Formen in a und ergänzen Sie den Grammatikkasten.

> ### Passiv (Präsens)
>
> | | **werden** | | **Partizip II** |
> |---|---|---|---|
> | Das Mädchen | wird | (von der Ärztin) | _____ . |
> | Der Mann | _____ | (von der Ärztin) | _____ . |
>
> *Im Passivsatz ist es wichtig, was man tut. Es ist nicht wichtig, wer das tut.*
> *Der Nominativ aus dem Aktivsatz entfällt. Der Akkusativ wird zum Nominativ.*

untersuchen

c Was passiert? Erzählen Sie die Geschichte.

ins Krankenhaus* bringen (von seinen Kollegen) –
untersuchen (von einer Ärztin) – operieren –
(ihm) einen Verband anlegen – besuchen (von
einem Freund) – anrufen (von seiner Kollegin) –
(ihm) den Verband wechseln (von einer Krankenpflegerin) – nach Hause entlassen

das Herz / die
Brust abhören /
(tief) atmen

> *Ein Mann ist von ...*

> *Zuerst wird er ins Krankenhaus ...*

sich einen
Knochen / das
Bein brechen

3 Passiv mit Modalverben

a Was bedeuten die Schilder? Ergänzen Sie den Grammatikkasten.

einen Verband
anlegen

> ### Passiv mit Modalverben (Präsens)
>
> | | **Modalverb** | | **Partizip II + werden** | |
> |---|---|---|---|---|
> | Im Krankenhaus | dürfen | keine Handys | _____ . | |
> | Die Hände | müssen | immer | _____ . | |

b Was muss oder darf (nicht) im Krankenhaus gemacht werden? Sprechen Sie im Kurs.

die Gesundheitskarte* zeigen – Dienstkleidung tragen – den Medikamentenschrank
abschließen – Straßenschuhe tragen – Blumen mitbringen – Alkohol trinken –
keine Zigaretten rauchen

schwanger sein

> *Im Krankenhaus muss Dienstkleidung ...*

> *Dort darf (nicht) ...*

operieren

c Und im Kurs? Was darf (nicht) / muss gemacht werden?
Sammeln Sie Regeln und zeichnen Sie Schilder.

> *Bei uns im Kurs darf kein Kaugummi gegessen werden.*

eine Spritze
geben / impfen

* D: die Gesundheitskarte – A: die e-Card – CH: die Krankenkassenkarte | D+A: das Krankenhaus – CH: das Spital

das Fieber
messen

4 Hilfe! Ich muss operiert werden.

a Was sollte man vor einer Operation (nicht) machen? Lesen Sie und markieren Sie die Tipps.

www.doktorwohlfahrt.de

| Startseite | Über Dr. Wohlfahrt | Tipps | Kontakt |

Dr. Wohlfahrt rät!

Heute: Sie müssen ins Krankenhaus?
Hier finden Sie Tipps für die beste Vorbereitung.

Werden Sie bald operiert? Oder müssen Sie für eine Behandlung für ein paar Tage ins Krankenhaus gehen? Dann haben Sie das Glück, dass Sie sich vorbereiten können. Wenn Sie ein paar Tipps beachten, ist das Ganze nicht so schlimm.

Die erste wichtige Regel: Vor einer Operation darf den ganzen Tag nichts gegessen und getrunken werden, denn für die OP muss man nüchtern sein.

Fragen Sie Ihren Arzt, wie lange Sie wahrscheinlich im Krankenhaus bleiben müssen. Dann wissen Sie, für wie viele Tage die Tasche gepackt werden muss. In die Tasche gehören ein Lieblingspyjama oder ein bequemes Nachthemd, aber auch Dinge zum Wohlfühlen. Vergessen Sie auch nicht die Lieblingsschokolade oder den leckeren Saft – keine Angst, Sie bekommen vier Mal am Tag etwas zu essen, aber nicht immer das, was man am liebsten mag.

Auch an die Hygiene muss gedacht werden: Packen Sie Ihre Zahnbürste, Zahnpasta, das Shampoo und eventuell auch Ihre Rasiersachen ein. Auch eine Creme, die angenehm riecht, kann Ihre Laune im Krankenhaus verbessern.

Fragen Sie, ob es einen Fernseher im Zimmer gibt. Langeweile macht schlechte Laune – den ganzen Tag fernzusehen allerdings auch! Deshalb ist es gut, wenn auch Bücher oder die Zeitschriften, für die Sie sonst nie Zeit haben, mitgenommen werden. Arbeitsdokumente bleiben bitte zu Hause! Nach einer OP sollte man Ruhe haben und sich erholen. Und erzählen Sie allen, die Sie mögen, dass Sie ins Krankenhaus kommen. Dann bekommen Sie viel Besuch!

b Lesen Sie noch einmal und beantworten Sie die Fragen.

1. Was kann man gegen schlechte Laune tun?
2. Was sollte man nicht ins Krankenhaus mitnehmen?
3. Warum soll man allen erzählen, dass man ins Krankenhaus kommt?

1.25 ⊚ c Was muss Helga Mertens machen? Hören Sie und kreuzen Sie an.

Helga Mertens muss ...
1. ☐ nächste Woche im Bett bleiben.
2. ☐ in zwei Tagen ins Krankenhaus gehen.
3. ☐ ihre Tochter im Krankenhaus besuchen.

1.25 ⊚ d Welche Tipps gibt Stefan Bode? Hören Sie noch einmal und notieren Sie. Vergleichen Sie dann mit den Tipps in a. Was ist neu? Sprechen Sie im Kurs.

– Bücher mitnehmen

5 Nach der Operation

a Helga Mertens ist wieder zu Hause. Was muss alles gemacht werden? Sprechen Sie im Kurs.

 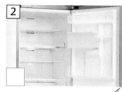   

> *Das Geschirr muss gespült werden.*

1.26

05

b Julia (J), Stefan (S) oder Helga Mertens (H)? Wer macht was?
  Hören Sie und ordnen Sie die Namen in a zu. Erzählen Sie dann.

> *Julia kocht den Tee für
> Frau Mertens.*

c Helga Mertens lässt sich helfen: Was lässt sie machen? Was macht
  sie selbst? Schreiben Sie Sätze zu den Bildern in a.

> *Helga Mertens lässt den Teppich von Julia saugen.*

Das Verb *lassen*

	lassen		**Infinitiv**	ich	lasse
Helga	lässt	den Tee (von Julia)	kochen.	du	lässt
				er/es/sie	lässt
lassen ≈ *jemandem erlauben, dass sie/er etwas macht*				wir	lassen
				ihr	lasst
				sie/Sie	lassen

d Und Sie? Was machen Sie selbst? Was lassen Sie andere machen? Fragen und antworten Sie.

die Wohnung putzen – die Wohnung streichen – den Anzug reinigen – das Auto waschen –
E-Mails ins Deutsche übersetzen – sich im Reisebüro beraten – ein Kleid nähen – die Fenster
putzen – das Fahrrad reparieren – ...

> *Lässt du deine Wohnung putzen?*

> *Nein, ich putze sie selbst.
> Und du?*

> *Ich habe eine Putzfrau.
> Ich lasse sie putzen.*

e Kursspaziergang: Sie haben viel Geld gewonnen. Was lassen Sie machen?
  Notieren Sie drei Ideen. Gehen Sie durch den Kursaum. Bei *stopp* fragen und antworten Sie.

> *Du hast viel Geld gewonnen. Was lässt du machen?*

> *Ich lasse einen Swimmingpool bauen.*

6 Der Hund – dein Freund und Helfer

a Was ist das Thema? Lesen Sie die Überschrift und die Einleitung. Sprechen Sie im Kurs.

www.tiere-helfen-menschen.de

Ein Hund als Lebenshilfe

Hunde können Menschen mit Behinderung im Alltag viel helfen.
Paten des Vereins VITA Assistenzhunde e. V. bereiten die Hunde
darauf vor und trainieren sie mehrere Monate. Nach der gemeinsamen
5 *Trainingszeit folgt dann der Abschied – für Anne Wittmann wieder im Herbst.*

VITA
ASSISTENZHUNDE e.V.

Mit Valentin und Ashley sind bereits zwei VITA-Assistenz-
hunde bei Patin Anne Wittmann aufgewachsen. Nummer
drei zog im Juli 2015 bei der VITA-Patin ein: Vitesse, ein
kleines, süßes Retrievermädchen. Die Hündin ist noch jung
10 und lebt seit anderthalb* Jahren bei Frau Wittmann. Sie ist
Patin im Frankfurter Verein VITA, der Assistenzhunde für
körperlich behinderte Menschen ausbildet. Hunde wie
Vitesse können z.B. Türen öffnen, das Licht an- und ausmachen*, Gegenstände, die auf den Boden gefallen sind,
15 aufheben und die Schuhe bringen. Aber fast noch wichtiger
ist, dass der Hund den behinderten Menschen begleitet und
ein Freund ist. Besonders für Kinder ist der Hund auch Spiel-
kamerad und hilft bei der Integration. Kinder im Rollstuhl
können oft nicht beim Spiel mitmachen, aber durch einen

20 Hund werden sie in die Gruppe integriert, weil viele Kinder Hunde lieben.

Den Verein hat die Sozialpädagogin und Hundetrainerin Tatjana Kreidler im Jahr 2000 gegründet. Im
Alter von ca. einem bis anderthalb Jahren bekommen die Hunde eine besondere Ausbildung, die Frau
Kreidler entwickelt hat. Vorher leben die Hunde bei Paten, die die Hunde erziehen und auf ihre
Aufgabe vorbereiten. Einmal wöchentlich gehen sie mit ihnen zum Training, jede zweite Woche finden
25 zusätzlich Kurse statt.

Nicht jeder kann Pate sein. Man muss den Hund wie seinen eigenen behandeln, aber nach ca. anderт-
halb bis zwei Jahren müssen die Paten ihn wieder abgeben. Anne Wittmann hat Erfahrung mit
Hunden: Sie hatte schon fünf eigene Hunde. Als ihre erwachsenen Kinder von zu Hause ausgezogen
sind, fühlte sie sich mit einem Hund weniger allein. Ihre Tierärztin Ariane Volpert engagiert sich auch
30 im Verein und hat Anne Wittmann gebeten, Patin zu werden. So hatte Frau Wittmann zuerst Valentin,
später dann Ashley. Sie zeigt stolz Fotos von den beiden erwachsenen Hunden: Valentin kam als
Therapiehund in eine Seniorenresidenz, Ashley wurde Assistenzhündin von einem Jungen, der im
Rollstuhl sitzt.

b Was ist richtig? Lesen Sie und kreuzen Sie an.

	richtig	falsch
1. Vitesse ist die zweite Assistenzhündin, die bei Anne Wittmann lebt.	☐	☐
2. Ein Assistenzhund hilft Menschen, die z. B. im Rollstuhl sitzen.	☐	☐
3. Für behinderte Kinder sind die Hunde auch als Freunde wichtig.	☐	☐
4. Den Verein Vita e. V. gibt es seit zehn Jahren.	☐	☐
5. Anne Wittman ist Patin geworden, weil ihr Hund krank war.	☐	☐

c Tiere und Sie: Haben oder hatten Sie ein Haustier? Was finden Sie an Haustieren toll? Oder
warum mögen Sie keine Haustiere? Sprechen Sie im Kurs.

*D+CH: anderthalb – A: eineinhalb | D+CH: an- und ausmachen – A: ein- und ausschalten

Wichtige Sätze

sich in einem Gebäude orientieren

Hier sind wir in der Aufnahme / im Labor ... Wir fahren jetzt in den ... Stock zu ...
Gegenüber von ..., hier links/rechts, ist die Notaufnahme / die Orthopädie / ...
Im ersten Stock sind die Entbindungsstation und die Innere Medizin / ...

Vorgänge beschreiben

In der Aufnahme muss man ein Anmeldeformular ausfüllen. In der Notaufnahme
werden Patienten am Wochenende behandelt. In der Entbindungsstation werden
jeden Tag vier bis sechs Kinder geboren. Im Labor wird das Blut untersucht.

Die Ärztin / Der Arzt untersucht zuerst die Patientin / den Patienten. Die Brust wird
abgehört und die Frau / der Mann bekommt eine Spritze.

über einen Krankenhausaufenthalt sprechen

Ich werde am Knie / an ... operiert und muss eine Woche im Krankenhaus bleiben.
Vor einer OP darf nichts gegessen und getrunken werden. Man muss nüchtern sein.
Nach der OP lasse ich meine Tochter / ... für mich einkaufen / das Bad putzen / ...
Ich kann das nicht selbst machen.

Strukturen

Passiv (Präsens)

	Position 2 *werden*		Satzende Partizip II
Der Mann	wird	(von der Ärztin)	untersucht.

Im Passivsatz ist es wichtig, was man tut. Es ist nicht wichtig, wer das tut.
Der Nominativ aus dem Aktivsatz entfällt. Der Akkusativ wird zum Nominativ.

Passiv mit Modalverben (Präsens)

	Modalverb		Partizip II + *werden*
Im Krankenhaus	dürfen	keine Handys	benutzt werden.
Die Hände	müssen	immer	gewaschen werden.

Das Verb *lassen*

	Position 2 *lassen*		Satzende Infinitiv
Helga	lässt	den Tee (von Julia)	kochen.

ich	lasse
du	lässt
er/es/sie	lässt
wir	lassen
ihr	lasst
sie/Sie	lassen

lassen ≈ *jemandem erlauben, dass sie/er etwas macht*

▶ Phonetik, S. 149

1 Wörter raten: Arbeitsplätze, Berufe und Tätigkeiten

a Arbeiten Sie in zwei Gruppen. Jede Gruppe notiert fünf Arbeitsplätze, fünf Berufe und fünf Tätigkeiten im Beruf auf Karten.

> das Geschäft

> die Verkäuferin / der Verkäufer

> Kunden bedienen

b Mischen Sie die Karten. Eine Person aus Gruppe 1 zieht eine Karte, würfelt und stellt das Wort dar. Gruppe 2 rät. Die Gruppen tauschen dann die Rollen.

Regeln:

1.   Spielen Sie das Wort als Pantomime.

  Beschreiben Sie das Wort, aber nennen Sie es nicht.

  Zeichnen Sie das Wort.

2. Richtig geraten? Dann bekommt Ihre Gruppe einen Punkt.
Falsch geraten? Dann bekommt die andere Gruppe einen Punkt.

2 Das musste ich heute tun.

a Hier sind einige Verben falsch. Arbeiten Sie zu zweit. Ihre Partnerin / Ihr Partner arbeitet auf Seite 140. Lesen Sie und korrigieren Sie den Text. Es gibt sieben Fehler.

Heute war ein stressiger Tag. Gleich am Morgen musste ich an einer Besprechung ~~annehmen~~. *teilnehmen*

Dann musste ich viele Rechnungen teilnehmen. Ich hatte aber keine Ruhe, denn viele Kunden haben angerufen und ich musste die Kunden machen oder ihre Aufträge machen. Ich musste länger im Büro bleiben und Überstunden beraten, weil ich noch so viel Büroarbeit prüfen musste. Und ich konnte keine Pause erledigen!

b Lesen Sie Ihren Text vor, Ihre Partnerin / Ihr Partner kontrolliert.

Heute war ein stressiger Tag – ich musste zwanzig Patienten untersuchen. Bei einer Patientin musste ich die Brust abhören, weil sie so viel gehustet hat. Bei einem Kind musste ich das Fieber messen und ihm eine Spritze geben. Es hat aber so geschrien, weil es Angst hatte. Dann musste ich noch einen Verband anlegen. Ich konnte keine Pause machen!

3 Kurskette: Wen haben Sie getroffen? Sprechen Sie wie im Beispiel.

der Student – der Kollege – der Kunde –
der Nachbar – der Polizist – der Architekt –
der Fotograf – der Junge – der Franzose –
der Pole – der Grieche – der Bauer

> *Auf dem Weg zum Kurs habe ich einen Kunden getroffen.*

> *Auf dem Weg zum Kurs habe ich einen Kunden und einen Griechen getroffen.*

4 Gesundheitstipps für den Arbeitsplatz

a Was kann man am Arbeitsplatz tun, wenn man gesund bleiben möchte? Arbeiten Sie zu zweit und schreiben Sie zwei Tipps.

> *Man sollte in der Mittagspause einen kurzen Spaziergang machen.*

b Hängen Sie Ihre Vorschläge im Kurs auf, lesen und kommentieren Sie sie.

> *Hier ist ein Vorschlag, dass man in der Mittagspause einen kurzen Spaziergang machen sollte. Das ist eine sehr gute Idee. Das könnte ich auch machen.*

5 Am Arbeitsplatz. Arbeiten Sie zu zweit. Wählen Sie ein Foto, würfeln Sie und fragen Sie. Ihre Partnerin / Ihr Partner antwortet. Tauschen Sie dann die Rollen.

  Was wird hier gemacht?

 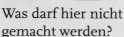 Was darf hier nicht gemacht werden?

  Was muss hier gemacht werden?

6 Neu in der Firma. Arbeiten Sie zu zweit. Wählen Sie eine Rollenkarte und machen Sie Notizen. Spielen Sie zu zweit einen Dialog.

Partnerin/Partner A
Sie führen eine neue Kollegin / einen neuen Kollegen in Ihrer Firma ein.
– Zeigen Sie ihr/ihm das Gebäude.
– Geben Sie ihr/ihm Ratschläge, was sie/ er heute tun sollte.

Partnerin/Partner B
Ihr erster Tag in der neuen Firma:
Eine Kollegin / Ein Kollege zeigt Ihnen die Firma.
– Fragen Sie, wo welche Räume sind.
– Fragen Sie, was Sie heute alles erledigen sollten.

> *Hier an der Rezeption werden die Gäste angemeldet.*

> *Und wo finde ich die Kantine?*

> *Wann sollte ich mit dem Chef sprechen?*

1

2

ⓥ 1 Das Technische Hilfswerk (THW)

a Was denken Sie: Was macht das THW? Sehen Sie die Fotos an und sprechen Sie im Kurs.

bei Naturkatastrophen/Hochwasser helfen – Wasseranlagen/Straßen/Brücken bauen/reparieren –
für sauberes Wasser sorgen – schmutziges Wasser reinigen – entwurzelte Bäume entsorgen –
Wasserpumpen ausleihen – Straßen freihalten – Menschen/Tiere retten

b Wählen Sie ein Foto und schreiben Sie fünf Sätze dazu.

2 THW-Mitglieder stellen sich vor.

1.27 ⓞ a Helga Bauer (B) und Philipp da Silva (S): Welches Foto passt? Hören Sie und ordnen Sie zu.

3

4

1.27 ⊙ **b** Was machen Helga Bauer und Philipp da Silva? Hören Sie noch einmal und notieren Sie.

	Helga Bauer	Philipp da Silva
Beruf: Aufgaben:		

1.27 ⊙ **c** Warum arbeiten die beiden beim THW? Hören Sie noch einmal und sprechen Sie im Kurs.

d Was sind typische Aufgaben in Ihrem Beruf? Welche Aufgaben haben Sie? Machen Sie Notizen und erzählen Sie dann im Kurs. Arbeiten Sie mit einem Wörterbuch.

3 Ehrenamtlich arbeiten. Was kann man ehrenamtlich machen? Wie möchten Sie sich engagieren? Wie können Sie Ihre (beruflichen) Kenntnisse nutzen? Machen Sie Vorschläge und diskutieren Sie im Kurs.

1 Kurznachrichten

a Was interessiert Sie? Welche Rubriken lesen Sie? Sprechen Sie im Kurs.

Nachrichtenspiegel - Aktuelles ✕ +   — ☐ ✕

Startseite | Politik | Sport | Wetter | Kultur | Lokales | Wirtschaft | Vermischtes   Suchen 🔍

b Welche Überschrift passt? Lesen Sie die Texte und ordnen Sie zu.

1 **Mädchen ruft die Polizei**

2 **Einmal durch den Ärmelkanal**

3 **Bundeskanzlerin verkauft Pommes frites**

4 **Polizei hilft beim Zähneputzen**

5 **Deutschen Rekord nur um 30 Minuten verpasst**

6 **Trinkgeld von der Bundeskanzlerin**

■ kurze Zeitungsartikel verstehen – einen Text zusammenfassen – über Vergangenes schreiben – Zeitungsrubriken – Präteritum

7

c Wer? Was? Wann? Wo? Lesen Sie noch einmal und berichten Sie dann im Kurs über einen Artikel. Der Redemittelkasten hilft.

1. Arbeiten Sie in drei Gruppen. Wählen Sie einen Text und schreiben Sie W-Fragen dazu.
2. Tauschen Sie die Fragen, lesen Sie den passenden Text und schreiben Sie die Antworten.
3. Tauschen Sie die Fragen und die Antworten, lesen Sie den Text und kontrollieren Sie die Antworten.
4. Berichten Sie über den Artikel.

> **einen Text zusammenfassen**
> In dem Artikel/Text geht es um ... Der Artikel handelt von ...
> Ich habe in der Zeitung einen Artikel über ... gelesen.
> Ich habe in der Zeitung gelesen, dass ...
> In dem Artikel wird über ... berichtet.

2 Präteritum

a Unterstreichen Sie die Verben in den Texten. Wie heißt der Infinitiv? Ordnen Sie zu.

begleiten – beleidigen – beruhigen – bestellen – bezahlen – bringen – empfehlen – fragen – geben – helfen – ~~kommen~~ – mitteilen – rufen – schaffen – schlagen – schwimmen – sein – sollen – starten – ~~verkaufen~~ – wissen – wollen

> *es kam: kommen*
> *er verkaufte: verkaufen*

b Regelmäßig oder unregelmäßig? Lesen Sie den Grammatikkasten und unterstreichen Sie die unregelmäßigen Verben in a.

Präteritum

	regelmäßig **sagen**	unregelmäßig **kommen**	*Das Präteritum wird meistens in Zeitungen, Geschichten, Märchen und Biographien benutzt. Bei den Modalverben und bei* haben *und* sein *verwendet man meistens das Präteritum.*
ich	sagte	kam	
du	sagtest	kamst	
er/es/sie	sagte	kam	*Achtung:*
wir	sagten	kamen	bringen – brachte, wissen – wusste
ihr	sagtet	kamt	
sie/Sie	sagten	kamen	

  c Kurznachrichten. Hören Sie das Lied, klatschen Sie, wenn Sie ein Verb im Präteritum hören, und nennen Sie den Infinitiv.

 d Kurszeitung. Wählen Sie eine Überschrift und schreiben Sie eine kurze Zeitungsnachricht.

> **Weltrekord mit 80 Jahren**

> **Kleiner Junge alarmiert Polizei**

> **15-jähriges Mädchen bestellt 52 Pizzen**

3 Public Viewing früher und heute

a Was machen die Menschen? Sprechen Sie im Kurs. Die Bildleiste hilft.

1.29
07

b Was ist richtig? Hören Sie und kreuzen Sie an.

1. Wo sehen Stefan und Jannis am Dienstag Fußball?
   a ☐ In der Kneipe*.
   b ☐ Zusammen mit Helga Mertens im Fernsehen.
   c ☐ Auf der Fanmeile.

2. Wo sieht Helga Mertens Fußball?
   a ☐ Auf der Fanmeile.
   b ☐ Im Fernsehen.
   c ☐ Sie sieht keinen Fußball.

1.29
07

c Was sagen Stefan, Jannis und Helga Mertens? Hören Sie noch einmal und korrigieren Sie die Sätze.

1. Die Stimmung beim Public Viewing ist nicht toll.
2. Stefan geht zum Public Viewing in eine Kneipe.
3. Die Familie von Helga Mertens hat früher Fußball im Fernsehen gesehen.
4. Helga Mertens hat jede Europameisterschaft gesehen.

4 *Seit(dem)* und *bevor*

a Lesen Sie den Grammatikkasten und ergänzen Sie die Sätze mit den korrigierten Sätzen in 3c.

> **Nebensätze mit *bevor* und *seit(dem)***
>
> | bevor | ← | Bevor das Spiel | anfängt, | koche | ich das Abendessen. |
> |-------|---|-----------------|----------|-------|---------------------|
> | seit(dem) | → | Seitdem es Internet | gibt, | kann | man überall Fußball sehen. |

1. Seitdem Helga Mertens das Finale 1954 gesehen hat, ...
2. Seitdem Stefan das erste Mal auf der Fanmeile war, ...
3. Bevor die Familie von Helga Mertens einen Fernseher hatte, ...
4. Bevor das Spiel anfängt, ...

b Sprachschatten. Sprechen Sie zu zweit wie im Beispiel.

Seitdem ich ein Tablet/Smartphone habe, ...

Bevor es Internet gab, ...

> *Seitdem ich ein Tablet habe, sehe ich nur dort fern.*

> *Wie? Seitdem du ein Tablet hast, siehst du ...?*

*D: die Kneipe – A: das Lokal – CH: die Beiz

die Weltmeister-
schaft, -en (WM)

5 Gemeinsam jubeln

a Was passiert beim Public Viewing? Sprechen Sie im Kurs.

b Was ist richtig? Lesen Sie den Text und kreuzen Sie an.

21

Public Viewing: gemeinsam jubeln

Seit der Fußball-Weltmeisterschaft 2006 herrscht in Deutschland bei wichtigen Fußballereignissen – wie bei einer Welt- oder Europameisterschaft – das Fußball-
5 Fieber. Auf vielen Plätzen in Deutschland, in Sportstadien und sogar am Brandenburger Tor in Berlin treffen sich zehntausende Fans zum gemeinsamen Fußballschauen und alle sind begeistert. Diese Art, mit vielen Men-
10 schen zusammen Fußball zu sehen, das so-
genannte Public Viewing, ist ein neues Lieblingshobby von den Deutschen.

Beim Public Viewing erlebt man die Gemeinschaft intensiv. Man sieht die eigenen Gefühle auch bei den anderen Fans wie in einem Spiegel. Gemeinsam steigt die Begeisterung, die
15 Gefühle werden stärker. Der Sportpsychologe Dr. Teubel meint: „Der Mensch wünscht sich eigentlich immer, zu einer Gruppe zu gehören." So hört man oft nach einem erfolgreichen Spiel: „WIR haben gewonnen!" Wenn das Team allerdings verliert, dann sagt man: „DIE haben verloren!"

Bevor man zum Public Viewing geht, ist es für viele Fans wichtig, dass man sofort erkennt,
20 für welche Mannschaft man ist. In vielen Geschäften kann man lustige Fan-Artikel kaufen, die das Public Viewing zu einem richtigen Fest machen. Man freut sich vor der Großleinwand gemeinsam über eine gute Aktion und umarmt sich, wenn ein Spieler ein Tor schießt. Aber nicht jeder mag das. Viele Leute finden es dort zu eng oder zu laut. Nicht alle Menschen fühlen sich in großen Gruppen wohl und nicht immer ist das gemeinsame Feiern nur
25 fröhlich.

Public Viewing gibt es nicht nur bei Sportveranstaltungen. In vielen Kneipen treffen sich regelmäßig Fans von beliebten deutschen Fernsehserien wie „Tatort" oder „Lindenstraße". Sie sehen die Sendung zusammen und diskutieren. Auch andere Großveranstaltungen – wie z.B. den ESC – kann man gemeinsam mit Freunden beim Public Viewing genießen.

1. In diesem Text geht es um ...
   a ☐ das gemeinsame Fernsehen in Gruppen.
   b ☐ die Fußball-Weltmeisterschaft 2006.

2. Dr. Teubel sagt, dass ...
   a ☐ man zu einer Gruppe gehören möchte.
   b ☐ Public Viewing gut für die Gesundheit ist.

3. Wenn man zum Public Viewing geht, ...
   a ☐ muss man lustig aussehen.
   b ☐ zeigt man, zu welcher Mannschaft man gehört.

c Und Sie? Was denken Sie über Public Viewing? Was sind die Vor- und Nachteile? Notieren Sie und diskutieren Sie im Kurs.

d Gibt es in Ihrem Land auch Public Viewing? Haben Sie ein Public Viewing in Deutschland erlebt? Berichten Sie.

das Schau-
fenster, -

die Fanmeile, -n

die (Groß-)
Leinwand, -ä-e

der Fan, -s

(sich) umarmen

jubeln

klatschen

(ein Tor)
schießen

6 Radionutzung in Deutschland, Österreich und der Schweiz

a Wie viele Menschen hören täglich Radio? Wie lange? Lesen Sie die Grafik und sprechen Sie.

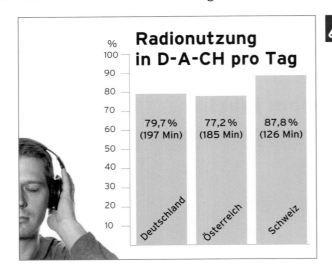

Radionutzung in D-A-CH pro Tag

%	Deutschland	Österreich	Schweiz
	79,7 % (197 Min)	77,2 % (185 Min)	87,8 % (126 Min)

eine Statistik beschreiben
Die Statistik zeigt, wie viele Menschen … /
wie lange die Menschen Radio hören.
… Prozent hören in Deutschland / …
täglich Radio.
Die Menschen in … hören mit … (*Zahl*)
Minuten mehr/weniger Radio als in …
(Mehr/Weniger als) die Hälfte /
ein Drittel / ein Viertel von den …
hört täglich Radio.
Die Zahl … liegt unter/über …

Quellen: www.tz.de/welt/radio-nutzung-deutschland-mediaanalyse-
zr-2772960.html; medienforschung.orf.at; www.tagesanzeiger.ch/
schweiz/standard/Schweizer-hoeren-zwei-Stunden-Radio-pro-Tag

b Und Sie? Lesen Sie und kreuzen Sie an. Sie dürfen auch mehrere Antworten wählen.

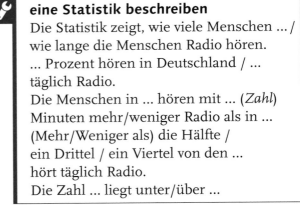

1. Wie lange hören Sie pro Tag Radio?
a weniger als 60 Minuten ☐
b 60 bis 120 Minuten ☐
c mehr als 120 Minuten ☐

2. Wann hören Sie Radio?
a beim Aufstehen ☐
b beim Kochen ☐
c beim Autofahren ☐
d _____

3. Was hören Sie?
a Nachrichten und
  Verkehrsmeldungen ☐
b Musik ☐
c Sport ☐
d _____

4. Wie hören Sie Radio?
a über das Internet ☐
b über ein Radiogerät ☐
c als Podcast ☐

5. In welcher Sprache hören Sie Radio?
a auf Deutsch ☐
b auf Englisch ☐
c in meiner Muttersprache ☐
d _____

6. Wo hören Sie Radio?
a unter der Dusche ☐
b im Auto ☐
c in der Küche ☐
d _____

⚑ **c** Kursstatistik. Wählen Sie in b zwei Fragen und machen Sie mit den Kursangaben eine Statistik. Präsentieren Sie die Statistik im Kurs.

Alles klar!

Wichtige Sätze

einen Text zusammenfassen

In dem Artikel/Text geht es um ... Der Artikel handelt von ...
Ich habe in der Zeitung einen Artikel über ... gelesen.
Ich habe in der Zeitung gelesen, dass ...
In dem Artikel wird über ... berichtet.

über Medien früher und heute sprechen

Bevor wir einen Fernseher hatten, haben wir zusammen vor dem Radio gesessen und ... im Radio gehört.
Seitdem es Internet gibt, kann man überall fernsehen.
Heute hören fast 80 Prozent von den Deutschen täglich Radio. Sie hören Radio zu Hause, aber auch unterwegs – über das Internet.
Bevor es Public Viewing /... gab, habe ich ... Die Stimmung beim Public Viewing ist toll. Seitdem ich das erste Mal auf der Fanmeile war, gehe ich immer zum Public Viewing zum Brandenburger Tor / in eine Kneipe / ...

eine Statistik beschreiben

Die Statistik zeigt, wie viele Menschen ... / wie lange die Menschen Radio hören.
... Prozent hören in Deutschland / ... täglich Radio.
Die Menschen in ... hören mit ... *(Zahl)* Minuten mehr/weniger Radio als in ...
(Mehr/Weniger als) die Hälfte / ein Drittel / ein Viertel von den ... hört täglich Radio.
Die Zahl ... liegt unter/über ...

Strukturen

Präteritum

	regelmäßig *sagen*	unregelmäßig *kommen*	
ich	sag**te**	kam	*Das Präteritum wird meistens in Zeitungen, Geschichten, Märchen und Biographien benutzt.*
du	sag**test**	kamst	
er/es/sie	sag**te**	kam	*Bei den Modalverben und bei* haben *und* sein *verwendet man meistens das Präteritum.*
wir	sag**ten**	kamen	
ihr	sag**tet**	kamt	*Achtung:*
sie/Sie	sag**ten**	kamen	bringen – br**ach**te, wissen – w**uss**te

Nebensätze mit *bevor* und *seit(dem)*

			Satzende	Position 2	
bevor	⟵	Bevor das Spiel	anfängt,	koche	ich das Abendessen.
seit(dem)	⟶	Seitdem es Internet	gibt,	kann	man überall Fußball sehen.

▶ Phonetik, S. 149

1
Deutsch-deutsche Geschichte. Von 1949 bis 1989 gab es zwei deutsche Staaten. Was wissen Sie darüber? Sprechen Sie im Kurs. Die Bildleiste hilft.

> *Der deutsche Staat im Osten hieß ...*

2 Im Museum für deutsche Geschichte

a Was passt zur BRD und was zur DDR? Lesen Sie und ordnen Sie zu.

Führung: Deutsch-deutsche Geschichte

40 Jahre Geschichte der BRD und der DDR. Das sind die Themen:
- eine Demokratie und eine Diktatur,
- das Wirtschaftswunder und die Gastarbeiter,
- der Mauerbau und die Schließung der Grenzen,
- friedliche Demonstrationen und die Wiedervereinigung.

Täglich 13 und 16 Uhr, kostenlos

> *die BRD: eine Demokratie, ...*
> *die DDR: ...*

> *Ich weiß, dass die ... eine Diktatur war.*
> *Ich glaube, das Wirtschaftswunder gab es in der ...*

b Wann war das? Hören Sie und verbinden Sie.

1.30–1.35

1949   Viele Bürger demonstrieren gegen die Diktatur in der DDR.
17.6.1953   Die Wirtschaft in der BRD wächst schnell.
1950er/1960er Jahre   Die BRD und die DDR sind wieder ein Staat.
1958   Der erste Trabi wird produziert.
13.8.1961   Die DDR und die BRD werden gegründet.
3.10.1990   Die Grenzen werden geschlossen. Die Mauer in Berlin wird gebaut.

1.30–1.35

c Welche Gegenstände oben passen in b? Hören Sie noch einmal und sprechen Sie im Kurs.

> *Zu 1949 passt die Karte. Auf der Karte sieht man, wo die DDR und BRD ...*

der Krieg, -e/
kämpfen

die Gründung,
-en/einen Staat
gründen

die Regierung,
-en/regieren

d Welcher Gegenstand passt? Ordnen Sie zu.

> **Das Moped des Portugiesen Armando Rodrigues de Sá**
> *Geschenk für den 1.000.000. Gastarbeiter in der BRD*

> **Berliner Mauer**
> *Schließung der Grenzen und Bau der Mauer in Berlin*

> **Autokennzeichen**
> *Wunsch der Bürger nach Wiedervereinigung*

> **Der Trabi**
> *Wirtschaft der DDR: Geschichte eines Autos*

die Demokratie,
-n/wählen

die Diktatur, -en/
verhaften

1.30–
1.35 **e** Was ist genau passiert? Wählen Sie einen Text, hören Sie noch einmal und machen Sie Notizen. Erzählen Sie dann im Kurs.

3 Genitiv

a Lesen Sie den Grammatikkasten und unterstreichen Sie die Genitiv-Formen in 2d.

> **Genitiv**
> m des/eines Staat(e)s | n des/eines Autos | f der/einer Mauer | Pl. der/- Bürger
> *n-Deklination:*
> des/eines Fotografen | der Bau einer Mauer = der Bau von einer Mauer

die Grenze, -n/
die Grenzen
schließen/öffnen

die Mauer, -n/
eine Mauer
bauen

b Was symbolisieren die Gegenstände? Sprechen Sie im Kurs.

ein Symbol für	die Wirtschaft die Kontrolle die Wünsche die Schließung das Wirtschaftswunder	der DDR-Bürger des Staates der DDR/BRD der Grenzen der Regierung

> *Das Moped ist ein Symbol für ...*

die Demonstra-
tion, -en/
demonstrieren

c Und die Geschichte Ihres Landes? Schreiben Sie einen Audioguide-Text zu einem Foto oder Gegenstand aus der Geschichte Ihres Landes. Nehmen Sie den Text auf.

die Wiederver-
einigung, -en

4 Friedliche Demonstrationen

1.36

08

a Welches Foto passt nicht? Hören Sie und kreuzen Sie an.

1.36

08

b Was ist richtig? Hören Sie noch einmal und kreuzen Sie an.

1. ☐ Bei den Montagsdemonstrationen haben jede Woche mehr DDR-Bürger gegen die Regierung protestiert.

2. ☐ Die Menschen konnten demonstrieren, weil sie keine Angst vor der Polizei und der Stasi hatten.

1.36

08

c Wer spricht über welches Thema: Stefan (S) oder Julia (J)? Hören Sie noch einmal, ordnen Sie zu und berichten Sie.

1. ☐ die Bildungspolitik

2. ☐ die Presse- und Meinungsfreiheit

3. ☐ die Chancengleichheit

4. ☐ der Umwelt- und Klimaschutz

5. ☐ die Gleichberechtigung

6. ☐ die Reisefreiheit

> **Wichtigkeit ausdrücken**
> Sie/Er findet ... wichtig. Sie/Er findet wichtig, dass ...
> Sie/Er legt (sehr) großen Wert auf ...
> Es ist für sie/ihn (nicht) wichtig, dass ...
> Ihr/Ihm ist ... besonders wichtig.
> Für ... hat ... große Bedeutung.
> Sie/Er verlangt, dass ...

Stefan legt großen Wert auf die Chancengleichheit.

5 *Trotz* oder *wegen?*

a Lesen Sie den Grammatikkasten und ergänzen Sie die Sätze.

1. _____ seiner Angst hat Stefan demonstriert.

2. _____ der Demonstrationen hat sich viel verändert.

> ⬛ ***trotz* und *wegen***
> **(+ Genitiv)**
> wegen der Mauer
> = Weil es die Mauer gab.
> trotz der Kritik
> = Obwohl es Kritik gab.

b Sprachschatten. Schreiben Sie Sätze und sprechen Sie wie im Beispiel.

1. Trotz/Wegen meines Hustens ...
2. Trotz/Wegen meiner Angst vor ...
3. Trotz/Wegen meines Hungers ...
4. Trotz/Wegen meiner schlechten Laune ...

Trotz meines Hustens gehe ich heute joggen.

Was? Du gehst joggen obwohl du Husten hast?

■ über (politisches) Engagement sprechen – Wichtigkeit ausdrücken – *trotz* und *wegen* (+ Genitiv) – *damit* und *um* + *zu* + Infinitiv

8

6 Politisch aktiv werden

a Welche Fragen passen? Lesen Sie den Artikel und ordnen Sie zu.

1. Was möchten Sie heute erreichen?
2. Warum engagieren Sie sich bei der Partei *Bündnis 90 / Die Grünen?*

3. Sind Sie deshalb Politikerin geworden?
4. Frau Deligöz, wie lange engagieren Sie sich schon politisch?

Politik heute   07/17

Deshalb bin ich Politikerin geworden

Ekin Deligöz ist Mitglied des Deutschen Bundestags. Sie ist 1971 in der Türkei geboren und lebt seit September 1979 in Deutschland. Seit Februar 1997 ist sie deutsche Staatsbürgerin. Im Gespräch erklärt sie, warum sie sich politisch engagiert.

☐ Seit meiner Schulzeit in Süddeutschland. Wir sind als Schüler auf die Straße gegangen, um gegen Atomwaffen zu demonstrieren.
5 Und wir hatten ein Atomkraftwerk in der Nähe. Deshalb war ich schon sehr früh politisch interessiert.

☐ Ja! Ich bin Politikerin geworden, um etwas zu verändern. In
10 Deutschland ist nicht alles immer gut gelaufen – zum Beispiel bei der Integrations-, Energie- und Sozialpolitik. Ich wollte etwas tun, damit sich etwas ändert. In der Integra-
15 tionspolitik war mir besonders

Bündnis 90 / Die Grünen ist eine politische Partei in Deutschland, die sich v.a. für die Themen Umwelt und soziale Gerechtigkeit interessiert.

wichtig, dass mit uns Migranten gesprochen wird und nicht über uns.

☐ Bei den *Grünen* brauchte ich keinen deutschen Pass, um mitarbeiten zu können. Es hat mir sehr 20 gefallen, dass ich sofort mitmachen durfte. Und natürlich habe ich „meine" politischen Themen vor allem bei den *Grünen* gefunden.

☐ Ich engagiere mich heute, da- 25 mit jeder Mensch eine Chance bekommt. Ich arbeite politisch, damit in Zukunft jedes Kind eine Chance auf eine gute Ausbildung hat.

---

b Lesen Sie noch einmal und beantworten Sie die Fragen.

1. Mit welchem Ziel ist Ekin Deligöz als Schülerin auf die Straße gegangen?
2. Wozu ist sie Politikerin geworden? Was war ihr Ziel?
3. Wozu brauchte sie bei den Grünen keinen deutschen Pass?
4. Sie engagiert sich auch heute politisch. Wozu macht sie das?

 c Lesen Sie noch einmal und ergänzen Sie den Grammatikkasten.

damit	*um* + *zu* + Infinitiv
<u>Ich</u> bin Politikerin geworden, *damit* ich etwas verändere.	<u>Ich</u> bin Politikerin geworden, ____ etwas verändern.
<u>Ich</u> engagiere mich, ____ jeder Mensch eine Chance bekommt.	–

Das Subjekt im Haupt- und Nebensatz ist <u>gleich</u>: um + zu + *Infinitiv oder* damit
Das Subjekt im Haupt- und Nebensatz ist <u>nicht gleich</u>: damit

d Kursspaziergang: Wozu braucht man Ideen/Mut/Geduld/Geld/Hoffnung/Urlaub? Gehen Sie durch den Kursraum. Fragen und antworten Sie.

7 Volksabstimmung in der Schweiz

a Was denken Sie: Was gehört zu einer Demokratie? Warum? Sprechen Sie im Kurs.

Anders als in Deutschland und Österreich gibt es in der Schweiz eine direkte Demokratie. Hier können die Bürger direkt über konkrete Fragen abstimmen (= die Volksabstimmung).

b Wie kann die Überschrift heißen? Lesen Sie und schreiben Sie.

Mehr als drei Viertel der Schweizer lehnten am Sonntag, dem 5. Juni 2016, das Grundeinkommen für jeden Bürger ab. Bei der weltweit ersten Volksabstimmung zu diesem
5 Thema haben sich 76,9 % der Schweizer gegen diese Idee entschieden, 23,1 % waren dafür. Die Idee eines Grundeinkommens ist, dass alle Bürger vom Staat Geld bekommen, auch wenn sie nicht arbeiten. In der Schweiz sollte jeder
10 Erwachsene monatlich 2.500 Franken erhalten, jedes Kind 650 Franken. Über diese Idee wird in vielen Ländern und politischen Parteien diskutiert. Einige sind der Meinung, dass ein Grundeinkommen fair ist, weil dadurch die Freiheit der Menschen 15 größer wird. Wer nicht arbeiten muss, arbeitet vielleicht mit mehr Energie und Freude – und wird seltener krank. Außerdem spart der Staat Geld für die Bürokratie.
Viele zweifeln aber auch, ob der Staat das 20 Grundeinkommen bezahlen kann. Oder sie haben Angst, dass niemand mehr arbeiten würde.
Daniel Häni, der von dem Grundeinkommen überzeugt ist, sieht vor allem die Vorteile 25 dieser Idee. Umfragen haben gezeigt: Nur zwei Prozent der Bürger in der Schweiz würden bei einem Grundeinkommen aufhören zu arbeiten.

c Was ist richtig? Lesen Sie den Text noch einmal und kreuzen Sie an.

	richtig	falsch
1. Die Schweizer haben über ein Grundabkommen abgestimmt.	☐	☐
2. Etwas mehr als 23 Prozent der Schweizer waren gegen die Idee.	☐	☐
3. Kritiker des Grundeinkommens glauben, dass diese Idee für den Staat zu teuer ist.	☐	☐
4. Die meisten Menschen würden nicht mehr arbeiten, wenn sie ein Grundeinkommen vom Staat bekommen würden.	☐	☐

d Was halten Sie von der Idee eines Grundeinkommens? Ist das fair? Wie hoch soll es sein? Welche Probleme sehen Sie? Machen Sie Notizen und diskutieren Sie im Kurs.

*Meiner Meinung nach ...,
denn ...*

*Ich bin für/gegen ...,
weil ...*

*Ich bin davon überzeugt,
dass ...*

Wichtige Sätze

geschichtliche Ereignisse beschreiben

... ist ein Symbol für ..., weil ...
Ich weiß, dass die ... eine Diktatur/Demokratie war.
Der Staat wird ... gegründet. Die Grenzen werden geschlossen/geöffnet.
Die Bürger demonstrieren für/gegen ... Der Wunsch der Bürger nach ... war groß.
In ... gab/gibt es (keine) Pressefreiheit/Meinungsfreiheit/Reisefreiheit/...

Wichtigkeit ausdrücken

Ich finde ... wichtig.
Es ist für mich (nicht) wichtig, dass ...
Mir ist ... besonders wichtig.

Ich lege (sehr) großen Wert auf ...
Für mich hat ... große Bedeutung.

über (politisches) Engagement sprechen

Ich bin Politikerin/Politiker geworden, um etwas zu verändern / damit ...
Ich engagiere mich (politisch), um ... / damit ...
Ich will etwas tun / politisch aktiv sein, damit sich etwas ändert / um ...

über politische Ideen diskutieren

Meiner Meinung nach ..., denn ...
Ich bin für/gegen ..., weil ...
Ich bin davon überzeugt, dass ...

Ich habe mich entschieden, für/gegen ...
abzustimmen, weil ...
Ich zweifle, ob ...

Strukturen

Genitiv

m des/eines Staat(e)s │ n des/eines Autos │ f der/einer Mauer │ Pl. der/- Bürger
n-Deklination:
des/eines Fotografen │   der Bau einer Mauer = der Bau von einer Mauer

trotz und *wegen* (+ Genitiv)

wegen der Mauer = Weil es die Mauer gab.
trotz der Kritik = Obwohl es Kritik gab.

damit

Ich bin Politikerin geworden, damit ich
etwas verändere.
Ich engagiere mich, damit jeder Mensch
eine Chance bekommt.

um + zu + Infinitiv

Ich bin Politikerin geworden, um etwas
zu verändern.
–

Das Subjekt im Haupt- und Nebensatz ist gleich: um + zu + Infinitiv oder damit
Das Subjekt im Haupt- und Nebensatz ist nicht gleich: damit

▶ Phonetik, S. 149

1 Politik-Wörter. Arbeiten Sie zu zweit. Ihre Partnerin / Ihr Partner arbeitet auf Seite 145. Ergänzen Sie das Verb links (1–4). Ihre Partnerin / Ihr Partner kontrolliert. Tauschen Sie dann die Rollen.

1. im Krieg …
2. eine Mauer …
3. gegen die Regierung …
4. einen neuen Staat …

5. eine neue Regierung wählen
6. die Grenzen öffnen/schließen
7. sich politisch engagieren
8. für die Freiheit demonstrieren/kämpfen

2 Wozu? Um … zu …

um Musik zu hören, …

a Wozu kann man die Medien benutzen?
  Wählen Sie ein Medium und schreiben Sie drei Beispiele.

b Was ist das? Beschreiben Sie Ihr Medium, sagen Sie aber immer nur einen Satz. Die anderen raten.

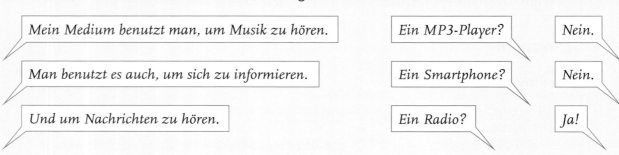

Mein Medium benutzt man, um Musik zu hören.

Man benutzt es auch, um sich zu informieren.

Und um Nachrichten zu hören.

Ein MP3-Player?   *Nein.*

Ein Smartphone?   *Nein.*

Ein Radio?   *Ja!*

3 *Trotz* und *wegen*

a Schreiben Sie zwei Sätze mit *trotz* und *wegen* auf je einen Zettel.

Trotz des schlechten Wetters gehe ich joggen.

Trotz …

Wegen des großen Balkons ist die Wohnung so teuer.

Wegen …

b Lesen Sie einen Satzanfang vor, Ihre Nachbarin / Ihr Nachbar wählt ein Satzende aus ihren/ seinen Sätzen aus und ergänzt Ihren Satz. Das Ende muss nicht immer passen.

4 Mein Tag

a Notieren Sie Verben zum Thema *Tagesablauf*.
b Kurskette: Bevor ich ... Sprechen Sie wie im Beispiel.

> *Bevor ich ins Bett gehe, dusche ich.*

> *Bevor ich dusche, putze ich mir die Zähne.*

> *Bevor ich mir die Zähne putze, ...*

5 Über Nachrichten sprechen

a Welche Nachricht aus den Medien war für Sie in der letzten Zeit am interessantesten? Arbeiten Sie zu zweit. Schreiben Sie die Nachricht im Präteritum und lassen Sie drei Lücken: Wer? Wo? Wann?

> *... hatte Spaß bei einem besonderen öffentlichen Termin. Am ... eröffnete die 90-Jährige zusammen mit ihrem Ehemann einen Zoo nördlich von ... Dabei durfte sie einen Elefanten mit Bananen füttern und lernte auch ein zehn Monate altes Elefanten-Mädchen kennen, das den gleichen Namen hat wie sie.*

Lösung: Queen Elizabeth II., 11. April 2017, London

b Lesen Sie Ihre Nachricht vor. Die anderen raten und ergänzen die Lücken.

> *Ich glaube, das war in ...*

> *Das war bestimmt eine Schauspielerin – vielleicht war es ...*

6 Geschichte meines Landes

a Kursspaziergang. Notieren Sie drei wichtige Jahreszahlen und die Ereignisse auf die Vorder- und Rückseite eines Zettels. Gehen Sie durch den Kursraum. Zeigen Sie Ihrer Partnerin / Ihrem Partner nur die Jahreszahlen. Sie/Er fragt, Sie antworten.

> *Ende des Zweiten Weltkriegs*
> *Start des Euros in Österreich*
> *Wahl des Präsidenten in Österreich*

> *Was ist 1945 passiert?*

b Warum haben Sie diese Ereignisse gewählt? Erzählen Sie im Kurs.

IV Panorama

Der Stadt-Anzeiger
sta.tv I stadtmenschen.de

📍 1 Treffpunkt Kiosk

a Was sehen Sie auf dem Panorama-Foto? Beschreiben Sie das Foto in drei Sätzen.

b Was denkt Frau Lehmann vielleicht? Schreiben Sie zu zweit eine Denkblase zum Foto.

c Was denken Sie: Was ist richtig? Kreuzen Sie an.

1. In Deutschland gibt es ca. ...
   a ☐ 4.000 Kioske.
   b ☐ 40.000 Kioske.
   c ☐ 400.000 Kioske.

2. Im Ruhrgebiet steht ...
   a ☐ ein Drittel der Kioske.
   b ☐ ein Viertel der Kioske.
   c ☐ die Hälfte der Kioske.

3. Die Zahl der Kioske ist in den letzten Jahren ...
   a ☐ gestiegen.   b ☐ gleich geblieben.   c ☐ gesunken.

1.37 ◎ **d** Hören Sie und überprüfen Sie Ihre Antworten in c.

2 Arbeitszeiten

1.38 **a** Warum kommen Herr Schultz und Frau Schröder zum Kiosk? Was machen sie dort? Hören Sie und machen Sie Notizen. Berichten Sie dann.

1.38 **b** Hören Sie noch einmal und machen Sie Notizen zu Frau Lehmann. Schreiben Sie ihr Porträt.

Alter:	Arbeitszeiten:	Gehalt:
Familie:	Urlaub:	Tagesablauf:

c Und Sie? Wie finden Sie die Arbeitszeiten von Frau Lehmann? Möchten Sie so arbeiten? Diskutieren Sie im Kurs.

3 Gibt es in Ihrem Land ähnliche Treffpunkte in der Stadt? Erzählen Sie.

Belgien
Deutschland
Estland
Finnland
Frankreich
Griechenland
Irland
Italien
Lettland
Litauen
Luxemburg
Malta
Niederlande
Österreich
Portugal
Slowakei
Slowenien
Spanien
Zypern
(Stand: Juli 2017)

1 Europa und die EU

a Die markierten Zahlen im Text sind vertauscht. Sehen Sie die Karte an und korrigieren Sie die Zahlen. Die Bildleiste hilft.

EU (Europäische Union)

Zu Europa gehören 28 Staaten, von denen aktuell 12 Länder Mitglied der EU sind. Die EU ist eine Gemeinschaft von Staaten, die zusammen politische Entscheidungen treffen. Seit 1957 engagieren sich europäische Politiker und Politikerinnen dafür, dass die EU-Länder in Bereichen wie Wirtschaft, Finanzpolitik, Umweltschutz, Sicherheit und Wissenschaft enger zusammenarbeiten. Im Januar 2002 haben 19 Länder den Euro als gemeinsame Währung eingeführt. Heute wird in 47 Ländern mit dem Euro bezahlt.

Es gibt viele Projekte, die die Zusammenarbeit zwischen den EU-Ländern unterstützen. Zwei wichtige Beispiele sind das Programm *ERASMUS* für Studenten und der *Europäische Freiwilligendienst* für junge Menschen zwischen 17 und 30 Jahren.

2.02

09

b Über welche Themen sprechen die Personen? Hören Sie und kreuzen Sie an.

1. ☐ die Vor- und Nachteile der EU
2. ☐ Julias Schule
3. ☐ Julias Plan: der Europäische Freiwilligendienst
4. ☐ das Leben in Europa – früher und heute

* In Großbritannien hat die Mehrheit der Bürger (51,89 %) am 23. Juni 2016 für einen Austritt aus der Europäischen Union („Brexit") gestimmt. Seit März 2017 wird über den Austritt verhandelt.

die Gemein-
schaft, -en

c Was passt? Hören Sie noch einmal und ordnen Sie zu.

2.02
09

> freie Wahl des Arbeitsortes – lange Kontrollen an den Grenzen – in jedem Staat
> eine eigene Währung – viel Mobilität – Krankenversicherung in allen EU-Ländern

Europa früher: *Europa heute:*

die Zusammen-
arbeit (Sg.)

d Wer sagt was: Helga Mertens (H), Julia (Ju) oder Jannis (Ja)? Ordnen Sie zu und
hören Sie zur Kontrolle.

2.02
09

☐ *Du bist während des Europäischen Freiwilligendienstes auch versichert.*

☐ *Gab es während Ihrer Schulzeit auch solche Programme?*

☐ *Während des Studiums hat er seine Frau kennengelernt.*

die Wissen-
schaft, -en

2 *Während* + Genitiv

a Lesen Sie den Grammatikkasten und unterstreichen Sie in 1d die Genitivformen.

> **während + Genitiv**
>
> | | | |
> |---|---|---|
> | m | während des Krieges | während des Europäischen Freiwilligendienstes |
> | n | während des Studiums | *Die Adjektivendung im Genitiv ist immer -en.* |
> | f | während der Schulzeit | |
> | Pl. | während der Ferien | |

die Wirtschaft
(Sg.)

b Ihre Träume und Wünsche. Schreiben Sie vier Sätze und sprechen Sie im Kurs.

Während der Schulzeit / der Ausbildung / des Studiums ...

> *Während meiner Schulzeit wollte ich Arzt werden, weil ...*

die Finanzpolitik
(Sg.)

3 Und Sie? Was verbinden Sie mit Europa? Lesen Sie das Zitat und sammeln Sie Ideen. Machen Sie dann eine Mindmap und schreiben Sie einen Text.

> Ich möchte [...] an ein Grundmotiv [...] der europäischen Einigung erinnern: an
> die Freiheit, die ein Leben in Frieden und Wohlstand erst möglich macht. [...]
> Ohne Freiheit gibt es keine Vielfalt und keine Toleranz.
>
> *(Quelle: Rede von Angela Merkel am 7. November 2012 im Europäischen Parlament in Brüssel
> www.bundeskanzlerin.de)*

die Sicherheit
(Sg.)

> **Assoziationen ausdrücken**
>
> Mit Europa verbinde ich ...   Bei Europa denke ich an ...
> Europa ist für mich (nicht) ...   Meiner Meinung nach steht Europa für ...

die Mobilität
(Sg.)

die Währung,
-en

die Bürokratie
(Sg.)

4 Ein- oder Auswanderungsland?

a Was denken Sie: Wandern mehr Menschen nach Deutschland ein oder aus Deutschland aus? Warum wandern Deutsche aus? Sprechen Sie im Kurs.

b Lesen Sie den Text und überprüfen Sie Ihre Vermutungen in a.

PANORAMA 09/17

Auswanderer aus einem Einwanderungsland

Ist Deutschland ein Einwanderungsland? 2015 hat man über zwei Millionen Einwanderer gezählt. Tatsächlich verlassen aber auch jedes Jahr ca. 140.000 Deutsche ihre Heimat und ca. 3,4 Millionen Deutsche leben zurzeit im Ausland.

Geschichten von deutschen Auswanderern sind vor allem aus der TV-Doku „Goodbye Deutschland!" bekannt. Seit zehn Jahren begleitet der private Fernsehsender VOX Deutsche bei ihren
5 Abenteuern in der neuen Heimat. Oft kämpfen sie mit unrealistischen Vorstellungen und verrückten Ideen. Der Hamburger Konny Reimann, ein berühmter deutscher Auswanderer, ging zum Beispiel mit seiner Familie nach Texas, obwohl er kein Wort
10 Englisch konnte. Roland und Steffi Bartsch zogen von Wuppertal nach Mallorca, um auf der Sonneninsel ein Sonnenstudio zu eröffnen.
In „Goodbye Deutschland!" ziehen die Auswanderer meist in Urlaubsregionen mit Strand und Meer
15 um: Mallorca, Gran Canaria, Ko Samui. Doch laut Statistik sind die beliebtesten Ziele deutscher Auswanderer die Schweiz, die USA, Österreich und Polen. Unter den ersten zehn Zielländern sind nur zwei nicht-europäische Staaten: die USA und Kanada. 20
Die meisten Auswanderer verlassen Deutschland nicht, um mehr Geld zu verdienen. Viele suchen bessere Arbeitsbedingungen. Und ihr Wunsch ist vor allem, neue Berufs- und Lebenserfahrungen zu sammeln. 25
Allerdings will nur ein Drittel der Auswanderer für immer in der neuen Heimat bleiben. 41 Prozent planen, nach Deutschland zurückzukommen. Konny Reimann lebt übrigens zurzeit auf Hawaii. Das Ehepaar Bartsch ist wieder in Wuppertal: Sie 30 wollen in ihrer alten Heimat ein Fish-Spa eröffnen.

---

c Was hat Sie überrascht? Lesen Sie noch einmal und sprechen Sie im Kurs.

Erstaunen ausdrücken

Wirklich?/Echt? Ich habe (nicht) erwartet, dass ...   Das war für mich neu: ...
Ich bin überrascht, dass ...   Mich wundert, dass ...
Ich finde es selbstverständlich/spannend, dass ...   Ich hätte nicht gedacht, dass ...

d Wo steht das im Text? Lesen Sie den Text noch einmal, ergänzen Sie die Sätze und markieren Sie die Stellen, an denen Sie die Information gefunden haben.

Englischkenntnisse – Einwanderungsland – im Ausland – Polen

---

1. Deutschland ist nicht nur ein _____, sondern auch ein Auswanderungsland.

2. Konny Reimann kannte weder das Leben in den USA, noch hatte er _____.

3. Sowohl die Schweiz als auch _____ gehören zu den beliebtesten Zielen der deutschen Auswanderer.

4. Die Auswanderer wollen entweder für immer _____ bleiben oder nach einer bestimmten Zeit nach Deutschland zurückkommen.

■ über (Gründe für) Migration sprechen – Erstaunen ausdrücken – eine Grafik beschreiben – Migration – Doppelkonjunktionen

9

5 Doppelkonjunktionen: *nicht nur …, sondern auch – weder … noch – entweder … oder – sowohl … als auch*

a Lesen Sie die Sätze in 4d noch einmal und ordnen Sie die Doppelkonjunktionen zu.

> **Doppelkonjunktionen**
>
> nicht nur …, sondern auch   *beides (+ +)*
>
> _____   *beides (+ +)*
>
> _____   *beides nicht (– –)*
>
> _____   *eins von beiden (+ – / – +)*
>
> *Diese Konjunktionen verbinden Sätze oder Satzglieder in einem Satz.*

b Was möchten Sie? Schreiben Sie Sätze und sprechen Sie im Kurs.

reisen / auswandern – in Deutschland / in … leben – im Ausland studieren / arbeiten – eine fremde Kultur / neue Menschen kennenlernen – eine Sprache lernen / im Ausland leben

> *Ich möchte sowohl in Deutschland als auch in Frankreich leben.*

> *Wirklich? Ich möchte weder in Deutschland noch in Frankreich leben. Ich möchte …*

6 Migration und Rückkehr

a Welche Gründe gibt es, in ein anderes Land auszuwandern? Sammeln Sie im Kurs.

> *Ein Grund kann ein besserer Arbeitsplatz sein.*

> *Viele Menschen fliehen vor dem Krieg.*

b Welche Gründe stehen bei deutschen Auswanderern für die Auswanderung und die Rückkehr auf den ersten drei Plätzen? Sehen Sie die Grafiken an und sprechen Sie im Kurs.

Gründe für die Auswanderung
Quelle: Studie International Mobil 2015

neue Erfahrungen	72,2 %
Beruf	64,9 %
Partner/Familie	50,9 %
Einkommen	46,9 %
Unzufriedenheit mit dem Leben in Deutschland	41,4 %
Ausbildung/Studium	17,1 %

Gründe für die Rückkehr
Quelle: Studie International Mobil 2015

Partner/Familie	63,9 %
Beruf	54,5 %
Unzufriedenheit mit dem Leben im Ausland	40,4 %
befristeter Auslandsaufenthalt	39,7 %
Einkommen	29,7 %
Ausbildung/Studium	22,2 %

c Schreiben Sie fünf Sätze zu den Grafiken. Nutzen Sie dafür die Doppelkonjunktionen.

> *Nicht nur Auswanderer, sondern auch Rückkehrer finden …*
> *Partner und Familie spielen sowohl für … als auch für … eine … Rolle.*
> *Die Auswanderer wollen entweder … oder …*

7 Was ist Integration?

a Was denken Sie: Welche Themen gehören zur Integration? Sprechen Sie im Kurs.

1. ☐ Rechte
2. ☐ Sprache
3. ☐ Musik

4. ☐ Sport
5. ☐ Freunde
6. ☐ Pflichten

7. ☐ Politik
8. ☐ Essen
9. ☐ Arbeit/Studium

b Über welche Themen spricht der Autor mit seinem Vater? Lesen Sie, kreuzen Sie in a an und sprechen Sie im Kurs.

Der folgende Text spielt mit Klischees zur Frage „Was ist Integration?". Nicht alles ist ernst gemeint!

INTEGRATIONSCHECK mit dem VATER
von Nicol Ljubić

Es gibt einen Fragebogen, mit dessen Hilfe sich untersuchen lässt, wie gut Migranten in Deutschland integriert sind. Ich würde mit dir gern zum Spaß ein paar Fragen durchgehen …

5 Ich bin integriert, sehr gut sogar. [...] Ich lebe seit über 50 Jahren in diesem Land. Ich habe auch einen deutschen Pass. [...]

Kennst du deine Rechte als Immigrant?

Ich habe alle Rechte. Ich bin schließlich Deutscher,
10 waschechter Deutscher. [...]

Kennst du deine Pflichten?

Pünktlichkeit ist das A und O. Und dich an die Regeln halten. Zwischen ein und drei Uhr wird kein Rasen gemäht. Früher haben sich die Nachbarn
15 auch daran gehalten, aber seit hier die ersten Ausländer wohnen, wird darauf nicht mehr geachtet. Die mähen, wann sie wollen. [...]

Müssen Migranten, die sich entscheiden, in Deutsch-
20 *land zu wohnen, die deutsche Sprache lernen?*

Die Sprache ist das A und O. Wenn du die Sprache nicht kannst, behandeln sie dich wie einen Idioten. Deshalb habe ich von klein auf zu dir gesagt: Lern Deutsch! Das ist das Wichtigste. Und sei gut in der
25 Schule! [...]

Müssen Migranten, die sich entscheiden, in Deutsch-land zu wohnen, deutsche Freunde haben?

Ja. Ich habe nur deutsche Freunde. [...] Bernd, Klaus, Gustav und die anderen
30 Kegelbrüder.

Quelle: Magazin #26 der Kulturstiftung des Bundes
www.kulturstiftung-des-bundes/cms/de/mediathek/magazin

Sollen Migranten, die sich entscheiden, in Deutsch-land zu bleiben, ihre eigenen Sitten und Gebräuche behalten?

Besser nicht. Stell dir mal vor, die Griechen, die sagen
35 gern *Avrio*, wenn sie etwas tun sollen, *Avrio* heißt morgen, [...] so kommt man aber in Deutschland nicht weit. Gehört Essen auch zu Gebräuchen?

Ich denke schon.

Das ist schon wichtig, ich meine, Eis-
40 bein und Labskaus, das ist nichts für mich. Ich vermisse die Palatschinken von meiner Schwester. [...]

Müssen Migranten, die sich entscheiden, in Deutsch-land zu bleiben, die deutsche Kultur kennenlernen?

45 Das mache ich doch jeden Tag vor dem Fernseher. [...]

Welche Erwartungen hattest du an Deutschland?

Ich wollte arbeiten. Sonst nichts. So ist das eben, wenn man in ein Land kommt und nichts hat, dann muss man bei Null anfangen. Aber ich
50 habe was aus meinem Leben gemacht. Und sieh dich um: Wir haben ein eigenes Haus, ein Auto, wir sind immer in Urlaub* gefahren, du hast studiert. Du hast alles. Und keiner behandelt dich wie
55 einen Idioten, weil du die Sprache nicht kannst. [...]

Dafür spreche ich kein Kroatisch. [...]

Ich wollte, dass du Deutsch sprichst, wir leben in Deutschland und werden auch in Deutschland bleiben und in Deutschland wird Deutsch gesprochen.
60 Was sollst du hier mit Kroatisch? [...]

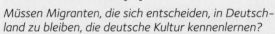

> *Der Vater sagt, dass er die gleichen Rechte wie ein Deutscher hat.*

c Welche Antwort des Vaters finden Sie am lustigsten? Lesen Sie noch einmal und sprechen Sie im Kurs.

*D: in Urlaub – A: auf Urlaub – CH: in die Ferien

Wichtige Sätze

über Europa und die EU sprechen

Meiner Meinung nach steht Europa für die Zusammenarbeit vieler Länder / für ...
Die Länder arbeiten in verschiedenen Bereichen zusammen. Es ist heute einfacher
als früher, in einem anderen EU-Land zu studieren oder zu arbeiten.
Früher gab es in Europa viele unterschiedliche Währungen, heute haben viele EU-
Länder den Euro. Früher gab es an den Grenzen in Europa lange Kontrollen.

Assoziationen ausdrücken

Mit Europa verbinde ich ...   Bei Europa denke ich an ...
Europa ist für mich (nicht) ...   Meiner Meinung nach steht Europa für ...

über (Gründe für) Migration sprechen

Viele Menschen wandern aus, weil sie mit den Arbeitsbedingungen in ihrer Heimat
unzufrieden sind / weil sie im Ausland studieren wollen / weil ...
Ihr Wunsch ist vor allem, neue Berufs- und Lebenserfahrungen zu sammeln / ...
Die meisten Auswanderer verlassen ihre Heimat (nicht), um mehr Geld zu verdienen.
Die Familie spielt auch eine Rolle. Nur die Hälfte / ... Prozent der Auswanderer will/
wollen in der neuen Heimat bleiben. / Viele Menschen fliehen vor dem Krieg.

Erstaunen ausdrücken

Wirklich?/Echt? Ich habe (nicht) erwartet, dass ...   Das war für mich neu: ...
Ich bin überrascht, dass ...   Mich wundert, dass ...
Ich finde es selbstverständlich/spannend, dass ...   Ich hätte nicht gedacht, dass ...

Strukturen

während + Genitiv

m   während des Krieges   während des Europäischen Freiwilligendienstes
n   während des Studiums   *Die Adjektivendung im Genitiv ist immer* -en.
f   während der Schulzeit
Pl. während der Ferien

Doppelkonjunktionen

nicht nur ..., sondern auch   *beides (+ +)*
sowohl ... als auch   *beides (+ +)*
weder ... noch   *beides nicht (– –)*
entweder ... oder   *eins von beiden (+ – /– +)*

Nicht nur die Sprache, sondern auch die Kultur gehört zu Integration.
Die Familie ist sowohl für die Auswanderer als auch für die Rückkehrer ein Grund.
Weder das Einkommen noch das Studium spielen bei der Migration die größte Rolle.
Ich möchte im Ausland entweder studieren oder arbeiten.

▶ Phonetik, S. 150

Für einen neuen Kindergarten
in Berlin-Schöneberg suchen wir

eine/einen _____.
Sie haben eine abgeschlossene Ausbildung und lieben
Ihren Beruf? Sie sind zuverlässig, engagiert und team-
fähig? Sie spielen ein Instrument?
Sie möchten an einem Konzept zur modernen Kinder-
erziehung mitarbeiten? Dann sind Sie bei uns richtig.

a ☐

Für unsere staatlich anerkannte Schule
Akademie für Gesundheits- und Krankenpflege

suchen wir **eine/einen** _____

(Fach Pflegekonzepte)

Wir erwarten:
· eine abgeschlossene Ausbildung in der Krankenpflege
  und ein Studium der Pädagogik
· hohe Fach- und Sozialkompetenz
· Organisationstalent
Wir bieten:

b ☐

Fitness-Studio Corpo sano sucht

eine/einen _____

Dein Aufgabengebiet:
· Du bist zuständig für das komplette Kinderprogramm.
· Du leitest Kinderkurse mit Tanz- und Bewegungsspielen.
· Du gibst auch Einzelkurse mit besonderer Förderung.

Was du mitbringst:
· das Trainerzertifikat
· Freude an der Arbeit mit Kindern und Musik
· Verantwortung
· gerne, aber nicht unbedingt nötig: Ausbildung als Erzieher/in

c ☐

1 Stellenanzeigen

a Welche Berufe passen? Lesen Sie die Stellenanzeigen und ergänzen Sie.

Trainerin/Trainer – Grundschullehrerin/Grundschullehrer* – Musikerin/Musiker – Lehrerin/
Lehrer – Erzieherin/Erzieher – Tänzerin/Tänzer – Krankenschwester/Krankenpfleger

b Welche Sätze passen zu welchen Anzeigen? Ordnen Sie zu.

1. ☐ ☐ Ich mag es, anderen Leuten Dinge zu erklären und zu unterrichten.

2. ☐ ☐ Ich habe viel Erfahrung mit ganz kleinen Kindern.

3. ☐ ☐ Ich arbeite gern im Team und übernehme auch gern Verantwortung.

4. ☐ ☐ Ich mag Musik und arbeite gern mit Kindern und Jugendlichen.

5. ☐ ☐ Ich organisiere gern und kann gut mit Menschen kommunizieren.

c Und Sie? Welche Eigenschaften aus den Anzeigen passen zu Ihnen? Machen Sie Notizen und
erzählen Sie.

* D: die Grundschullehrerin / der Grundschullehrer – A: die Volksschullehrerin / der Volksschullehrer –
  CH: die Primarlehrerin / der Primarlehrer

■ Stellenanzeigen verstehen – über Bewerbungen sprechen – Berufe – Bewerbung – Plusquamperfekt – Nebensätze mit *nachdem*

2 Jannis hatte ein Vorstellungsgespräch.

a Auf welche Anzeige hat sich Jannis beworben? Hören Sie und kreuzen Sie an.

b Was ist passiert? Hören Sie noch einmal, ordnen Sie die Bilder und erzählen Sie.

vom Vorstellungs-
gespräch erzählen

sich freuen

einen Anruf
bekommen

klingeln

> *Zuerst hat Julias Handy geklingelt. Dann hat Jannis ...*

c Nebensätze mit *nachdem*. Lesen Sie den Grammatikkasten und schreiben Sie Sätze zu den Bildern in b.

Nebensätze mit *nachdem*		
zuerst		**danach**
	Perfekt/Präteritum	**Präsens**
Nachdem Jannis einen Anruf	bekommen hat,	freut er sich.

Das Verb im Nebensatz mit nachdem *steht in einer Zeitform vor dem Hauptsatz.*

> *Nachdem Julias Handy geklingelt hat, ...*

d Was hat Jannis dann gemacht? Lesen Sie den Grammatikkasten und ergänzen Sie die Sätze. Die Bildleiste hilft.

1. Nachdem Jannis die Anzeige* gelesen hatte, hat er ...
2. Nachdem er die Bewerbung geschickt hatte, ...
3. Nachdem er die Einladung bekommen hatte, ...
4. Nachdem er mit der Leiterin gesprochen hatte, ...

Nebensätze mit *nachdem*		
zuerst		**danach**
	Plusquamperfekt	**Perfekt/Präteritum**
Nachdem er die Ausbildung	abgeschlossen hatte,	ist er in den Verlag gegangen.

Plusquamperfekt: haben/sein *im Präteritum + Partizip II*

e Sprachschatten: Was haben Sie heute zuerst und was danach gemacht? Sprechen Sie wie im Beispiel.

> *Nachdem ich heute geduscht hatte, habe ich meine Zähne geputzt.*

> *Ah, nachdem du heute ...*
> *Nachdem ich heute ...*

* D: die Anzeige – A+CH: das Inserat

die Stellenanzei-
ge, -n / Stellen-
anzeigen lesen

sich bewerben /
eine Bewerbung
schreiben

das Vorstellungs-
gespräch, -e /
eine Einladung
zum Vorstel-
lungsgespräch
bekommen

sich vorstellen

die Zusage, -n /
eine Zusage
bekommen

die Absage, -n /
eine Absage
bekommen

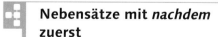

3 Das Vorstellungsgespräch

a Was denken Sie: Was passiert auf den Fotos? Wie fühlen sich die Personen? Sprechen Sie im Kurs.

> *Die Frau und Jannis begrüßen sich.*

> *Jannis sieht sehr ernst aus. Er fühlt sich ...*

b Welche Fragen stellt man in einem Vorstellungsgespräch? Notieren Sie und vergleichen Sie im Kurs.

> *Arbeitgeberin/Arbeitgeber*
> *Welche Erfahrungen haben Sie?*

> *Bewerberin/Bewerber*
> *Wie groß ist das Team?*

2.04 **c** Welche Fragen stellt Frau Krüger? Hören Sie und vergleichen Sie mit Ihren Vermutungen in b.

2.04 **d** Der Lebenslauf von Jannis. Hören Sie noch einmal und ergänzen Sie.

Praktikum – Abitur* – Volontariat – Ausbildung

Lebenslauf

persönliche Daten

Tel.: +491738546678
jannispassadakis@web.de
geboren am 22.03.1982 in Köln

Berufserfahrung

2007 – jetzt	Redakteur* (Verlag *Publisher*, Redaktion Grundschule)
2006 – 2007	_____ (Verlag *Publisher*, Redaktion Grundschule)
2004 – 2005	studentische Nebentätigkeit (Verlag *Publisher*)
1999 – 2000	_____ (Kindergarten *Il Sole*, Italien)

Berufsausbildung

2003 – 2006	Fachhochschulstudium Pädagogik (Fachhochschule Berlin)
2000 – 2003	_____ zum Erzieher (Berufsschule, Berlin)

Schulausbildung

1999	_____ (Albert-Einstein Gymnasium, Köln)

Fremdsprachen

Englisch B2, _____

e Kurskette. Beschreiben Sie den Lebenslauf von Jannis wie im Beispiel.

> *Nachdem Jannis 1999 das Abitur gemacht hatte, ...*

> *... hat er ein Praktikum in Italien gemacht. Nachdem ...*

*D: das Abitur – A+CH: die Matura | D+A: der Redakteur – CH: der Redaktor

4 Nebensätze mit *während*

a Was passt zusammen? Verbinden Sie.

1. Während Jannis studiert hat,
2. Während er im Kindergarten gearbeitet hat,
3. Während er als Redakteur gearbeitet hat,

a hat er sein Italienisch verbessert.
b hat er in einem Verlag gejobbt.
c hat er viel über Sprachförderung gelernt.

b Was passt? Vergleichen Sie die Sätze und ordnen Sie die beiden Wörter im Grammatikkasten zu.

gleichzeitig – nacheinander

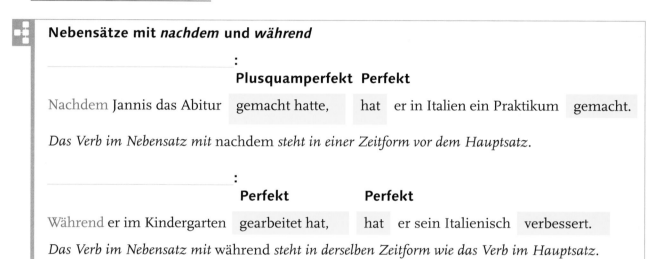

Nebensätze mit *nachdem* und *während*

:
Plusquamperfekt Perfekt

Nachdem Jannis das Abitur | gemacht hatte, | hat | er in Italien ein Praktikum | gemacht.

Das Verb im Nebensatz mit nachdem steht in einer Zeitform vor dem Hauptsatz.

:
Perfekt   Perfekt

Während er im Kindergarten | gearbeitet hat, | hat | er sein Italienisch | verbessert.

Das Verb im Nebensatz mit während steht in derselben Zeitform wie das Verb im Hauptsatz.

c Nacheinander oder gleichzeitig? Schreiben Sie Sätze mit *während* oder *nachdem*.

viel lernen / die Prüfung bestehen – im Team arbeiten / viel Erfahrung sammeln – im Ausland studieren / Englisch verbessern – ein Praktikum machen / gute Jobangebote bekommen – die Zusage bekommen / sich sehr freuen – das Vorstellungsgespräch haben / nervös sein

Nachdem ich viel gelernt hatte, habe ich die Prüfung bestanden.

 5 Mein Lebenslauf. Notieren Sie zwei richtige und eine falsche Information aus Ihrem Lebenslauf. Lesen Sie vor, die anderen raten: Was ist falsch?

über seinen Lebenslauf sprechen
Während ich die Ausbildung gemacht habe, ...
Nachdem ich das Studium / die Ausbildung / das Praktikum / ... beendet hatte, ...
Nachdem ich das Abitur / meinen Abschluss / das Diplom / ... gemacht hatte, ...
Ich habe die Prüfung am ... gemacht. Ich habe die Prüfung in ... mit ... bestanden.
Während ich ... gemacht habe, konnte ich viel Berufserfahrung sammeln.
Während ich für einen Monat / ... Monate/Jahre im Ausland war, ...
Von ... bis ... habe ich bei ... gearbeitet / ein Praktikum / ein Volontariat gemacht.

6 Pannen im Vorstellungsgespräch

a Welche Überschriften passen? Ordnen Sie zu.

Falsche Antworten – Falsche Uhrzeit – Falsche Anrede – Falsche Frage – Falsche Adresse

Start | **Bewerbung & Interview** | **Vorstellungsgespräche: Tipps**

www.tipps-fuer-vorstellungsgespraeche.de

Peinlich, peinlich ...

Manche Pannen im Vorstellungsgespräch scheinen auf den ersten Blick lustig zu sein, aber für die Bewerberin oder den Bewerber selbst ist das gar nicht lustig. Man hat sich lange auf das Gespräch vorbereitet und dann das! Diese fünf klassischen Fehler sollten Sie auf jeden Fall vermeiden.

Platz 5 – _____
Auch wenn man gerne von Anfang an wissen möchte, was man in dem neuen Job verdient: Die Frage nach dem Gehalt stellt man im ersten Vorstellungsgespräch lieber nicht. Damit macht man sich auf jeden Fall unbeliebt.

Platz 4 – _____
Besonders peinlich, aber gar nicht so selten: Die Bewerbung kommt bei einer anderen Firma an, weil man die Briefumschläge und die Bewerbungen verwechselt hat. Dies kann schnell passieren, v. a. wenn man mehrere Bewerbungen auf einmal schicken möchte.

Platz 3 – _____
„Guten Tag, Herr Meier, ich freue mich, Sie persönlich kennenzulernen." Dieser Satz ist ein guter erster Satz, aber nur dann, wenn die Person auch so heißt. Deshalb ist es wichtig, die Namen nicht zu verwechseln – auch wenn Sie drei Vorstellungsgespräche in einer Woche haben!

Platz 2 – _____
Bei einem Vorstellungsgespräch sollte man sicher auftreten. Der Blick nach unten oder ein leises „Ja." oder „Nein." als Antwort wirken nicht gut. Aber genauso schlimm kann es umgekehrt sein: Die Bewerberin oder der Bewerber sagt Sätze wie: „Das ist für mich überhaupt kein Problem. Ich schaffe immer alles." Das wirkt sehr unsympathisch!

Platz 1 – _____
Die Bewerberin oder der Bewerber kommt zehn Minuten zu spät und erklärt, dass der Bus Verspätung hatte oder es Stau gegeben hat. Egal, welche kreative Entschuldigung man hat: Wer zu einem Vorstellungsgespräch zu spät kommt, dem glaubt man nicht, dass er zuverlässig ist.

b Pannen-Pantomime. Wählen Sie zu zweit eine Panne und lesen Sie den Absatz noch einmal. Spielen Sie die Szene ohne Worte vor, die anderen raten.

c Was kann man tun, damit solche Pannen nicht passieren? Notieren Sie zu den Pannen Tipps.

> *Die Frage nach dem Gehalt sollte man erst in einem zweiten Gespräch stellen.*

d Und Sie? Haben Sie sich schon einmal um einen Job, eine Ausbildung oder ein Praktikum beworben? Was war gut, was war nicht so gut? Erzählen Sie.

Wichtige Sätze

über Bewerbungen sprechen

Nachdem ich die Stellenanzeige gelesen hatte, habe ich eine Bewerbung geschrieben / habe ich mich um die Stelle beworben. Und dann habe ich eine Einladung zum Vorstellungsgespräch bekommen. Ich habe eine Zusage/Absage bekommen.

über seinen Lebenslauf sprechen

Während ich die Ausbildung gemacht habe, ...
Nachdem ich das Studium / die Ausbildung / das Praktikum / ... beendet hatte, ...
Nachdem ich das Abitur / meinen Abschluss / das Diplom / ... gemacht hatte, ...
Ich habe die Prüfung am ... gemacht. Ich habe die Prüfung in ... mit ... bestanden.
Während ich ... gemacht habe, konnte ich viel Berufserfahrung sammeln.
Während ich für einen Monat / ... Monate/Jahre im Ausland war, ...
Von ... bis ... habe ich bei ... gearbeitet / ein Praktikum gemacht.

über Fehler beim Vorstellungsgespräch sprechen / Tipps geben

Es ist peinlich, wenn die Bewerbung bei einer anderen Firma ankommt / wenn man die Person mit einem falschen Namen anspricht / wenn ...
Es ist wichtig, die Namen/Adressen nicht zu verwechseln / pünktlich zu kommen.
Man sollte sicher auftreten / keine Fragen nach dem Gehalt stellen / ...

Strukturen

Nebensätze mit *nachdem*

zuerst   **danach**

	Satzende Perfekt/Präteritum	Position 2 Präsens	
Nachdem Jannis einen Anruf	bekommen hat,	freut	er sich.

	Plusquamperfekt	Perfekt/Präteritum	
Nachdem er die Ausbildung	abgeschlossen hatte,	ist	er in den Verlag gegangen.

Das Verb im Nebensatz mit nachdem *steht in einer Zeitform vor dem Hauptsatz.*
Plusquamperfekt: haben/sein *im Präteritum + Partizip II*

Nebensätze mit *während*

	Satzende	Position 2	
Während er mit den Kindern	gearbeitet hat,	hat	er sein Italienisch verbessert.

Das Verb im Nebensatz mit während *steht in derselben Zeitform wie das Verb im Hauptsatz.*

▶ Phonetik, S. 150

1 Assoziationen

a Woran denken Sie bei ...? Notieren Sie zu den Bildern jeweils vier Wörter.

> 1. die Bewerbung, sich vorstellen ...

b Arbeiten Sie zu zweit. Nennen Sie Ihre Wörter aus a. Ihre Partnerin / Ihr Partner bildet mit den Wörtern einen Satz. Tauschen Sie nach jedem Satz die Rollen.

> *Mit Bild 1 verbinde ich das Wort „die Bewerbung".*

> *Ich muss heute eine Bewerbung schreiben.*

2 Kurskette: Wie sollte die ideale Kollegin / der ideale Kollege sein?

a Schreiben Sie vier Sätze.

nicht nur ..., sondern auch ... – sowohl ... als auch ... – weder ... noch ... – entweder ... oder ...

b Sprechen Sie zu viert. Für jede Konjunktion gibt es eine Runde.

3 Fakten zur EU. Arbeiten Sie zu zweit. Ihre Partnerin / Ihr Partner arbeitet auf Seite 140. Fangen Sie einen Satz an, Ihre Partnerin / Ihr Partner beendet den Satz. Dann tauschen Sie die Rollen. Kontrollieren Sie sich gegenseitig.

1. viele Politiker – sich für mehr Zusammenarbeit in Europa engagieren

   ..., haben sechs Staaten 1957 die EWG gegründet.

2. Nachdem man 1989 die Grenzen geöffnet hatte, ...

   die Zahl der EU-Mitglieder – wachsen

3. die EU-Staaten – den Vertrag in Schengen unterschreiben

   ..., hat man die Kontrollen an den Grenzen abgeschafft.

4. Nachdem die Länder lange diskutiert hatten, ...

   sie – den Vertrag von Maastricht im Februar 1992 unterschreiben und die EU gründen

5. elf Länder – den Euro im Jahr 2002 einführen

   ..., haben acht weitere Länder später den Euro übernommen.

6. Nachdem sich die Menschen in Großbritannien gegen die EU entschieden hatten, ...

   die Verhandlungen über den Austritt – anfangen

> *Nachdem sich viele Politiker für mehr Zusammenarbeit ...*

> *... haben sechs Staaten 1957 ...*

4 Kursspaziergang: Während ich das Vorstellungsgespräch bei einer Firma hatte, ...

a Schreiben Sie einen Satz auf einen Zettel.

b Gehen Sie durch den Kursraum. Fragen und antworten Sie. Tauschen Sie dann Ihre Zettel. Suchen Sie eine neue Partnerin / einen neuen Partner.

> *Was hast du schon einmal während eines Vorstellungsgespräch erlebt?*

> *Während ich das Vorstellungsgespräch bei ...*

5 Migration

a Gehen Sie von Tisch zu Tisch und notieren Sie Antworten und Ideen zu den Fragen.

1. Warum wandern Menschen aus?
2. Welche Erfahrungen können die Auswanderer machen?
3. Warum kehren Auswanderer wieder in ihr Heimatland zurück?
4. Warum bleiben Auswanderer im fremden Land?

b Arbeiten Sie in vier Gruppen. Wählen Sie eine Frage und fassen Sie alle Antworten und Ideen zusammen. Schreiben Sie gemeinsam einen kurzen Text.

1 Der Saal der Menschenrechte in Genf

a Was denken Sie: Wer arbeitet hier? Was machen die Menschen hier? Sprechen Sie im Kurs.
b Welche Informationen gibt es zu den Zahlen?
Lesen Sie und notieren Sie.

19 – 1.400 – 35.000 – 2008 – 30 Millionen – 13

19: Barceló hat mit 19 Assistenten zusammen gearbeitet.

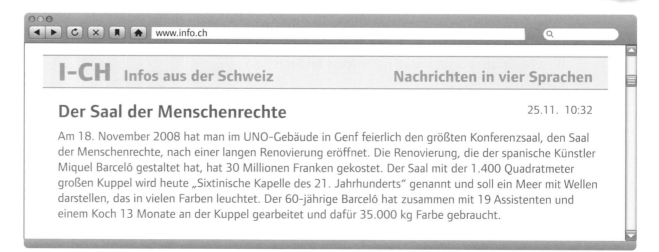

I-CH Infos aus der Schweiz   Nachrichten in vier Sprachen

Der Saal der Menschenrechte   25.11. 10:32

Am 18. November 2008 hat man im UNO-Gebäude in Genf feierlich den größten Konferenzsaal, den Saal der Menschenrechte, nach einer langen Renovierung eröffnet. Die Renovierung, die der spanische Künstler Miquel Barceló gestaltet hat, hat 30 Millionen Franken gekostet. Der Saal mit der 1.400 Quadratmeter großen Kuppel wird heute „Sixtinische Kapelle des 21. Jahrhunderts" genannt und soll ein Meer mit Wellen darstellen, das in vielen Farben leuchtet. Der 60-jährige Barceló hat zusammen mit 19 Assistenten und einem Koch 13 Monate an der Kuppel gearbeitet und dafür 35.000 kg Farbe gebraucht.

2 Berufe bei der UNO

2.05 **a** Wen kennt der Pförtner? Hören Sie und kreuzen Sie an.

1. ☐ Sekretär/in	4. ☐ Hausmeister/in	7. ☐ IT-Spezialist/in
2. ☐ Übersetzer/in	5. ☐ Praktikant/in	8. ☐ Diplomat/in
3. ☐ Pressesprecher/in	6. ☐ Elektriker/in	9. ☐ Event-Manager/in

2.05 **b** Was machen die Personen in ihrem Beruf? Hören Sie noch einmal und notieren Sie.

c Was denken Sie: Was müssen die Personen noch tun? Ergänzen Sie Ihre Notizen aus b und sprechen Sie dann im Kurs.

> *Übersetzer/in:*
> *viele Sprachen sprechen, Texte übersetzen, dolmetschen, an Konferenzen teilnehmen ...*

d Wo arbeiten Menschen aus vielen verschiedenen Ländern? Was ist dabei wichtig? Sprechen Sie im Kurs.

1 Ein voller Tag

a Was kann man wo machen (lassen)? Sehen Sie die Bilder an und sprechen Sie im Kurs. Die Bildleiste hilft.

In der Reinigung* kann man seine Hemden waschen lassen.

Stimmt. Man kann dort auch Mäntel reinigen lassen.

 2.06

b Warum ist Helga Mertens gestresst? Hören Sie und sprechen Sie im Kurs.

2.06 **c** Wer macht was? Hören Sie noch einmal und kreuzen Sie an.

	Reinigung	Post	Bibliothek	Friseur	Fahrkarte
Julia	☐	☐	☐	☐	☐
Helga Mertens	☐	☐	☐	☐	☐
beide	☐	☐	☐	☐	☐

Julia geht zur ...

 2.06

d Hören Sie noch einmal und beantworten Sie die Fragen.

1. Was hat sich die Tochter von Helga Mertens gewünscht?
2. Was hat sich Helga Mertens gerade überlegt?
3. Was hat sich Helga Mertens notiert?
4. Was will sich Helga Mertens ausleihen?
5. Was zieht sich Helga Mertens an?

Die Tochter hat sich gewünscht, dass ...

e Was denken Sie: Wie geht die Geschichte weiter? Wählen Sie aus und erzählen Sie im Kurs.

nicht reinkommen – der Balkon – helfen – Glück haben – die Tür öffnen – klettern	nicht reinkommen – den Schlüsseldienst anrufen – die Nummer suchen – teuer sein – die Tür öffnen

* D+CH: die Reinigung – A auch: die Putzerei

2 Reflexive Verben mit Dativ

2.07

a Was hat Helga Mertens gesagt? Ergänzen Sie die Sprechblasen. Der Grammatik-kasten hilft. Hören Sie dann zur Kontrolle.

> *Ich habe _____ gerade überlegt , ob ich das alles schaffe.*

> *Ich habe _____ den Termin _____.*

> *Ich würde _____ gern auch noch zwei neue Romane _____.*

> *Dann _____ ich _____ schnell den Mantel _____.*

die Bibliothek, -e

ein Buch / eine DVD ausleihen

die Reinigung, -e / etw. zur Reinigung bringen

etwas reinigen lassen

der Friseur, -e / die Friseurin, -nen

Reflexive Verben mit Dativ	**Reflexivpronomen im Dativ**
Ich notiere mir den Termin.	mir dir sich
Ich wünsche mir, dass du kommst.	uns euch sich
genauso:	*Die Pronomen im Akkusativ und Dativ*
sich überlegen, sich merken,	*sind gleich, nur* mich/mir *und* dich/dir
sich ausleihen, sich aussuchen ...	*sind anders.*

Reflexive Verben mit Akkusativ oder mit Akkusativ und Dativ

	Akkusativ			**Dativ**	**Akkusativ**	
Ich ziehe	mich	schnell an.	Ich ziehe	mir	schnell den Anzug	an.

Wenn es eine Akkusativergänzung gibt, steht das Reflexivpronomen im Dativ.
genauso: sich waschen, sich kämmen, sich ausziehen, sich verletzen ...

---

sich die Haare machen/schneiden lassen

die Bahn (Sg.)

b Kursspaziergang. Schreiben Sie eine Frage und eine Antwort auf die Vorder- und Rückseite eines Zettels. Zeigen Sie Ihrer Partnerin / Ihrem Partner nur die Antwort. Sie/Er fragt, Sie antworten. Kontrollieren Sie sich gegenseitig.

> sich die Hände waschen – sich die Jacke ausziehen –
> sich die Hand verletzen – sich ein Auto kaufen –
> sich die Vokabeln merken – sich den Termin notieren – ...

Ja, ich habe mir die Hände gewaschen.

> *Hast du dir die Hände gewaschen?*

sich beraten lassen / sich nach etwas erkundigen

die Fahrkarte am Automaten kaufen

3 Es ist Samstag und Sie feiern am Nachmittag eine Party. Es gibt noch viel zu tun. Planen Sie zu zweit. Arbeiten Sie auf Seite 141, Ihre Partnerin / Ihr Partner auf Seite 143.

der Schlüssel-dienst, -e

die Tür öffnen lassen

4 Treffpunkt Bibliothek

a Was kann man in einer Bibliothek machen? Sprechen Sie im Kurs.

b Sehen Sie die Internetseite der Bibliothek an und beantworten Sie die Fragen.

1. Wo können Sie Ihre Bücher am Samstag nach 18 Uhr zurückgeben?
2. Sie sind Volksschullehrerin/-lehrer und interessieren sich für das Kinderangebot. Wo finden Sie Informationen?
3. Sie verlängern die Ausleihzeit online. Wie erfahren Sie, wann Sie die Bücher zurückbringen müssen?
4. Sie wollen sich Bücher nach Hause liefern lassen. Was müssen Sie tun?

c *Innerhalb* oder *außerhalb?* Lesen Sie noch einmal und verbinden Sie.

	der Öffnungszeiten kann man Bücher an einem Automaten zurückgeben.
Innerhalb	des Stadtgebiets ist die Lieferung nach Hause möglich.
Außerhalb	des Stadtgebiets können Bücher nicht nach Hause geliefert werden.
	der Öffnungszeiten kann man Bücher telefonisch nach Hause bestellen.

Präpositionen *innerhalb* und *außerhalb* (+ Genitiv)

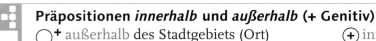

○+ außerhalb des Stadtgebiets (Ort)   ⊕ innerhalb des Stadtgebiets (Ort)
   außerhalb der Öffnungszeiten (Zeitraum)   innerhalb der Öffnungszeiten (Zeitraum)

5 Begegnung und lernen

a Wie waren die Bibliotheken früher? Wie sind sie heute? Lesen Sie den ersten Absatz und machen Sie Notizen.

www.welt-der-bibliothek.de

Die Welt der Bibliothek

Start ▶ Aktuell ▼ Projekte ▶ Archiv ▶ Abo ▶

Die Bibliothek – schon lange kein stiller Ort mehr

Bibliotheken sind schon lange nicht mehr nur der Ort, an dem man sich Bücher, CDs oder DVDs ausleiht, an dem Essen und Trinken verboten ist und man überall ganz leise sein muss. Kunden finden hier Computerarbeitsplätze, freies WLAN, aber auch zahl-
5 reiche Kulturveranstaltungen, öffentliche Diskussionen oder Kurse zur Weiterbildung. In der Zeit der Digitalisierung sind Bibliotheken zu einem Treffpunkt geworden, an dem es auch um Austausch und Integration geht. Wir stellen drei Beispiele aus der Welt der Bibliotheken von heute vor:

Programmieren – spielend leicht

10 Student/innen der Technischen Universität München bieten in der Stadtbibliothek ehrenamtlich Programmierkurse für Kinder und Jugendliche an. Die Kinder entwickeln einfache Spiele und lernen, was „hinter dem Bildschirm" passiert. Möglich ist das, weil die Stadtbibliothek einen neuen, modernen Medienraum hat.

Deutsch lernen am Computer

15 Fünf Stadtbibliotheken in Leipzig bieten Sprach-Lernprogramme in 50 Sprachen an. Ehrenamtliche Helfer/innen unterstützen Flüchtlinge und Asylsuchende beim Sprachen-lernen, helfen aber auch bei Alltagsproblemen und bei der Kommunikation mit Behörden.

Bibliothek der Zukunft: der Makerspace

Die Technische Universität Dresden und die Universitätsbibliothek arbeiten am neuen
20 Projekt „Makerspace" zusammen. Die TU hat der Universitätsbibliothek teure Geräte ausgeliehen, die man sonst nicht so einfach benutzen kann – wie z.B. 3-D-Drucker. Die Bibliothekskunden dürfen diese Geräte benutzen. Sie teilen dann ihre Erfahrungen mit den Student/innen und tauschen sich über ihre Ideen aus.

Bibliothek früher:

Bibliothek heute:

b Welches Projekt finden Sie interessant? Warum? Lesen Sie weiter und sprechen Sie im Kurs.
c Und Sie? Welche Ideen für eine moderne Bibliothek haben Sie? Wie sehen die Bibliotheken bei Ihnen aus? Machen Sie ein Plakat.

6 Gedanken beim Einkaufen

a Wo ist das? Was wollen die Personen? Sprechen Sie im Kurs.

b Zu welcher Person passen die Denkblasen? Ordnen Sie zu.

3 *Ich glaube, mein Bargeld reicht nicht. Kann man hier auch mit EC-Karte* bezahlen? Hoffentlich!*

1 *Ach, dieses Theater! Warum gibt es Süßigkeiten immer direkt an den Kassen? Ich muss mich jedes Mal mit der Kleinen streiten. Das ist wirklich ärgerlich!*

2 *Das kann doch nicht wahr sein! Kann man nicht noch eine Kasse aufmachen? Ich habe es eilig!*

6 *Mein Rücken tut mir schon wieder weh. Vielleicht liefern sie auch nach Hause? Dann müsste ich nur anrufen oder im Internet bestellen.*

4 *Hm, wenn der Topf aber nicht zu dem Herd von meiner Mutter passt? Kann ich ihn später auch noch umtauschen?*

5 *Der Kaffee ist wirklich günstig. Gibt es solche Angebote jede Woche? Das wäre toll. Ich muss die Verkäuferin fragen.*

c Welche Fragen in b passen zu den Wörtern? Ordnen Sie zu und notieren Sie.

1. der Umtausch: Kann ich ...
2. der Lieferservice:
3. das Sonderangebot:
4. die Produktpräsentation:
5. genug Personal:
6. die Bezahlung:

d Was kann man noch fragen oder sagen? Sammeln Sie im Kurs und ergänzen Sie in c.

e Was kann die Verkäuferin / der Verkäufer in c antworten? Notieren Sie. Fragen und antworten Sie dann.

f Der ideale Service. Was für einen Service wünschen Sie sich? Erzählen Sie.

 Servicewünsche äußern

Ich finde es wichtig, dass es günstige Sonderangebote / gute Kundenberatung / ... gibt.
Bei uns gibt es keinen/kein/keine ... Es wäre besser, wenn man ... könnte.
Wenn ..., dann kaufe ich dort nicht ein.

* D+CH: die EC-Karte – A: die Bankomatkarte

Wichtige Sätze

über Dienstleistungen sprechen

Hier kann man seine Hemden waschen lassen / sich die Haare machen lassen / eine Fahrkarte am Automaten kaufen / sich beraten lassen / sich nach … erkundigen.

etwas aushandeln / etwas planen

Du könntest zuerst … und ich … dann …
Wenn du …, dann …
Könntest du das machen?
Wir können zusammen …

Okay, das mache ich.
Aber ich kann besser …
Es ist besser, wenn …

Serviceleistungen in der Bibliothek beschreiben

In der Stadtbibliothek kann man Bücher/CDs/… ausleihen, aber auch Menschen treffen / Kurse besuchen / am Computer arbeiten / …
Man kann die Medien außerhalb der Öffnungszeiten am Automaten zurückgeben.
Man kann die Ausleihzeit online verlängern.

Servicewünsche äußern

Ich finde es wichtig, dass es gute Sonderangebote / gute Kundenberatung / … gibt.
Bei uns gibt es keinen/kein/keine … Es wäre besser, wenn man … könnte.
Wenn …, dann kaufe ich dort gern/nicht ein.

Strukturen

Reflexive Verben mit Dativ

Ich notiere mir den Termin.
Ich wünsche mir, dass du kommst.
genauso:
sich überlegen, sich merken,
sich ausleihen, sich aussuchen …

Reflexivpronomen im Dativ

mir   dir   sich
uns   euch   sich
Die Pronomen im Dativ und Akkusativ sind gleich, nur mich/mir *und* dich/dir *sind anders.*

Reflexive Verben mit Akkusativ oder mit Akkusativ und Dativ

Akkusativ		
Ich ziehe	mich	schnell an.

	Dativ	Akkusativ	
Ich ziehe	mir	schnell	den Anzug an.

Wenn es eine Akkusativergänzung gibt, steht das Reflexivpronomen im Dativ.
genauso: sich waschen, sich kämmen, sich ausziehen, sich verletzen …

Präpositionen *innerhalb* und *außerhalb* (+ Genitiv)

○⁺außerhalb des Stadtgebiets (Ort)
    außerhalb der Öffnungszeiten (Zeitraum)

⊕innerhalb des Stadtgebiets (Ort)
 innerhalb der Öffnungszeiten (Zeitraum)

► Phonetik, S. 151

Das ist aber ein gutes Angebot!

Bestes ☐, bester Preis!

Tolle ☐. Sie sparen bis zu 18 %!

Jetzt kaufen, später zahlen: 0,0 % ☐

A⁺⁺⁺
ENERGIE-
EFFIZIENZ

Besonders leise!
Nepp Spülmaschine* GN54
(silber, weiß)
6 Programme, AquaStop
10 l Wasserverbrauch / 0,9 kWh ☐
Garantie plus (= 5 Jahre): 50 €

~~529~~ Euro jetzt nur 499 Euro
(inkl. 19 % ③)

Nie wieder selbst saugen!
CLEANY 518 Staubsauger
(schwarz)
für alle Böden, 4 Programme
1 m² pro Min.
Leistung: bis zu 130 Min.
Akku-☐: bis zu 4 Std.
Fernbedienung,
24-Std.-Programmierung

~~419~~ Euro jetzt nur 359 Euro (inkl. MwSt.)
☐ plus (= 5 Jahre): 70 €

ENERG
A+++
A++
A+
201
kWh/annum
10623 7,0 60

Simsa F54
Waschmaschine
(weiß, schwarz)
11 Programme, per App steuerbar
7 kg Wäsche
Verbrauch pro Jahr:
10623 l Wasser / 201 kWh Strom
10 Jahre Garantie auf den Motor

~~799~~ Euro jetzt nur 729 Euro (inkl. MwSt.)
in 12 monatlichen ☐ je 60,75 €

Kochmix 425
(weiß, grau)
Küchenmaschine mit Kochfunktion
Maximale Leistung: 1.550 Watt
4,5 l Schüssel
6 ☐ zum Zubereiten der täglichen
Mahlzeiten inkl. Rezeptbuch mit
250 Rezeptideen

~~619~~ Euro jetzt nur 579 Euro

1 Tolle Helfer im Haushalt

a Was machen Sie (nicht) gern im Haushalt? Sprechen Sie im Kurs. Die Bildleiste hilft.

b Was passt? Lesen Sie den Prospekt und ordnen Sie die Wörter oben zu.

1. Angebot – 2. Garantie – 3. ~~Mehrwertsteuer~~ – 4. Ladezeit – 5. Raten – 6. Rabatte –
7. Programme – 8. Stromverbrauch – 9. Zinsen

c Was möchten Sie über die Geräte wissen? Fragen und antworten Sie. Benutzen Sie auch
die Wörter in b.

gering – gut – günstig – hoch – kurz – lang – niedrig –
schlecht – sparsam – teuer

*Wie hoch ist der Stromverbrauch
bei der Waschmaschine?*

d Welches Gerät hätten Sie gern? Warum? Sprechen Sie im Kurs.

Mich überzeugt die Spülmaschine, weil ...

Mir gefällt der Staubsauger am besten, weil ...

* D: die Spülmaschine – D + A auch: der Geschirrspüler

den Teppich saugen

den Fußboden wischen*

> **Angebote bewerten**
>
> Ich finde die Waschmaschine / ... (sehr) praktisch/günstig/sparsam ...
> Ich halte den Staubsauger für besonders gut, weil ich mit ihm Zeit sparen
> kann / weil er eine große Hilfe ist / weil ...
> Mich überzeugt das Angebot für ..., weil der Preis stimmt / weil ...
> Insgesamt gefällt mir die Spülmaschine am besten, weil sie einen geringen
> Stromverbrauch hat / umweltfreundlich ist.

2 Endlich eine Spülmaschine?

2.08
12

a Julia (J) oder Stefan (S)? Hören Sie und ordnen Sie zu.

1. ☐ sucht das Portemonnaie*.   4. ☐ hat heute noch eine Verabredung.

2. ☐ muss heute spülen.   5. ☐ telefoniert mit Bea.

3. ☐ war vor Kurzem bei Bea.   6. ☐ dachte, dass Spülmaschinen teuer sind.

Staub wischen

2.09

b Modalpartikeln. Welche Modalpartikel passt? Lesen Sie den Grammatikkasten und ergänzen Sie. Hören Sie dann zur Kontrolle.

1. Dein Portemonnaie lag _____ im Flur. Ich habe es dort gesehen.

2. Du kannst _____ Bea fragen. Natürlich nur, wenn du Zeit und Lust hast.

3. Oh, du siehst _____ toll aus! Du überraschst mich immer wieder.

4. Wie viel hast du _____ bezahlt?

5. Und wie wir wissen, es ist _____ bald Weihnachten.

die Wäsche waschen

> **Modalpartikeln**
>
> denn   *eine Frage wird freundlicher*   ja   *man bestätigt etwas*
> mal   *ein Satz wird unverbindlich/vage*   doch *etwas ist schon bekannt oder*
> aber   *man ist erstaunt oder überrascht*   *man macht einen Vorwurf*
> *Modalpartikeln wie denn, doch, aber, ja, mal drücken Gefühle aus.*
> *Sie können auch noch andere Bedeutungen haben.*

die Wäsche bügeln

2.10

c Was passt? Hören Sie und zeigen Sie, welches Bild passt.

😄   😳   😏

freundlich – überrascht – bestätigend

das Geschirr spülen/ abwaschen

2.10

d Hören Sie noch einmal und sprechen Sie nach.

e Kursspaziergang: Würden Sie dieses Gerät kaufen? Fragen und antworten Sie.

699€

> *Auf jeden Fall! Das ist ...*

> *Nein, das brauche ich doch nicht.*

die Fenster putzen

den Müll wegbringen

* D+A: den Fußboden wischen – CH: (feucht) aufwischen | D+CH: das Portemonnaie – A: die Geldtasche

die Blumen gießen

3 Gekauft, bezahlt – und dann?

a Was glauben Sie: Mit wem telefoniert Stefan? Was sagt er? Schreiben Sie Sprechblasen zum Foto und vergleichen Sie im Kurs.

2.11 **b** Was ist passiert? Hören Sie und ordnen Sie die Informationen.

    ☐ Stefan hat die Spülmaschine nicht mit der EC-Karte bezahlt, weil das Kartenlesegerät kaputt war.

    ☐ Stefan hat zusammen mit Frau Kaminski das Missverständnis geklärt.

    ☐ Die Firma hat keinen Termin für die Lieferung vorgeschlagen.

    ☐ 1 Stefan hat die Spülmaschine im Geschäft ausgesucht.

    ☐ Stefan hat mit Frau Kaminski einen Liefertermin vereinbart.

    ☐ Stefan hat mit dem Verkäufer vereinbart, dass er das Geld überweist.

2.11 **c** Was ist richtig? Hören Sie noch einmal und kreuzen Sie an.

1. ☐ Das Gerät wurde an eine falsche Adresse geliefert.
2. ☐ Der Liefertermin wurde von der Firma geändert.
3. ☐ Das Geld wurde noch nicht überwiesen.
4. ☐ Das Gerät wurde von einem anderen Kunden bezahlt.
5. ☐ Die IBAN wurde von Stefan falsch notiert.

Bank	
Überweisung	
Empfänger:	IBAN:
Elektro Mager	
Überweisungsdaten	
Betrag:	Verwendungszweck:
Datum:	

4 Passiv Präteritum

a Lesen Sie den Grammatikkasten und ergänzen Sie die Regel.

Passiv (Präsens)			***werden* im Präteritum**	
Das Geld	wird (heute)	überwiesen.	ich	wurde
			du	wurdest
			er/es/sie	wurde
Passiv (Präteritum)			wir	wurden
Das Geld	wurde (gestern)	überwiesen.	ihr	wurdet
			sie/Sie	wurden
Passiv Präteritum: werden *im* _____ *+ Partizip II*				

b Frau Kaminski schreibt ihrem Chef. Schreiben Sie die E-Mail zu Ende. Die Sätze in 3b helfen.

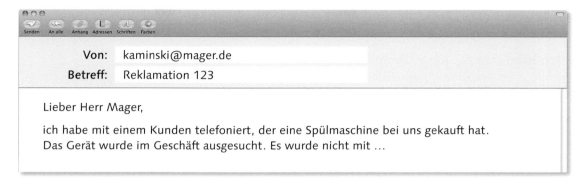

Von: kaminski@mager.de
Betreff: Reklamation 123

Lieber Herr Mager,

ich habe mit einem Kunden telefoniert, der eine Spülmaschine bei uns gekauft hat.
Das Gerät wurde im Geschäft ausgesucht. Es wurde nicht mit …

c Wie geht die Geschichte weiter? Sprechen Sie im Kurs.

das Missverständnis klären – das Geld überweisen –
einen Termin vereinbaren – die Spülmaschine liefern –
die Spülmaschine anschließen – das Geschirr einräumen
und spülen – am Abend feiern

> *Das Missverständnis wurde*
> *am Telefon geklärt und …*

5 Und was machen Sie jetzt?

a Wählen Sie eine Situation und schreiben Sie einen Dialog.

> Sie haben telefonisch einen
> Fernseher bestellt. Leider wurde
> ein falsches Modell geliefert
> (F340 statt S340).
> Am Telefon hört man den
> Unterschied zwischen S und F
> schlecht.

> Sie haben eine Waschmaschine gekauft
> und telefonisch den Liefertermin
> vereinbart (Donnerstag sieben Uhr).
> Es ist acht Uhr und die Maschine wurde
> noch nicht geliefert. Sie rufen bei der
> Firma an und erfahren, dass die Maschine
> um 19 Uhr kommt.

> Sie haben einen Staubsauger gekauft. Im Geschäft hat man Ihnen gesagt, dass Sie
> Ihr Geld zurückbekommen, wenn Sie nicht zufrieden sind. Nach zwei Wochen
> bringen Sie das Gerät zurück. Der Verkäufer sagt, dass Sie den Staubsauger nur
> eine Woche nach dem Kauf zurückbringen können.

 ein Missverständnis klären
Das habe ich aber anders verstanden. / Da habe ich Sie falsch verstanden.
Oh, das ist/war ein Missverständnis.
Haben Sie denn nicht gesagt, dass …?
Ich dachte ja, Sie meinen … / Was meinten Sie denn genau?
Das habe ich doch gesagt!

b Spielen Sie den Dialog im Kurs.

6 Wie wir in Zukunft bezahlen.

a Wie bezahlen Sie? Fragen Sie und sammeln Sie Unterschriften. Machen Sie eine Kursstatistik.

1. Ich habe eine EC-Karte/Debitkarte.

2. Ich habe eine Kreditkarte. *Nadja*

3. Ich bezahle im Supermarkt oder im Restaurant am liebsten bar.

4. Ich ärgere mich, wenn ich im Geschäft nicht mit Karte zahlen kann.

5. Ich habe schon einmal mit einem Scheck bezahlt.

6. Ich bezahle im Internet meistens per paypal.

7. Ich kaufe online auf Rechnung (ich überweise, wenn das Paket da ist).

8. Wenn ich etwas vorher bezahlen muss (Vorkasse), kaufe ich es nicht.

Hast du eine Kreditkarte?   *Ja.*   *Dann unterschreib hier bitte.*

b Was passt? Lesen Sie den Text und ordnen Sie die Wörter zu.

1. automatisch – 2. Bargeld – 3. Daten – 4. Chip – 5. Handy – 6. Unsicherheit – 7. Zeit

Wie wir in Zukunft bezahlen

Zurzeit bezahlen die Deutschen an der Kasse am liebsten mit Bargeld. Aber wie lange noch?

An den Kassen in deutschen Geschäften zahlt man bald nicht mehr mit ☐ oder Karte, sondern mit dem Smartphone. Und das geht dann so: Wenn die Verkäuferin den Preis nennt, sucht der Kunde
5 nicht sein Portemonnaie, sondern zeigt sein ☐. Bei Preisen bis zu 25 Euro ist der Kauf dann erledigt. Wenn die Ware mehr kostet, wird die Zahlung mit einer PIN-Nummer oder mit einem Fingerabdruck bestätigt.
10 Das Zahlen über eine App wird in Zukunft sogar ☐ möglich sein. Dann muss der Kunde nichts mehr tun. Ein Chip im Handy merkt, wenn man an der Kasse angekommen ist. Diesen ☐ enthalten fast alle neuen Smartphones.
15 Studien zeigen: Wenn es einfach ist, dann sind die Kunden in Deutschland schnell bereit, auf Bargeld zu verzichten. Schon heute werden in Deutschland viele Produkte – zum Beispiel
20 Bus- und Bahntickets – über eine Smartphone-App bezahlt. Und 30 Prozent der Deutschen haben schon mindestens einmal mobil gezahlt.
25 Mehr als die Hälfte der Deutschen findet das mobile Bezahlen unkompliziert. Allerdings ist auch die ☐ noch groß: 85 Prozent machen sich Sorgen um die Sicherheit. Sie fürchten, dass ihre persönlichen ☐ missbraucht werden. Für die Geschäfte
30 hat das Bezahlen mit dem Smartphone große Vorteile. Es spart viel ☐ an der Kasse und es gibt weniger Sicherheitsprobleme als mit Bargeld.

c Und was denken Sie? Sammeln Sie Vor- und Nachteile zum Bezahlen mit dem Handy. Diskutieren Sie dann im Kurs.

Wichtige Sätze

Informationen erfragen

Wie hoch ist der Stromverbrauch bei der Küchenmaschine / ...?	Der Stromverbrauch ist gering/hoch.
Wie lang ist die Garantie/Ladezeit?	Die Garantie/Ladezeit ist kurz/lang.
Wie hoch sind die Zinsen?	Die Zinsen sind günstig/niedrig/hoch.
Ist die Waschmaschine/der Staubsauger/... sparsam/günstig?	Ja, sie/er ist sehr günstig und der Wasserverbrauch / ... ist niedrig.
Gibt es auch einen Rabatt?	Ja, Sie sparen bis zu 18 Prozent.

Angebote bewerten

Ich finde die Waschmaschine / ... (sehr) praktisch/günstig/sparsam ...
Ich halte den Staubsauger für besonders gut, weil ich mit ihm Zeit sparen kann /...
Mich überzeugt das Angebot für ..., weil der Preis stimmt / weil ...
Insgesamt gefällt mir die Spülmaschine am besten, weil sie einen geringen
Stromverbrauch hat / umweltfreundlich ist.

ein Missverständnis klären

Das habe ich aber anders verstanden. / Da habe ich Sie falsch verstanden.
Oh, das ist/war ein Missverständnis. / Haben Sie denn nicht gesagt, dass ...?
Ich dachte ja, Sie meinen ... / Was meinten Sie denn genau?
Das habe ich doch gesagt!

Strukturen

Modalpartikeln

denn	*eine Frage wird freundlicher*	ja	*man bestätigt etwas*
mal	*ein Satz wird unverbindlich/vage*	doch	*etwas ist schon bekannt oder man*
aber	*man ist erstaunt oder überrascht*		*macht einen Vorwurf*

Modalpartikeln wie denn, doch, aber, ja, mal *drücken Gefühle aus.*
Sie können auch noch andere Bedeutungen haben.

Passiv Präsens

	Position 2 *werden*		Satzende Partizip II
Das Geld	wird	(heute)	überwiesen.

Passiv Präteritum

Das Geld	wurde	(gestern)	überwiesen.

***werden* im Präteritum**

ich	wurde
du	wurdest
er/es/sie	wurde
wir	wurden
ihr	wurdet
sie/Sie	wurden

Passiv Präteritum: werden *im Präteritum + Partizip II*

▶ Phonetik, S. 151

1 Was mussten Sie gestern erledigen? Arbeiten Sie zu zweit. Kreuzen Sie fünf Tätigkeiten an. Zeigen Sie es Ihrer Partnerin / Ihrem Partner nicht. Fragen und antworten Sie. Wer weiß zuerst alle Tätigkeiten?

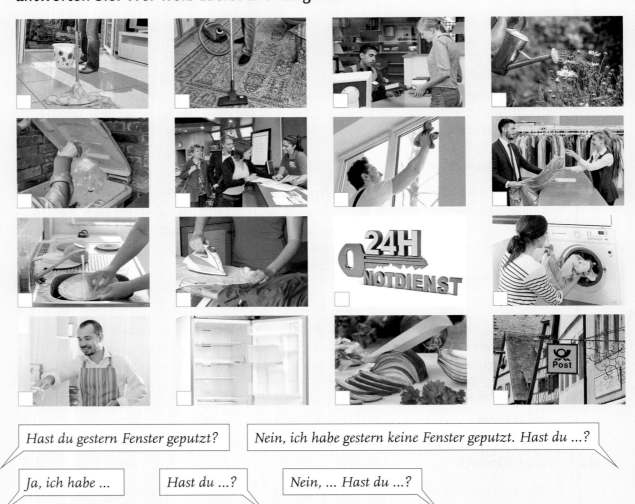

> *Hast du gestern Fenster geputzt?*

> *Nein, ich habe gestern keine Fenster geputzt. Hast du ...?*

> *Ja, ich habe ...*

> *Hast du ...?*

> *Nein, ... Hast du ...?*

2 Sprachschatten. Fragen und antworten Sie wie im Beispiel.

sich (das Gesicht) waschen – (Staub) wischen – (den Vertrag) unterschreiben – (Wäsche) waschen – (das Bad) putzen – (die Gläser) spülen – sich (die Augen) schminken – sich (die Mütze) anziehen – sich (die Haare) kämmen – sich (das Knie) verletzen – (die Getränke) bezahlen – (Bücher) verlängern – sich (den Schal) ausziehen

> *Ich habe mich gewaschen.*

> *Wie bitte? Was hast du gewaschen?*

> *Ich habe mir das Gesicht gewaschen.*

3 Die Geschichte eines Hauses. Arbeiten Sie zu zweit. Sie arbeiten auf Seite 141, Ihre Partnerin / Ihr Partner arbeitet auf Seite 145. Fragen und antworten Sie.

4 Service-Wünsche äußern

a Sie möchten eine Kaffeemaschine kaufen. Was ist Ihnen besonders wichtig? Kreuzen Sie fünf Punkte an.

1. ☐ hohe Rabatte
2. ☐ Sonderangebote
3. ☐ Ratenkauf ohne Zinsen
4. ☐ gute Beratung
5. ☐ einfacher Umtausch

6. ☐ kostenloser Lieferservice
7. ☐ angenehme Präsentation der Produkte
8. ☐ große Auswahl
9. ☐ lange Öffnungszeiten

10. ☐ keine Wartezeit
11. ☐ gute Qualität
12. ☐ umweltfreundliche Produkte
13. ☐ keine langen Wege

b Fragen und antworten Sie. Einigen Sie sich auf drei Stichpunkte.

> *Was ist dir besonders wichtig?*

> *Mir ist gute Beratung sehr wichtig. Und dir?*

5 Informationen erfragen und beantworten

a Arbeiten Sie zu zweit. Ihre Partnerin / Ihr Partner arbeitet auf Seite 143. Fragen Sie und ergänzen Sie die fehlenden Informationen. Tauschen Sie dann die Rollen.

Nepp Spülmaschine GN 74
(silber, _____, grau, schwarz)

_____ Programme, AquaStop

_____ Liter Wasserverbrauch / 0,9 kWh Stromverbrauch

Klasse A++

Garantie plus (= _____ Jahre): 39,99 €

~~629~~ Euro nur _____ Euro (inkl. MwSt.)
12 Raten je _____ Euro

Profi Kaffeemaschine ES 2010
(weiß oder silber)

für 21 Kaffeespezialitäten (Espresso bis Latte Macchiato)

mit automatischer Reinigung

Wasserbehälter: 2 Liter

~~1.899~~ Euro nur 1.599 Euro
24 monatliche Raten je 67 €

b Einkaufsdialog. Wählen Sie eine Rolle (eine Verkäuferin / ein Verkäufer, zwei Kundinnen/ Kunden), eine Situation und ein Gerät in a. Spielen Sie zu dritt einen Dialog.

Verkäuferin/Verkäufer
– Sie müssen heute unbedingt noch etwas verkaufen und Sie sind erkältet.
– Sie haben keine Lust, etwas zu verkaufen. Sie sind verliebt.

Kundinnen/Kunden
– Sie finden das Gerät toll und wollen es unbedingt kaufen. Sie sind nervös.
– Sie finden das Gerät okay, aber sind noch nicht überzeugt. Sie sind müde.
– Sie wollten eigentlich diesen Monat nichts mehr kaufen. Sie reden gern.

die Kutsche / der Fiaker

1 Unterwegs in der Stadt

a Was denken die Leute auf dem Foto? Wählen Sie drei Personen und schreiben Sie Denkblasen.

b Wer denkt das? Lesen Sie Ihre Denkblasen vor, die anderen raten.

c Mit welchem Verkehrsmittel fahren Sie gern in einer Stadt? Warum und zu welcher Gelegenheit? Sprechen Sie im Kurs.

Zu meiner Hochzeit möchte ich mit ... fahren, weil ich das romantisch finde.

Zum Einkaufen fahre ich mit ..., weil das ... ist.

2 Fiaker, Fahrrad-Rikscha oder Taxi?

a Was ist ein günstiges Angebot? Lesen Sie und vergleichen Sie.

Wiener Radtaxi	Im **traditionellen Fiaker** durch Wien!	**Taxitarife für Wien**
Fahrrad-Rikschas für zwei Personen und Gepäck 3 Euro pro Kilometer	45 Min durch die Innenstadt 90 Euro pro Kutsche (bis 4 Personen + Kinder)	Werktags 6 - 23 Uhr: Grundpreis 3,80 € 1,08 € pro km; ab 9 km 1,05 €
Spezialtour durch die Innenstadt Fahrt (20 Minuten): 28 Euro	Reservierungen unter: +43 (0)1 255 10 56 oder office@fiakerwien.at	Nachts und am Wochenende: Grundpreis: 4,30 € 1,28 € pro km; ab 9 km 1,18 €

die Fahrrad-Rikscha

2.12 **b** Was erzählen die Personen? Hören Sie und ergänzen Sie die Tabelle.

	Was?	Wie lange schon?	Welche Kunden?
Paul Kaiser Gaby Faistauer Georg Bach			

2.12 **c** Paul Kaiser (K), Gaby Faistauer (F) oder Georg Bach (B)? Wer findet was positiv? Hören Sie noch einmal und notieren Sie. Nicht alles passt.

1. Arbeit mit Tieren _____
2. netter Chef _____
3. körperliche Aktivität _____

4. gut für die Umwelt _____
5. guter Lohn _____
6. Arbeit draußen _____

7. Selbstständigkeit _____
8. Kontakt zu Menschen _____
9. Arbeitszeiten _____

3 Zufrieden?

a Vergleichen Sie die Arbeit auf der Kutsche, im Taxi und auf der Fahrrad-Rikscha. Wo würden Sie lieber arbeiten? Warum? Sprechen Sie im Kurs.

b *Es ist kein Traumjob, aber ich habe Arbeit.* Was denken Sie darüber? Diskutieren Sie im Kurs.

1 Ein eigenes Auto?

a Haben Sie einen Führerschein? Haben Sie ein Auto? Warum nicht? Wozu benutzen Sie das Auto? Sehen Sie sich das Bild an und sprechen Sie im Kurs.

2.13 ◉
13 ▶

b Was ist richtig? Hören Sie und kreuzen Sie an.

1. ☐ Julia macht bald ihre Fahrprüfung. Sie möchte, dass Stefan und sie beim Carsharing mitmachen, wenn sie den Führerschein hat.
2. ☐ Julia geht zur Fahrschule und möchte, dass Stefan ein eigenes Auto kauft. Sie möchte nach der Prüfung viel fahren. Stefan findet ein Auto unnötig.

2.13 ◉
13 ▶

c Welche Argumente gibt es für und welche gegen ein eigenes Auto? Hören Sie noch einmal und kreuzen Sie an.

Nachteile: ☐ zu teuer (Versicherung, Reparaturen), ☐ nicht gut für die Umwelt, ☐ keine Parkplätze, ☐ oft im Stau stehen

Vorteile: ☐ viel fahren, ☐ schnell im Büro sein, ☐ flexibel sein, ☐ spontan ans Meer fahren

2.13 ◉
13 ▶

d Wie reagieren Julia und Stefan? Hören Sie noch einmal und verbinden Sie.

1. Wir können ab und zu Carsharing machen.
2. Dann mieten wir eine Garage.
3. Es gibt hier auch keine freien Garagen.
4. Nein, ein Auto kommt nicht in Frage. Fertig.

a Sag mal, das geht jetzt zu weit.
b Oh, Mann!
c Das geht nicht!
d Du siehst immer nur das Negative!

e Spielen Sie den Dialog nach. Arbeiten Sie mit den Argumenten in c.

🔧 **Verärgerung ausdrücken**

Bist du verrückt?   Quatsch*! Das geht so nicht.
Du siehst immer nur das Negative!   Das regt mich auf.
Das geht jetzt zu weit.   Das ist ausgeschlossen.
Oh, Mann! Das reicht jetzt, okay?   Das kommt nicht in Frage.

---

* D+CH: Quatsch! – A: Blödsinn!

2 Die Deutschen und ihre Autos

a Auto-Wörter. Welche Wörter kennen Sie? Sammeln Sie im Kurs.

> Teile: der Reifen, die Bremse ...
> Verben: Gas geben, bremsen ...
> Adjektive: schnell ...

2.14 b In Deutschland musst du Auto fahren. Worum geht es in dem Lied? Hören Sie und sprechen Sie im Kurs.

2.14 c Welches Bild passt? Hören Sie noch einmal und ordnen Sie die Bilder.

d Was denken Sie: Sind Sie damit einverstanden, was in dem Lied gesagt wird? Sprechen Sie im Kurs.

3 Vergleich mit *je ... desto*

2.14 a Was passt zusammen? Verbinden Sie und hören Sie dann noch einmal zur Kontrolle.

1. Je mehr Gas ich gebe,   a desto mehr verbraucht es.
2. Je länger ich fahre,   b desto mehr Leute hören mich.
3. Je lauter ich hupe,   c desto mehr raucht es.
4. Je lauter die Musik ist,   d desto cooler werde ich.

b Unterstreichen Sie die Komparative in a und ergänzen Sie den Grammatikkasten.

> **Vergleich mit *je ... desto* ...**
> **Nebensatz**   **Hauptsatz**
> *je* + Komparativ   *desto* + Komparativ
>
> Je _____ ich fahre, desto _____ verbraucht das Auto.

2.14 c Hören Sie das Lied noch einmal, lesen Sie auf Seite 169 und singen Sie mit.

d Je älter man wird, desto ... Ergänzen und schreiben Sie den Satz auf einen Zettel. Falten Sie den Zettel, sodass man immer nur den letzten Satz sehen kann, und geben Sie den Zettel weiter. Schreiben Sie Sätze, bis Ihr Zettel wieder bei Ihnen ist. Lesen Sie alle Sätze vor.

> Je älter man wird, desto schöner ist das Leben.
> Je schöner das Leben ist, desto mehr freut man sich.
> Je mehr man sich freut, desto ...

4 Einen Gebrauchtwagen kaufen

a Was bedeuten die Zahlen? Sehen Sie das Foto an und sprechen Sie im Kurs.

Autokauf - ohne böse Überraschungen

Wichtige Tipps, die man beim Kauf eines Gebrauchtwagens beachten sollte.

1 Entscheiden Sie zuerst: Wie viel Geld wollen Sie ausgeben? Welche Marke/n finden Sie gut? Wie alt darf der Wagen maximal sein? Vergleichen Sie alle Angebote und wählen Sie nicht unbedingt den günstigsten Wagen.

ZU VERKAUFEN
EZ (Erstzulassung): 09/2010
Kilometerstand: 90.000 km
Motor: 44 kW (60 PS)
Preis: 5.900 Euro

2 Haben Sie ein passendes Auto gefunden? Nehmen Sie mit der Verkäuferin / dem Verkäufer Kontakt auf. Wie lange hat sie/er das Auto? Wie viele Besitzer gab es? Wann muss der Wagen zur technischen Kontrolle (TÜV*)? Sie sollten auch überprüfen, ob der Wagen angemeldet und versichert ist. Haben Sie ein gutes Gefühl, dass Sie der Verkäuferin / dem Verkäufer vertrauen können? Wenn nicht: Weitersuchen!

3 Sehen Sie sich den Wagen gründlich an – am Tag und bei gutem Wetter, nicht bei Regen. Das ist ganz wichtig, wenn man z.B. den Lack überprüfen will: Ist der Lack beschädigt? Gibt es Roststellen? Sehen Sie die Reifen an: Sind sie stark abgenutzt? Gibt es Unfallschäden?

4 Bitten Sie um die Fahrzeugpapiere: Sind alle TÜV-Kontrollen eingetragen? Gibt es keine Papiere? Dann Finger weg von dem Wagen!

5 Erst nachdem Sie das Auto und die Papiere überprüft haben, sollten Sie eine Probefahrt mit der Verkäuferin / dem Verkäufer vereinbaren: Geht der Motor sofort an? Gibt es ungewöhnliche Geräusche? Wie fährt der Wagen? Funktionieren alle Lichter?

6 Wenn es Probleme gibt oder der Wagen beschädigt ist, haben Sie die Wahl: nicht kaufen oder den Preis verhandeln. Eine gute Regel ist: Bei einem Gebrauchtwagen sind 10 Prozent weniger gut möglich.

b Welche Überschrift passt zu welchem Tipp? Lesen Sie und ordnen Sie zu. Die Bildleiste hilft.

a ☐ Verhandeln Sie den Preis.   d ☐ Machen Sie eine Besichtigung.

b ☐ Vereinbaren Sie eine Probefahrt.   e ☐ Überprüfen Sie die Papiere.

c ☐ Fragen Sie den Verkäufer aus.   f ☐ *1* Überlegen Sie, was Sie wollen.

c Lesen Sie noch einmal und schreiben Sie Fragen zu den folgenden Punkten.

1. der Zustand   2. die Geschichte des Autos   3. die Papiere

1. Ist der Lack ...

* D: der TÜV – A: wiederkehrende Begutachtung – CH: z. B. die Fahrzeugprüfung

5 Zustandspassiv

a Welcher Satz passt? Lesen und ergänzen Sie den Grammatikkasten.

Das Auto ist beschädigt. – Das Auto wird beschädigt.

Passiv mit *werden*		**Passiv mit *sein* (Zustandspassiv)**
werden + Partizip II	→	*sein* + Partizip II

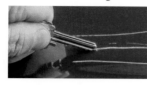   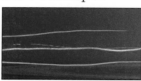

Passiv mit sein *beschreibt einen neuen Zustand (Zustandspassiv).*

b Suchen Sie Sätze mit Zustandspassiv im Text in 4a und unterstreichen Sie sie.

c Alles ist erledigt! Spielen Sie Pantomime zu den Wörtern in der Bildleiste. Die anderen bilden passende Sätze.

Der Preis wird verhandelt.

Jetzt ist der Preis verhandelt.

6 Beim Autokauf

2.15 **a** Welche Tipps aus dem Text passen? Hören Sie und kreuzen Sie in 4a an.

2.15 **b** Welchen Tipp gibt es noch? Hören Sie noch einmal und notieren Sie.

 c Können Sie gut verhandeln? Wählen Sie eine Anzeige und schreiben Sie einen Verhandlungsdialog. Benutzen Sie die Fragen in 4c.

Mountainbike 180 € 18 Gänge Höhe: 50 cm	Motorroller 1.600 € Kilometerstand: 2.880 km Erstzulassung: 2015	Wohnwagen 13.900 € Erstzulassung: 2013 2 Betten, Küche, TV, WC

etwas verhandeln

Käuferin/Käufer	**Verkäuferin/Verkäufer**
Was kostet ...? / Was wollen Sie für ...?	... Euro. Das ist ein sehr guter Preis!
Hmm, aber der Lack / ... ist beschädigt/kaputt/abgenutzt.	Ja, das stimmt. Ich mache Ihnen einen Sonderpreis: ... Euro!
... funktioniert nicht.	
Das finde ich immer noch zu viel.	Das ist zu wenig. ... Euro – das ist
Ich biete ... Euro (an).	mein letztes Angebot.

das Auto anmelden

den Lack beschädigen

die Reifen abnutzen

den Schaden reparieren

die Papiere überprüfen

den Termin eintragen

eine Probefahrt vereinbaren

den Preis verhandeln

7 Der neue Trend in der Schweiz: Elektrovelos

a Wo passen die Sätze? Lesen Sie den Artikel und ordnen Sie zu.

Der neue Trend in der Schweiz: Elektrovelos*

Man sagt, Velofahren ist umweltfreundlich und gesund. Man spart Benzin, schont das Klima und bleibt fit. In der Großstadt ist das Velo sogar oft die schnellste Art, von einem Ort zum anderen zu kommen. Auch in der Schweiz wird das Velofahren immer beliebter – trotz der Berge. ☐ mit den Elektrovelos oder E-Bikes, also Velos mit einem Elektromotor. 2015 haben Schweizerinnen und Schweizer 66.000 E-Bikes oder Elektrovelos gekauft. Die Schweizer Marken wie *Flyer* und *Stromer* gelten auch im Ausland als besonders gut.

☐ Wenn der Berg aber zu hoch und zu steil ist, kann man sich entspannen, denn der leise, aber starke Elektromotor unterstützt die Fahrerin bzw. den Fahrer. Bei den *Flyern* z. B. gibt es drei Gänge, die man wählen kann: Eco (man fährt ohne Motor und spart Strom), Standard (der Motor hilft ein bisschen) und High (der Motor hilft mit voller Leistung).

In vielen Ländern ist die Geschwindigkeit der Elektrovelos begrenzt. ☐ In der Schweiz gibt es zwei Kategorien von Elektrovelos: Die langsame Kategorie heißt Leicht-Motorfahrrad: Sein Motor darf nicht stärker als 500 Watt sein und muss sich bei 25 km/h ausschalten. Das ist das „normale" Elektrovelo, das es schon fast überall in der Welt zu kaufen gibt. Die schnelle Kategorie heißt Motorfahrrad. Sein Motor darf bis zu 1000 Watt stark sein und kann bis 45 km/h fahren. ☐ Und anders als Motorräder dürfen schnelle Elektrovelos auch Radwege benutzen.

Aber wie lange hält der Motor bzw. der Akku? ☐ Diese Frage kann man nicht einfach beantworten, denn der Verbrauch hängt vom Fahrstil, Wetter und der Landschaft ab. Die Erfahrung zeigt, dass durchschnittlich ca. 50 bis 100 Kilometer möglich sind.

1. Bei 25 km/h schaltet sich der Elektromotor aus.
2. Dieser Trend hat mit einer neuen Technik zu tun:
3. Wie weit kann man mit einem Elektrovelo fahren?
4. Das ist schnell – viel schneller fährt man im Stadtverkehr auch mit dem Auto nicht.
5. Die Elektrovelos haben alle Vorteile von traditionellen Velos.

b Und Sie? Sind Sie schon mal mit einem Elektrofahrrad gefahren? Gibt es viele Elektrofahrräder in Ihrem Land? Sprechen Sie im Kurs.

*CH: das Elektrovelo – D + A: das Elektrofahrrad / das E-Bike

Wichtige Sätze

Vor- und Nachteile von Autos diskutieren

Mit einem eigenen Auto ist man flexibel und schneller.
Wenn man ein Auto hat, dann kann man spontan ans Meer / nach ... / in ... fahren.

Ein Auto kostet viel Geld und man muss auch die Versicherung, Reparaturen und eine Garage bezahlen. Carsharing ist billiger. In der Stadt gibt es wenige Parkplätze. In der Stadt braucht man kein Auto. Man kann mit dem Zug/Bus / ... fahren.

Verärgerung ausdrücken

Bist du verrückt?
Du siehst immer nur das Negative!
Das geht jetzt zu weit.
Oh, Mann! Das reicht jetzt, okay?

Quatsch! Das geht so nicht.
Das regt mich auf.
Das ist ausgeschlossen.
Das kommt nicht in Frage.

den Zustand eines Gebrauchtartikels beschreiben

Der Lack / ... ist beschädigt/kaputt. Das Licht / ... funktioniert nicht.
... ist/sind abgenutzt. Das Auto / Das Fahrrad macht ungewöhnliche Geräusche.
Man sieht noch die Stelle, die repariert wurde.

etwas verhandeln

Käuferin/Käufer
Was kostet ...? / Was wollen Sie für ...?
Hmm, aber der Lack / ... ist beschädigt/ kaputt/abgenutzt. / ... funktioniert nicht.
Das finde ich immer noch zu viel.
Ich biete ... Euro (an).

Verkäuferin/Verkäufer
... Euro. Das ist ein sehr guter Preis!
Ja, das stimmt. Ich mache Ihnen einen Sonderpreis: ... Euro!
Das ist zu wenig. ... Euro – das ist mein letztes Angebot.

Strukturen

Vergleich mit *je ... desto ...*

Nebensatz			Hauptsatz			
je + Komparativ		Satzende	*desto* + Komparativ		Position 2	
Je länger	ich	fahre,	desto mehr		verbraucht	das Auto.

Passiv mit *sein* (Zustandspassiv)

werden + *Partizip II*　→　sein + *Partizip II*

　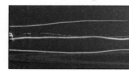

Das Auto wird beschädigt.　Das Auto ist beschädigt.
Passiv mit sein *beschreibt einen neuen Zustand (Zustandspassiv).*

▶ Phonetik, S. 152

die Drohne

1 Im Flug?

a Was denken Sie: Was ist passiert? Sammeln Sie Vermutungen im Kurs.

2.16 **b** Was passt? Verbinden Sie. Hören Sie und kontrollieren Sie Ihre Lösung.

1. Helga hat sich erschrocken,   a weil Drohnen sehr viel können.
2. Jannis ist begeistert,   b weil Arbeitsplätze wegfallen können.
3. Helga sieht die Entwicklung kritisch, c weil auf ihrem Balkon eine Drohne gelandet ist.

2.16 **c** Was erklärt Jannis: Was können Drohnen tun? Hören Sie noch einmal und kreuzen Sie an.

1. ☐ einkaufen   3. ☐ aus der Luft fotografieren   5. ☐ ein Haus bauen
2. ☐ Pakete liefern   4. ☐ den Rasen mähen   6. ☐ Städte kontrollieren

2 Immer mehr Pakete, immer schnellere Lieferung

a Was passt? Lesen Sie und ergänzen Sie die Überschrift.

Handel & Wirtschaft   6

L_____ am selben Tag – neue H_____ für die Logistik

Immer mehr Kunden kaufen immer mehr Waren im Internet und die Zahl der Pakete, die den Kunden geliefert werden müssen,
5 wächst. Die Logistikunternehmen in Deutschland rechnen deswegen damit, dass sich die Zahl der Pakete in den nächsten fünf Jahren fast verdoppelt – auf 5 Milliarden pro
10 Jahr. Schon heute transportiert die Deutsche Post DHL täglich rund 3,9 Millionen Pakete.

Das neue Verhalten der Kunden bringt auch neue Herausforderun-
15 gen für die Logistikunternehmen. Immer mehr Pakete sollen in im-

mer kürzerer Zeit geliefert werden, daher müssen sich Unternehmen wie UPS, Hermes oder DHL neue
20 Lösungen einfallen lassen. So sollen in Zukunft nicht nur Menschen, sondern auch Roboter und Drohnen Pakete zu den Kunden bringen.

25 Die Kunden fordern mehr Service und eine höhere Geschwindigkeit. Darum bietet DHL schon heute in 50 deutschen Städten die Lieferung am selben Tag an. Und die
30 Kunden möchten nicht zu Hause auf den Paketboten warten oder von den Öffnungszeiten der Post

abhängig sein. Deshalb gibt es immer mehr Packstationen, an denen
35 man die Pakete Tag und Nacht abholen kann. Oder man bestellt gleich einen Paketkasten für das eigene Haus, in den die Pakete gelegt werden. Die Unternehmen tes-
40 ten auch die Möglichkeit, Pakete in die Kofferräume von privaten Autos zu liefern.

b Lesen Sie den Artikel noch einmal und ergänzen Sie die Tabelle.

Was machen und fordern die Kunden?	Wie reagieren die Logistikunternehmen?

c *Daher, darum, deshalb, deswegen.* Lesen Sie den Grammatikkasten und schreiben Sie Sätze mit den Informationen in b.

> **daher, darum, deshalb, deswegen**
> Die Kunden bestellen immer mehr Waren im Internet.
>
> | Daher | wächst | die Anzahl der Pakete. |
> | Die Logistikunternehmen | suchen | daher neue Wege, Pakete zu liefern. |
>
> *genauso:* darum, deshalb, deswegen
> Daher, darum, deshalb, deswegen *verbinden zwei Hauptsätze. Der erste Satz nennt den Grund für den zweiten Satz.*

3 SMS, E-Mail, Postkarte, Brief, Paket: Wie und warum nutzen Sie diese Dienste (nicht)?

a Schreiben Sie vier Sätze mit *daher, darum, deshalb* und *deswegen*.

> 1. Eine Postkarte kommt erst nach ein bis zwei Tagen an.
>   Darum schreibe ich keine Postkarten mehr, sondern schicke lieber eine SMS.

b Lesen Sie jeweils Ihren ersten Satz aus a vor. Die anderen ergänzen einen möglichen Satz mit *daher, darum, deshalb* und *deswegen*. Lesen Sie dann Ihren Satz vor.

> Eine Postkarte kommt erst nach ein bis zwei Tagen an.

> Deshalb rufst du lieber an.

> Deswegen schreibst du keine ...

> Ja, darum schreibe ich keine ...

 4 Forderungen von Kunden

a Was fordern die Kunden? Wählen Sie ein Unternehmen und sammeln Sie Forderungen.

Reinigungsfirma – Hotel/Restaurant – Bäckerei – Friseursalon – Autowerkstatt – ...

b Tauschen Sie die Forderungen und notieren Sie dazu passende Angebote des Unternehmens. Präsentieren Sie dann die Angebote im Kurs.

5 Ein Unternehmen gründen

a Lesen Sie den Text und schreiben Sie mit den Wörtern eine Überschrift. Nicht alle Wörter passen.

der Handel – die Zahl – der Grund – neue Geschäftsideen – die Unternehmensgründung –
in Deutschland – in Europa – die/der Selbstständige

▶ In Deutschland werden jährlich rund 300.000 Unternehmen gegründet. Dazu kommt eine steigende Zahl von Selbstständigen, die freiberuflich arbeiten.

▶ 69 Prozent aller neu startenden Unternehmen gehören zum wachsenden Dienstleistungsbereich. Auf Platz 2 folgt der Handel mit 12 Prozent.

▶ 32 Prozent der Gründerinnen und Gründer haben einen Hochschulabschluss.

▶ Die meisten (49 Prozent) machen sich selbstständig, weil sie eine viel versprechende Geschäftsidee realisieren möchten. Ein weiterer wichtiger Grund sind fehlende Jobangebote – viele finden nach einer Kündigung keine neue Arbeit (27 Prozent).

▶ 52 Prozent der Gründerinnen und Gründer benötigen einen unterstützenden Kredit. Sie müssen eine Bank davon überzeugen, ihre Geschäftsidee zu finanzieren.

▶ Nur 16 Prozent der neu startenden Gründerinnen und Gründer kommen mit einem neuen Produkt auf den Markt. Der größte Teil macht existierenden, erfolgreich arbeitenden Unternehmen Konkurrenz.

▶ Nicht alle Firmen haben aber ausreichenden Erfolg: 2015 wurden 299.000 Unternehmen gegründet und 328.000 geschlossen.

(Quelle: www.bmwi.de)

b Lesen Sie noch einmal und ergänzen Sie die Zahlen. Die Bildleiste hilft.

1. _____ Prozent der Unternehmen wollen eine Idee realisieren, die viel Gewinn verspricht.

2. _____ Prozent der neuen Unternehmen starten im Bereich der Dienstleistungen.

3. Die Banken unterstützen _____ Prozent der Gründerinnen und Gründer mit einem Kredit.

4. Jedes Jahr werden in Deutschland _____ neue Firmen gegründet.

5. Bei _____ Unternehmen hat der Erfolg nicht ausgereicht, sie mussten schließen.

c Partizip I. Lesen Sie den Grammatikkasten. Unterstreichen Sie in a die Partizip-I-Formen.

Partizip I
eine steigende Zahl = *eine Zahl, die steigt*
viel versprechende Ideen = *Ideen, die viel versprechen*

Partizip I:
Infinitiv + d + *Adjektivendung*

d Sprachschatten. Fragen und antworten Sie wie im Beispiel.

Zahlen: sinken – Kredite: unterstützen – Idee: überzeugen – Mitarbeiter: fehlen –
Arbeit: anstrengen – Bedingungen: sich ändern – Werbung: auffallen –
Unternehmen: produzieren/exportieren – Preise: steigen

Wie nennt man Zahlen, die sinken?

Zahlen, die sinken? Das sind sinkende Zahlen.

e Welche Information aus dem Text finden Sie interessant, welche langweilig? Markieren Sie. Vergleichen Sie dann im Kurs.

der Handel (Sg.)

6 Sich selbstständig machen – aber wie?

a Sie überlegen, sich selbstständig zu machen. Welche Fragen haben Sie? Notieren Sie drei Fragen an eine Expertin / einen Experten.

2.17 ◉ b Welche von Ihren Fragen hat Erwin Lojewski beantwortet? Hören Sie und kreuzen Sie bei Ihren Fragen in a an.

2.17 ◉ c Hören Sie noch einmal und notieren Sie die Antworten zu Ihren Fragen.

2.17 ◉ d Was ist richtig? Hören Sie noch einmal und kreuzen Sie an.

1. ☐ Am Anfang ist eine viel versprechende Geschäftsidee sehr wichtig.
2. ☐ Für die geplante Gründung sollte man die Konkurrenz analysieren.
3. ☐ Die Kollegen sollten überzeugende Ideen haben.
4. ☐ Für den Erfolg braucht man gut ausgebildetes Personal.
5. ☐ Es ist einfach, engagierte Mitarbeiterinnen und Mitarbeiter zu finden.

die Gründerin, -nen / der Gründer, -

e Welche von Ihren Fragen hat Erwin Lojewski nicht beantwortet? Beantworten Sie die Fragen gemeinsam im Kurs.

das Produkt, -e

7 Partizip I und Partizip II als Adjektiv

a Lesen Sie und ergänzen Sie den Grammatikkasten.

Partizip I als Adjektiv	Partizip II als Adjektiv
passendes Personal = *Personal, das passt*	(gut) ausgebildete Mitarbeiter = *Mitarbeiter, die (gut) ausgebildet wurden*
eine überzeugende Idee = *eine Idee, die _____*	ein 2015 gegründetes Unternehmen = *ein Unternehmen, das 2015 _____*

Das Partizip I und II dekliniert man vor dem Nomen wie ein Adjektiv.

die Konkurrenz (Sg.)

b Catering-Service oder Büro für Übersetzungen? Wählen Sie eine Geschäftsidee und kreuzen Sie an, was für diese Idee wichtig ist. Ergänzen Sie drei weitere Punkte.

☐ ein/eine engagierte/r Chef/in
☐ gut ausgebildetes/informiertes Personal
☐ ein renoviertes Büro
☐ eine gut gemachte Internetseite
☐ auffallende Werbung
☐ schnell reagierende Mitarbeiter/innen
☐ funktionierende Computer

☐ ein geputzter Lieferwagen
☐ ein organisiertes Team
☐ perfekt geplante Arbeitstage
☐ gut aussehende Prospekte
☐ passende Aufträge
☐ überzeugendes Essen
…

der Plan, -ä-e

c Arbeiten Sie in Gruppen. Was ist für Ihre Geschäftsidee am wichtigsten? Ordnen Sie die Punkte in b und präsentieren Sie sie im Kurs.

Am wichtigsten ist …

Wir finden auch … besonders wichtig.

Weniger wichtig ist …

das Personal (Sg.)

analysieren

Businessplan

finanzieren

8 Unternehmer des Monats

a Welche Eigenschaften braucht eine Chefin / ein Chef? Warum? Diskutieren Sie im Kurs.

zielorientiert offen **klug** reich emotional
fleißig ehrlich schwach
verantwortungsvoll **kreativ** streng **stolz**
ängstlich begeistert nervös
sozial aktiv flexibel
vorsichtig

> Ein guter Chef sollte klug sein.

> Ja, das ist wichtig, um gute Entscheidungen zu treffen.

b Wählen Sie ein Thema aus. Lesen Sie und machen Sie Notizen. Berichten Sie dann im Kurs.

1. Der Unternehmer Heini Staudinger   2. Seine Firma   3. Sein Finanzierungsmodell

---

Handel & Wirtschaft   15

Unternehmer des Monats: Heini Staudinger
„Es gibt im Leben nichts Wichtigeres als das Leben."

Heinrich „Heini" Staudinger wurde 1953 in Vöcklabruck geboren. Vor über 30 Jahren eröffnete er seinen ersten Schuhladen in
5 Wien. Heute ist er Geschäftsführer der Waldviertler Werkstätten GmbH / GEA – und einer der ungewöhnlichsten Unternehmer Österreichs.

10 52 GEA-Läden (die Abkürzung steht für „Gesunde Alternative") gibt es in Österreich, Deutschland und der Schweiz. Hier werden umweltbewusst produzierte
15 Möbel und Taschen verkauft – und natürlich Schuhe der Marke „Waldviertler". Denn Mitte der 1990er Jahre übernahm Heini Staudinger eine Schuhfabrik in
20 Schrems (Niederösterreich). Er startete dort mit zwölf Mitarbeitern neu, um Öko-Schuhe in hoher Qualität herzustellen.

Heute sind 250 Mitarbeiter bei
25 „Waldviertler" beschäftigt und bekommen neben ihrem Lohn jede Woche kostenlos Gemüse, Eier und Käse vom Bauern im Ort. Zusätzlich gibt es zwei Masseure,
30 die von der Firma bezahlt werden. Und alleinerziehende Mütter werden besonders unterstützt.

Seitdem Staudinger sein ganzes Geld in die Firma investiert hat,
35 lebt er von ca. 1000 Euro im Monat. Er hat weder ein großes Auto noch eine schicke Wohnung. Er wohnt in der Werkstatt. Wenn er

Vorträge hält, nimmt er dafür
40 kein Geld, sondern sammelt Spenden für Projekte in Tansania.

Zwei Prinzipien sind ihm wichtig: Es darf nicht mehr verbraucht werden, als in der Natur wieder
45 nachwachsen kann. So wird in der Werkstatt nur mit Solarstrom produziert. Staudinger will aber auch unabhängig bleiben – zum Beispiel von Banken. Als die Banken ihm keinen Kredit für eine
50 neue Lagerhalle geben wollten, sammelte er Geld bei Freunden und Kunden – zusammen etwa drei Millionen Euro. Staudinger
55 zahlte dafür auch Zinsen. Doch dann musste er vors Gericht, weil lange Zeit nur Banken Kredite geben durften. Staudinger hat für sein Recht gekämpft – und auch
60 deswegen gibt es heute in Österreich ein Gesetz zum Crowdfunding.

---

c Was denken Sie: Ist Staudinger ein guter Unternehmer? Diskutieren Sie im Kurs.

Wichtige Sätze

Forderungen verstehen

Immer mehr Kunden kaufen immer mehr Waren im Internet. Deshalb wächst die Zahl der Pakete, die den Kunden geliefert werden müssen.

Immer mehr Pakete sollen in immer kürzerer Zeit geliefert werden. Die Kunden fordern mehr Service / eine höhere Geschwindigkeit / ...

Die Kunden möchten nicht zu Hause auf den Paketboten warten / von den Öffnungszeiten der Post abhängig sein / ...

über Selbstständigkeit sprechen

Eine viel versprechende/überzeugende Geschäftsidee / Ein unterstützender Kredit / ... ist am Anfang sehr wichtig.

Für den Erfolg braucht man gut ausgebildetes/engagiertes Personal.

Eine Gründerin / Ein Gründer sollte die Konkurrenz analysieren. Sie/Er sollte realistisch/verantwortungsvoll/kreativ/... sein. Sie/Er sollte die Mitarbeiterinnen/ Mitarbeiter überzeugen und begeistern.

Es ist nicht einfach, gut organisierte Mitarbeiterinnen und Mitarbeiter zu finden / passende Aufträge zu bekommen / ...

Strukturen

daher, darum, deshalb, deswegen

Die Kunden bestellen immer mehr Waren im Internet.

Position 1	Position 2	
Daher	wächst	die Anzahl der Pakete.
Die Logistikunternehmen	suchen	daher neue Wege, Pakete zu liefern.

genauso: darum, deshalb, deswegen
Daher, darum, deshalb, deswegen *verbinden zwei Hauptsätze. Der erste Satz nennt den Grund für den zweiten Satz.*

Partizip I

eine steigende Zahl = *eine Zahl, die steigt*   *Partizip I:*
viel versprechende Ideen = *Ideen, die viel versprechen*   *Infinitiv* + d + *Adjektivendung*

Partizip I als Adjektiv

passendes Personal =
Personal, das passt

eine überzeugende Idee =
eine Idee, die überzeugt

Partizip II als Adjektiv

(gut) ausgebildete Mitarbeiter =
Mitarbeiter, die (gut) ausgebildet wurden

ein 2015 gegründetes Unternehmen =
ein Unternehmen, das 2015 gegründet wurde

Das Partizip I und II dekliniert man vor dem Nomen wie ein Adjektiv.

▶ Phonetik, S. 152

Deutsch aktiv

1 Autokauf

a Was passt zusammen? Notieren Sie zehn Wortverbindungen. Es gibt mehrere Möglichkeiten.

das Auto – den Schaden – die Papiere – den Termin – den Preis – eine Garage – die Versicherung – eine Probefahrt – den Führerschein – die Konkurrenz	anmelden – reparieren – überprüfen – eintragen – verhandeln – vereinbaren – bezahlen – mieten – kontrollieren – analysieren – machen

b Fragen und antworten Sie wie im Beispiel.

> *Hast du das Auto schon angemeldet?*

> *Ja, das Auto ist angemeldet.*

2 Je ..., desto ...

a Arbeiten Sie in Gruppen. Wählen Sie ein Thema und notieren Sie fünf Sätze mit *je ..., desto ...* Schneiden Sie die Sätze (nach dem Komma) in zwei Teile und mischen Sie die Zettel.

1. ein Unternehmen gründen
2. Fahrrad fahren
3. einen gebrauchten Gegenstand kaufen
4. online einkaufen

b Welche Satzteile passen zusammen? Tauschen Sie die Zettel mit einer anderen Gruppe und ordnen Sie zu.

> *Je mehr Angestellte ich habe,*

> *desto mehr Verantwortung habe ich.*

3 Kurskette

a Notieren Sie zum Thema *Auto* zwei Sätze mit *weil*.

> *Ich habe kein Auto, weil ich mitten in der Stadt wohne.*

> *Man kann in der Stadt schlecht parken, weil es zu wenig Parkplätze gibt.*

b Kurskette. Lesen Sie einen Satz vor. Die/Der Nächste formuliert den Satz mit *daher*, *darum*, *deshalb* oder *deswegen* und liest dann ihren/seinen Satz vor.

> *Ich habe kein Auto, weil ich mitten in der Stadt wohne.*

> *Du wohnst mitten in der Stadt. Daher hast du kein Auto. Man kann in der Stadt schlecht parken, weil es zu wenig ...*

> *Es gibt zu wenig Parkplätze. Darum ...*

4 Etwas verhandeln

a Arbeiten Sie zu zweit. Wählen Sie eine Rolle (Kundin/Kunde, Verkäuferin/Verkäufer).
  Die Kundin / Der Kunde wählt zwei Gegenstände, die sie/er kaufen möchte. Verhandeln
  Sie den Preis.

b Tauschen Sie die Rollen und verhandeln Sie den Preis für die beiden anderen Gegenstände.
c Bilden Sie neue Paare. Wählen Sie eine Situation und spielen Sie einen Verhandlungsdialog
  mit einem Gegenstand in a.

Auch nach einer langen Verhandlung können Sie sich nicht einigen. Sie verabschieden sich wütend.	Nach einer langen Verhandlung einigen Sie sich und sind zufrieden. Zum Schluss trinken Sie noch ein Getränk zusammen.
Sie merken während der Verhandlung, dass Sie sich kennen. Aber woher?	Während der Verhandlung ruft die Frau / der Mann der Kundin / des Kunden an. Das ändert alles.

5 Fernsehdiskussion: selbstständig sein

a Arbeiten Sie in drei Gruppen. Gruppe A notiert
  Fragen zum Thema Selbstständigkeit, Gruppe B
  notiert Vorteile, Gruppe C notiert Nachteile.
b Spielen Sie eine Diskussion im Fernsehen. Eine
  Moderatorin / Ein Moderator (aus Gruppe A)
  leitet die Diskussion, zwei Gäste (aus Gruppe
  B und C) tauschen sich aus. Alle 30 Sekunden
  wechseln die Personen.

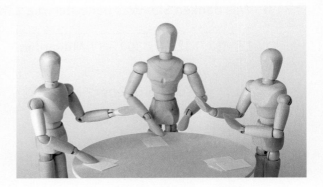

1 Gotthard-Basistunnel – der längste Eisenbahntunnel der Welt

a Wie fühlen Sie sich, wenn Sie das Foto sehen? Können Sie sich vorstellen, hier zu arbeiten? Sprechen Sie im Kurs.

> *Mir gefällt das Foto, obwohl es sehr kalt wirkt.*

> *Ich möchte hier nicht arbeiten, weil ...*

b Was denken Sie: Was bedeuten die Zahlen zum Gotthard-Basistunnel? Ordnen Sie zu.

17 – 57 – 325 – 2.300 – 11 Milliarden

Kilometer lang	Jahre Bauzeit	Züge täglich
Euro Baukosten	Bauarbeiter	

2.18 **c** Hören Sie und überprüfen Sie Ihre Lösung in b.

> *Der Bau des Tunnels hat ... Euro gekostet.*

1 Clemens Hägi

2 Marc Simoni

3 Anna Jolanda

2 Ungewöhnliche Arbeitsorte

2.19 **a** Arbeitsort Tunnel. Wer sagt was? Hören Sie und kreuzen Sie an.

	C. Hägi	M. Simoni	A. Jolanda
1. Wenn der Tunnel fertig ist, freue ich mich, dass ich daran mitgearbeitet habe.	☐	☐	☐
2. Wenn man etwas baut, gibt es immer Risiken.	☐	☐	☐
3. Es ist sehr spannend, an einem Tunnel zu bauen.	☐	☐	☐
4. Im Tunnel ist meine Arbeit besonders anstrengend.	☐	☐	☐
5. Man darf nicht darüber nachdenken, wie gefährlich die Arbeit ist.	☐	☐	☐
6. Jetzt kommen viele Menschen schneller zur Arbeit.	☐	☐	☐

2.19 **b** Hören Sie noch einmal und beantworten Sie die Fragen.

1. Was sagt der Ingenieur über Unfälle beim Tunnelbau?
2. Was hat der Bauarbeiter bei der Arbeit im Tunnel vermisst?
3. Wovor hat die Lokführerin Angst?

c Und Sie? Wo würden Sie am liebsten arbeiten? Wo könnten Sie überhaupt nicht arbeiten? Diskutieren Sie im Kurs.

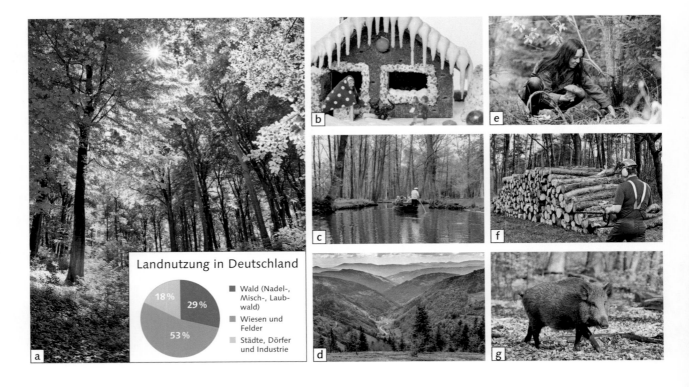

Landnutzung in Deutschland

18% 29% 53%

- Wald (Nadel-, Misch-, Laub-wald)
- Wiesen und Felder
- Städte, Dörfer und Industrie

1 Die Deutschen und ihr Wald

a Was denken Sie: Warum ist der Wald den Deutschen wichtig? Sehen Sie die Fotos an und sprechen Sie im Kurs. Die Bildleiste hilft.

b Worum geht es in dem Buch? Lesen Sie und kreuzen Sie an.

1. ☐ Nutzung der Bäume   2. ☐ Eigenschaften der Bäume   3. ☐ Krankheiten der Bäume

www.meinbuch.de

| Roman | Sachbuch | Jugendbuch | Kinderbuch |

Peter Wohlleben: Das geheime Leben der Bäume

von Monika Schmidt

Für die meisten Deutschen ist der Wald ein Stück vertraute Natur, in dem man gern spazieren geht und sich vom Leben in der Stadt erholen kann. Ein Drittel der Fläche von Deutschland bildet der Wald. Und doch ist uns der Wald auch fremd, da dort überraschende Dinge passieren, von denen wir keine Ahnung haben. Wussten Sie zum Beispiel, dass Bäume im Wald miteinander kommunizieren? Unglaublich? Aber wahr!

5 Das und viel mehr habe ich aus dem Buch *Das geheime Leben der Bäume* von Peter Wohlleben gelernt. Bäume pflegen liebevoll ihre Kinder, aber auch alte und kranke Nachbarn. Sie haben Gefühle und sogar ein Gedächtnis.

Ich war zuerst skeptisch, da ich bei „sprechenden Bäumen" an Märchen denken musste. Aber Peter Wohlleben ist kein Romantiker oder Märchenerzähler. Er kennt den Wald sehr gut, da er Förster von Beruf ist
10 und der Wald sein Arbeitsort ist. Seine Theorien über das Leben der Bäume entsprechen den neuesten wissenschaftlichen Untersuchungen.

Ich sehe die Bäume in meiner Straße jetzt ganz anders an – und unser Ofen im Wohnzimmer macht mir ein schlechtes Gewissen … Ich empfehle dieses Buch allen, die Bäume besser kennenlernen möchten.

das Ufer, -

c Lesen Sie noch einmal und beantworten Sie die Fragen.

1. Warum ist der Wald den Deutschen vertraut, aber auch fremd?
2. Was hat Monika Schmidt überrascht?
3. Warum sollte man dem Autor des Buches glauben?

der Laubbaum, -äu-e

d Wie viele Sterne haben die Personen gegeben? Lesen Sie und markieren Sie.

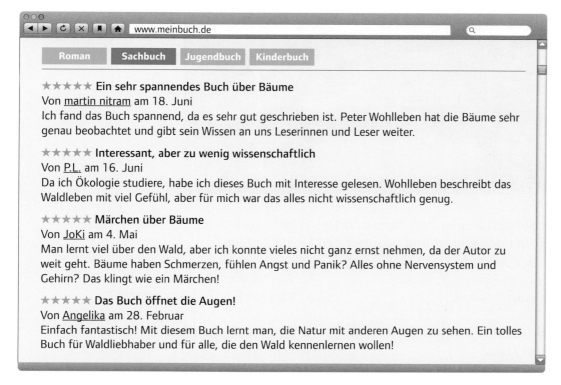

www.meinbuch.de

| Roman | Sachbuch | Jugendbuch | Kinderbuch |

★★★★★ **Ein sehr spannendes Buch über Bäume**
Von martin nitram am 18. Juni
Ich fand das Buch spannend, da es sehr gut geschrieben ist. Peter Wohlleben hat die Bäume sehr genau beobachtet und gibt sein Wissen an uns Leserinnen und Leser weiter.

★★★★★ **Interessant, aber zu wenig wissenschaftlich**
Von P.L. am 16. Juni
Da ich Ökologie studiere, habe ich dieses Buch mit Interesse gelesen. Wohlleben beschreibt das Waldleben mit viel Gefühl, aber für mich war das alles nicht wissenschaftlich genug.

★★★★★ **Märchen über Bäume**
Von JoKi am 4. Mai
Man lernt viel über den Wald, aber ich konnte vieles nicht ganz ernst nehmen, da der Autor zu weit geht. Bäume haben Schmerzen, fühlen Angst und Panik? Alles ohne Nervensystem und Gehirn? Das klingt wie ein Märchen!

★★★★★ **Das Buch öffnet die Augen!**
Von Angelika am 28. Februar
Einfach fantastisch! Mit diesem Buch lernt man, die Natur mit anderen Augen zu sehen. Ein tolles Buch für Waldliebhaber und für alle, die den Wald kennenlernen wollen!

der Nadelbaum, -äu-e

einen Baum fällen

die Wiese, -n

e Und Ihre Meinung? Möchten Sie das Buch lesen? Sprechen Sie im Kurs.

das Gras, -ä-er

2 Nebensätze mit *da*

a Unterstreichen Sie die Sätze mit *da* in 1b und 1d und ergänzen Sie.

> **Nebensätze mit *da***
>
> Er kennt den Wald sehr gut, da _____ *ist* .
>
> Da _____, habe ich dieses Buch mit Interesse gelesen.
>
> Warum? Da ... / Weil ... *Nebensätze mit* da *(und* weil*) drücken einen Grund aus.*

der Boden, -ö-

b Kurskette: Ich finde den Wald ..., da ... Sprechen Sie wie im Beispiel.

> *Ich finde den Wald langweilig, da es dort nur viele Bäume gibt.*

> *Was? Du findest den Wald langweilig, weil es dort nur viele Bäume gibt? Ich finde den Wald ...*

die Luft (Sg.)

 c Und Ihr Buchtipp? Welches Buch empfehlen Sie? Schreiben Sie eine Rezension.

der Pilz, -e

3 Ein Problem im Hof

a Was denken Sie: Was ist passiert? Sammeln Sie Vermutungen im Kurs.

b Hören Sie und vergleichen Sie mit Ihren Vermutungen in a.

c Hören Sie noch einmal und beantworten Sie die Fragen.

> *Das war im Hinterhof, wo die Mülltonnen* stehen.*

> *Vielleicht war es jemand aus unserem Haus?*

> *Aus unserem Haus, wo sich alle kennen?*

> *Ich sehe aus meinem Fenster genau die Ecke, wo die Mülltonnen stehen.*

1. Was ist dort passiert?
2. Was hat Jannis dort gemacht?

3. Was hat Stefan schon gemacht?

4. Wie ist die Person wahrscheinlich ins Haus gekommen?

5. Was will Julia in ihrem Zimmer machen?
6. Was hat sie in der Nacht gesehen?

4 Nebensätze mit *wo*

a Lesen Sie die Sätze in 3c noch einmal und vergleichen Sie mit dem Grammatikkasten. Ergänzen Sie die Pfeile in c wie im Grammatikkasten.

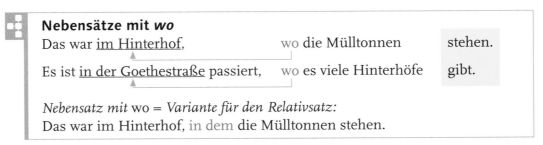

Nebensätze mit *wo*

Das war <u>im Hinterhof</u>,   wo die Mülltonnen   stehen.

Es ist <u>in der Goethestraße</u> passiert,   wo es viele Hinterhöfe   gibt.

Nebensatz mit wo = *Variante für den Relativsatz:*
Das war im Hinterhof, in dem die Mülltonnen stehen.

b Wo …? Arbeiten Sie auf Seite 142, Ihre Partnerin / Ihr Partner arbeitet auf Seite 144. Fragen und antworten Sie.

* D: die Mülltonne – A: der Mistkübel – CH: der Abfallcontainer

die Katze, -n

5 Wilde Berliner

a Warum leben viele wilde Tiere in Berlin? Wie reagieren die Menschen darauf? Lesen Sie und sprechen Sie im Kurs. Die Bildleiste hilft.

Berliner Nachrichten   Freitag, 29. Juni

Wilde Berliner

„Das ist das Schönste, was ich hier in den letzten Jahren erlebt habe," sagt Rüdiger Dittloff, 71, und meint die Rehe in seinem Garten in Berlin Grunewald. „Aber meine Frau ärgert sich nur, weil sie die
5 Pflanzen in unserem Garten fressen." Seit Wochen kommen die scheuen Nachbarn jeden Abend aus dem nahen Wald.

Ja, in der Großstadt findet man alles, was man braucht. Das gilt nicht nur für Menschen, sondern
10 auch für wilde Tiere. In Berlin gibt es große Parks und viel Wald und auf den 800 Quadratkilometern (so groß ist unsere Stadt) wohnen nur 3,5 Millionen Menschen. Es bleibt also auch noch viel Platz für wilde Tiere übrig. Aber das ist nicht der einzige
15 Grund, warum es den Tieren in Berlin gut geht. Sie finden fast an jeder Ecke essbaren Müll: in den überfüllten Mülltonnen, aber auch direkt auf den Straßen oder in den Parks. Sie lassen nichts übrig, was man fressen kann.

20 In Berlin sind insgesamt 53 Säugetier- und 180 Vogelarten bekannt und so gehört die Stadt zu den artenreichsten Städten der Welt. Füchse gibt es fast überall – rund 2.000. In den Parks leben 3.000 Kaninchen und am Rand der Hauptstadt
25 5.000 Wildschweine. Unter den Wildtieren findet man auch exotische Einwanderer, wie z. B. die Waschbären. Sie fressen alles, was sie finden.

Wildtiere sind aber nicht immer bequeme Nachbarn. Die Wildschweine können für den Verkehr
30 und für Spaziergänger gefährlich sein. Und die Waschbären ziehen Müll aus den Mülltonnen und machen Dächer kaputt. Auch wenn das Zusammenleben manchmal kompliziert ist, mögen die meisten Menschen die „wilden Berliner".

b Was passt? Lesen Sie noch einmal und verbinden Sie.

1. Die Rehe im Garten sind das Schönste,
2. Wildtiere finden in der Großstadt alles,
3. Die Tiere lassen nichts übrig,
4. Waschbären fressen alles,

a was essbar ist.
b was sie finden.
c was sie brauchen.
d was Herr Dittloff erlebt hat.

Nebensätze mit *was*

Sie fressen <u>alles*</u>,   was sie   finden.   *genauso:* etwas/nichts

Das ist <u>das Schönste</u>,   was ich hier erlebt   habe.

c Was finden Sie in der Großstadt gut/schlecht? Fragen und antworten Sie.

| In der Großstadt gibt es | alles, nichts, | was mir Spaß macht. was ich brauche. was mich interessiert. was ich gut/schlecht finde. ... |

d Gibt es auch in Ihrem Heimatland in der Großstadt wilde Tiere? Erzählen Sie.

e Hatten Sie auch schon mal einen „wilden" oder ungewöhnlichen Nachbarn? Schreiben Sie einen Blogeintrag.

der Hund, -e

der Vogel, -ö-

das Reh, -e

das Kaninchen, -

das Wildschwein, -e

der Fuchs, -ü-e

der Hase, -n

der Waschbär, -en

6 Der Tag der Artenvielfalt

a Welche Frage passt? Lesen Sie und ordnen Sie zu.

1. Was muss man machen?
2. Was ist der „Tag der Artenvielfalt"?
3. Wo findet man weitere Infos?
4. Wer kann teilnehmen?

b Beschreiben Sie das Projekt. Die Fragen in a helfen.

2.21 c Was ist richtig? Hören Sie und kreuzen Sie an. Korrigieren Sie dann die falschen Sätze.

	richtig	falsch
1. Familie Schmidt zählt Vogelarten im Wald.	☐	☐
2. Herr Schmidt und seine Kinder machen zum ersten Mal mit.	☐	☐
3. Herr Schmidt kann viele Vogelarten erkennen.	☐	☐
4. Die Familie hat schon 21 Vogelarten beobachtet.	☐	☐
5. Ein Ziel der Aktion ist, die Vögel im Wald besser schützen zu können.	☐	☐
6. Familie Schmidt macht eine Statistik über die Vogelarten.	☐	☐

d Ihr Kurs will beim nächsten Tag der Artenvielfalt mitmachen. Welche Tiere möchten Sie beobachten? Was brauchen Sie? Planen Sie im Kurs.

Alles klar!

Wichtige Sätze

Landschaften beschreiben

Für die meisten Deutschen ist der Wald ein Stück vertraute Natur. Man kann dort spazieren gehen und sich vom Leben in der Stadt erholen.
Ein Drittel der Fläche von Deutschland bildet der Wald. Die Hälfte der Fläche sind Städte, Dörfer und Industrie.

Buchrezensionen verstehen

Ich fand das Buch spannend, da es sehr gut geschrieben ist / da ...
Da ..., habe ich dieses Buch mit Interesse gelesen.
Das (und viel mehr) habe ich aus dem Buch ... von ... gelernt/erfahren.
Das Buch ist fantastisch! Ein tolles Buch für alle, die ...
Ich empfehle dieses Buch allen, die Bäume besser kennenlernen möchten.

über (Wild)Tiere in der Stadt sprechen

In Berlin leben viele wilde Tiere: Füchse, Wildschweine, Hasen, Waschbären ...
Wilde Tiere finden in der Großstadt alles, was sie brauchen. Sie fressen alles, was sie finden. Sie leben in den Parks, im Wald und in den Häusern.
Wildtiere sind aber nicht immer bequeme Nachbarn. Sie können für den Verkehr gefährlich sein. Sie ziehen Müll aus den Mülltonnen und machen Dächer kaputt.

Strukturen

Nebensätze mit *da*

	Satzende
Er kennt den Wald sehr gut, da er Förster von Beruf	ist.

	Satzende	Position 2	
Da ich Ökologie	studiere,	habe	ich dieses Buch mit Interesse gelesen.

Warum? Da ... / Weil ...   *Nebensätze mit* da *(und* weil*) drücken einen Grund aus.*

Nebensätze mit *wo* und *was*

		Satzende
Das war im Hinterhof,	wo die Mülltonnen	stehen.
Es ist in der Goethestraße passiert,	wo es viele Hinterhöfe	gibt.
Sie fressen alles*,	was sie	finden.
Das ist das Schönste,	was ich hier erlebt	habe.

Nebensatz mit wo = *Variante für den Relativsatz:*
Das war im Hinterhof, in dem die Mülltonnen stehen.   **genauso:* etwas/nichts

▶ Phonetik, S. 152

Was bringt die Zukunft?

1 Auf das Neue!

a Was denken Sie: Was feiern die Personen? Worüber sprechen Sie? Sehen Sie das Bild an und sammeln Sie Ideen.

2.22 b Hören Sie und überprüfen Sie Ihre Vermutungen in a.

2.22 c Welche Pläne haben die Personen? Hören Sie noch einmal und ergänzen Sie die Informationen.

16 ▶

📍

	Was?	Wohin?	Wie lange?
Julia	Europ. Freiwilligendienst Arbeit im Naturpark	Irland (Dublin)	
Stefan			
Jannis			
Helga Mertens			

2.22 d Wer …? Hören Sie noch einmal und schreiben Sie die Antworten.

16 ▶

1. Wer wird hoffentlich nette Leute kennenlernen?
2. Wer hofft, dass Julia gute Erfahrungen machen wird?
3. Wer wird sich zu Hause bestimmt komisch fühlen?
4. Wer hofft, dass es nicht viel Streit am ersten Tag geben wird?
5. Wer wird in einem Monat ein neues Projekt anfangen?

1. Julia wird hoffentlich nette Leute kennenlernen.

e Fragen und antworten Sie mit den Sätzen in d.

Wer wird hoffentlich nette Leute kennenlernen?

Julia. Sie wird hoffentlich …

2 Futur I

a Lesen Sie und ergänzen Sie den Grammatikkasten.

Futur I

	werden		**Infinitiv**
Ich	*werde*	dann in einem Naturpark	arbeiten.
Du		bestimmt der Liebling des Kindergartens	sein.
Das		komisch	sein.
Sie		vielleicht wieder mehr Fußball	spielen.

Futur I = Vermutung (in der Zukunft) oder Zukunft
Die Wörter wohl, vielleicht, wahrscheinlich ... betonen die Vermutung.
In der gesprochenen Sprache benutzt man für die Zukunft meistens das Präsens:
Ich werde dann in einem Naturpark arbeiten. = Ich arbeite dann in einem Naturpark.

---

b Wie wird Julias Jahr in Irland wahrscheinlich sein? Sprechen Sie wie im Beispiel.

Heimweh haben – viele neue Freunde finden –
nach einem Monat keine Lust mehr haben –
viele spannende Abenteuer erleben – das Wetter
doof finden – nach drei Monaten perfekt Englisch
sprechen – sich verlieben – ...

Ich glaube, dass Julia in Irland bestimmt Heimweh hat.

Das glaube ich nicht. Julia wird kein Heimweh haben.

 ## 3 Sie gehen für ein halbes Jahr ins Ausland. In welches Land gehen Sie? Wie wird es wohl sein?

a Wählen Sie ein Land. Notieren Sie zu jedem Punkt etwas Positives und/oder etwas Negatives.

1. Sprache   2. Kollegen   3. Essen   4. Wetter

Deutschland
1. Sprache: ☺ *neue Sprache lernen*   ☹ *schwer sein*
2. Kollegen: ☺ *nett*   ☹ *--*
...

b Kursspaziergang. Gehen Sie durch den Kursraum. Fragen und antworten Sie.

Wie werden wohl die Kollegen sein?

Ich glaube, die Kollegen werden nett sein.

4 Film *Knockin' on Heaven's Door*

a Was ist das Thema des Films? Lesen Sie und sprechen Sie im Kurs.

Knockin' on Heaven's Door
Drama, 1997
Regie: Thomas Jahn
mit Til Schweiger und Jan Josef Liefers

Moritz Bleibtreu, Til Schweiger und Jan Josef Liefers bei der Premiere in Essen

Der coole Martin Brest (Til Schweiger) erfährt, dass er einen Tumor im Kopf hat, und kommt ins Krankenhaus. Dort trifft er den schüchternen Rudi Wurlitzer (Jan Josef Liefers), der an Knochenkrebs leidet. Wie lange sie noch leben werden, können ihnen die Ärzte nicht sagen. Sie wissen nur, dass sie wohl bald sterben werden, ja, dass der Tod sogar jeden Tag kommen kann.

Deshalb beschließt Martin, die letzten Tage seines Lebens auf jeden Fall zu genießen und alles zu tun, wozu er Lust hat. Gemeinsam brechen Martin und Rudi in die Krankenhausküche ein und betrinken sich. Als Rudi dann erzählt, dass er in seinem Leben noch nie das Meer gesehen hat, ist es für Martin klar, dass er ihm das Meer zeigen wird. Sofort fahren sie mit einem gestohlenen Auto los und erleben ihr letztes großes Abenteuer. Dabei passieren einige ungeplante Dinge ...

b Filmfragen: Was? Wann? Wer? Lesen Sie noch einmal. Fragen und antworten Sie.

> *Was für ein Film ist das?*

> *Wann wurde er gedreht?*

> *Wer ist der Regisseur?*

2.23 ● **c** Ein Gespräch über den Film. Was ist richtig? Hören Sie und kreuzen Sie an. Die Bildleiste hilft.

	richtig	falsch
1. Jonas findet nur wenige deutsche Filme gut.	☐	☐
2. Im Film passieren viele verrückte Sachen.	☐	☐
3. Wenn alle Menschen tun, was sie wollen, gibt es keine Probleme.	☐	☐
4. Manche Filme sollten alle Menschen einmal sehen.	☐	☐
5. Einige Filme sollte man verbieten.	☐	☐

d Was denken Sie? Sprechen Sie wie im Beispiel. Die Bildleiste hilft.

Alle/Viele/ Manche/ Einige/ Wenige	Menschen/ Zuschauer	finden Filme/Schauspieler/Regisseure interessant/... möchten auch einen (spannenden/...) Film drehen. würden gern als Schauspieler/Regisseur arbeiten. mögen keine anspruchsvollen/lustigen/... Filme. gehen gern / nicht so gern / überhaupt nicht gern ins Kino.

> *Viele Menschen finden Schauspieler interessant.*

> *Ja, das stimmt. Einige Menschen möchten auch ...*

e Und Sie? Haben Sie den Film *Knockin' on Heaven's Door* gesehen? Hat er Ihnen gefallen? Oder möchten Sie ihn sehen? Warum (nicht)? Sprechen Sie im Kurs.

5 Dinge, die man im Leben tun sollte

a Das Tagebuch von Irina. Was möchte Irina tun?
Wie finden Sie ihre Pläne? Lesen Sie und berichten Sie.

> 17.7.
> Heute ist mein 30. Geburtstag. Dreißig!
> Das klingt so erwachsen!
> Dinge, die ich in den nächsten Jahren tun möchte:
> - eine neue Sprache lernen
> - nach Afrika und Asien reisen
> - Kinder bekommen
> - einmal mit dem Fallschirm springen
> - nachts im Meer schwimmen
> - mindestens 10 Jahre auf dem Land leben (mit Tieren)
> - David Garrett live hören
>
> 18.7.
> Heute habe ich gleich angefangen, meine Wünsche zu
> realisieren: Ich habe mich für einen Französischkurs
> angemeldet. Und nach dem Kurs werde ich nach Afrika
> fahren. ☺

*Das finde ich gut, ich werde vielleicht
auch noch eine weitere Sprache lernen.*

*Irina möchte eine neue
Sprache lernen.*

Ich finde andere Dinge viel wichtiger.

b Und Sie? Was möchten Sie in den nächsten
zehn Jahren tun? Notieren Sie fünf Dinge
und machen Sie eine Kursstatistik.

> - neue Sprache lernen   ‖‖ ‖
> - heiraten   ‖‖
> - eine große Reise machen   ‖‖

c Beschreiben Sie die Kursstatistik in b. Benutzen Sie die Wörter in der Bildleiste.

🔧 eine Grafik beschreiben
Alle/Manche Personen im Kurs wollen/möchten ...
Viele/Manche Personen wünschen sich, ... zu ...
Für viele/einige Personen ist sicher wichtig, ... zu ..., aber für mich ...
Interessant ist, dass nur wenige Leute / niemand ... möchte/will.

kein-

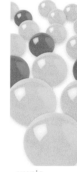
wenig-

manch-/einig-

viel-

all-

6 Neue Perspektiven: Mit dem Fahrrad um die Welt

a Wie ist die Reihenfolge der Absätze? Lesen Sie und ordnen Sie sie.

> ☐ Sie war schon immer Sportlerin und wollte reisen, da sie fremde Länder spannend fand. Heike Pirngruber ist seit 46 Monaten unterwegs, ist schon 48.800 km gefahren und hat 32 Länder besucht. Es ist ihr aber nicht wichtig, jeden Tag möglichst viele Kilometer zu fahren. Sie sagt: „Je länger ich nun unterwegs bin, desto mehr merke ich, dass ich eigentlich noch immer zu schnell unterwegs bin." Wenn man langsam fährt, erlebt man mehr. Man hat mehr Zeit für die Natur und die Landschaft, durch die man fährt, aber auch für Gespräche mit Menschen, die man unterwegs trifft. Und das ist wichtiger als die Zahl der Kilometer oder der Länder. Daher ist ein Fahrrad auch das bessere Verkehrsmittel als ein Auto. Es bietet mehr Freiheit.

> ☐ Aktuell fährt Heike Pirngruber mit ihrem Fahrrad durch Mexiko. Wie soll ihre Reise weiter gehen? Welche Pläne hat sie noch? Wie sie sagt, ist das Ende offen. Es gibt noch viele Länder, die sie gern sehen und erleben möchte. Und daher will sie Fahrrad fahren, so lange sie gesund ist, es ihr Spaß macht und sie dafür genug Geld hat. Zurück nach Hause will sie – noch – nicht. Dafür ist sie auf die noch unbekannten Länder, neue Menschen und Abenteuer zu neugierig. Wir wünschen ihr viel Glück und freuen uns auf ihre weiteren Reiseberichte!

Mein Fahrrad | Menschen & ihr Fahrrad   07/17
_____

Mit dem Fahrrad um die Welt

> ☐ Als sie vor ca. zwanzig Jahren einen Radreiseführer gelesen hat, waren ihre Zukunftspläne klar: mit dem Fahrrad in fremde Länder reisen. Es hat aber noch ein bisschen gedauert, bis sie ihren Plan realisieren konnte. Im Mai 2013 ist sie dann endlich in Heidelberg losgefahren. Nach zweieinhalb Jahren hat sie ihr erstes Ziel – Australien – erreicht und hat sich spontan entschieden, ihre Reise zu verlängern, weiter nach Amerika zu fahren und aus ihrer Radreise eine richtige Weltreise zu machen: Heike Pirngruber.

> ☐ Und Freiheit ist für Heike Pirngruber sehr wichtig. Deswegen ist sie auch alleine unterwegs, legt ihre Grenzen und Ziele nach ihren Wünschen fest und entscheidet alles selbst. Sie liebt die Ruhe und kann sehr gut mit sich alleine sein. Die praktischen Dinge des Lebens – wie die Unterkunft oder das Essen – hängen von dem Land ab, wo sie gerade ist. In muslimischen Ländern wurde sie oft nach Hause eingeladen, wo sie die heimischen Gerichte genießen und manchmal auch übernachten konnte. In einigen Ländern hat sie sehr oft gezeltet oder in billigen Hostels geschlafen und sich etwas Einfaches auf dem Campingkocher gekocht.

(Zitat aus: http://www.woman.at/a/frau-fahrrad-weltreise)

b Lesen Sie noch einmal, machen Sie Notizen und beantworten Sie die Fragen.

Warum? Wohin? Wie lange? Wo? Was? Mit wem?

c Und Sie? Welche Reise würden Sie gern machen? Sprechen Sie im Kurs.

Wichtige Sätze

über Veränderungen, Pläne und Lebenswünsche sprechen

Du wirst ein Jahr in Irland leben / in einem Naturpark arbeiten / ...
Dafür wünsche ich dir, dass du viel Neues lernst / gute Erfahrungen machst / ...
Mach dir keine Sorgen, du wirst bestimmt ...
Ich bin schon aufgeregt/nervös, aber ich freue mich sehr, dass ...
Ich fange nächste Woche in ... an. Hoffentlich werde ich ...

Vermutungen äußern

Ich werde hoffentlich nette Leute kennenlernen / spannende Abenteuer erleben.
Ich hoffe, dass die Kollegen nett sein werden / dass ich bald gut Englisch sprechen
werde / dass ich kein Heimweh haben werde / ...

über Filme sprechen

Was für ein Film ist das? Das ist ein Drama/Krimi / eine Komödie/Doku ...
Wann wurde er gedreht? Wer ist der Regisseur? Wer spielt in dem Film?
Worum geht es in dem Film?

eine Grafik beschreiben

Alle/Manche Personen im Kurs wollen/möchten ... Viele wünschen sich, ... zu ...
Für viele/einige Personen ist sicher wichtig, ... zu ..., aber für mich ...
Interessant ist, dass nur wenige Leute / niemand ... möchte/will.

Strukturen

Futur I

	Position 2 *werden*		Satzende Infinitiv
Ich	werde	dann in einem Naturpark	arbeiten.
Du	wirst	bestimmt der Liebling des Kindergartens	sein.

Futur I = Vermutung (in der Zukunft) oder Zukunft
Die Wörter wohl, vielleicht, wahrscheinlich ... *betonen die Vermutung.*
In der gesprochenen Sprache benutzt man für die Zukunft meistens das Präsens:
Ich werde dann in einem Naturpark arbeiten. = Ich arbeite dann in einem Naturpark.

Indefinitartikel

| kein- | wenig- | manch-/einig- | viel- | all- |

▶ Phonetik, S. 153

1 Kurskette: im Wald und auf der Wiese

a Arbeiten Sie in Gruppen. Welche Tiere, Pflanzen und Dinge gibt es im Wald und auf der Wiese? Notieren Sie.

> *Tiere: das Reh, das Wildschwein ...*
> *Pflanzen: die Rose, der Laubbaum ...*
> *Dinge: die Hütte, der Stein ...*

b Sprechen Sie wie im Beispiel.

> *Im Wald gibt es viele Rehe und auf der Wiese wachsen wenige Rosen.*

> *Im Wald gibt es viele Rehe.*

> *Auf der Wiese wachsen wenige Rosen und im Wald ...*

2 Film-Quiz

a Schreiben Sie Fragen zu den Stichwörtern.

1. Art des Films
2. Regisseur/in
3. Schauspieler/innen
4. Jahr
5. Land
6. Inhalt

> *Was für ein Film ist das?*
> *...*

b Arbeiten Sie zu dritt. Wählen Sie einen bekannten Film und sammeln Sie Stichwörter zu den Fragen in a.

c Die Kursteilnehmerinnen / Kursteilnehmer fragen, Ihre Gruppe antwortet. Nennen Sie den Filmtitel nicht. Wer errät den Film als Erste/Erster? Tauschen Sie dann die Rollen.

d Erklären Sie, warum Sie den Film gewählt haben.

> *Wir haben den Film gewählt, da ...*

> *Die Geschichte ist lustig/ spannend/aufregend, da ...*

> *Wir mögen den Film, da ...*

3 Kursspaziergang: Wo ist der Ort, wo ...?

a Ergänzen Sie und schreiben Sie zwei Fragen auf einen Zettel.

> *Wo ist der Ort, wo du dich verliebt hast?*
> *Wo ist der Ort, wo du am liebsten bist?*

b Gehen Sie durch den Raum. Fragen und antworten Sie. Tauschen Sie dann die Zettel und suchen Sie eine neue Partnerin / einen neuen Partner.

4 Wie wird Ihre Stadt / Ihr Dorf in zwanzig Jahren aussehen?

a Was denken Sie? Notieren Sie fünf Punkte.
b Erzählen Sie im Kurs. Die anderen kommentieren.

> *Vielleicht wird ...*

> *Ich glaube, dass ...*

> *Ich bin skeptisch, da ... Darum kann ich mir auch vorstellen, dass ...*

5 In der Natur

a Arbeiten Sie zu zweit. Notieren Sie Ideen.

Partnerin/Partner A
Sehen Sie das Bild an und stellen Sie sich
vor, dass Sie dort sind. Was sehen/hören/
riechen/fühlen Sie?

Partnerin/Partner B
Sehen Sie das Bild an. Was möchten Sie
über den Ort erfahren?

b Fragen und antworten Sie.

Wie fühlst du dich, wenn du dort alleine bist?

Ich fühle mich einsam, aber es ist schön.

c Was passiert dort? Was wird vielleicht noch passieren? Arbeiten Sie in Gruppen.
Wählen Sie eine Textsorte und schreiben Sie einen Text zu dem Foto.

1. Krimigeschichte   2. Liebesgeschichte   3. modernes Märchen   4. Gedicht

> Der Tod im Wald
> Frau Mielke fährt am ... mit ihrem Auto nach ... Plötzlich bleibt ihr Auto stehen –
> sie hat kein Benzin mehr. Dort, wo die kleine Straße abbiegt, sieht sie ...

d Welcher Text gefällt Ihnen am besten? Hängen Sie Ihre Texte im Kursraum auf. Lesen Sie
die Texte und verteilen Sie ein bis fünf Sterne. Schreiben Sie zu dem Text, der Ihnen am
besten gefallen hat, zwei oder drei Sätze und begründen Sie Ihre Meinung.

> Ich fand die Geschichte sehr spannend, da es immer wieder Überraschungen gibt.
> Eine tolle Geschichte!

VIII Panorama

1 Nationalpark Wattenmeer

a Was denken Sie: Was machen die Menschen auf dem Foto? Sprechen Sie im Kurs.

b Was ist das Wattenmeer? Was ist besonders? Lesen Sie und machen Sie Notizen.

Das Wattenmeer (kurz „das Watt") – ist das Land oder Meer? Das ist eine Frage der Zeit: Bei Ebbe verschwindet das Wasser und man sieht das Land, bei Flut kommt das Wasser zurück und das Land verschwindet. Das passiert zweimal am Tag. Das Wattenmeer ist eine besondere Landschaft, in der viele Tiere leben. Hier findet man zum Beispiel mehr Vögel als in anderen Nationalparks in Europa.

Für einige Menschen ist das Watt auch ein Arbeitsplatz mitten in der wilden Natur: für Fischer, für Umweltwissenschaftler, für die Teams der Touristenschiffe und auch für Wattführer, die neugierigen Touristen das Watt zeigen und seine spannende Tierwelt erklären.

2.24  **2** Interview mit einem Wattführer. Hören Sie und beantworten Sie die Fragen.

1. Von wann bis wann dauert die Saison?
2. Was zeigt Klaas Janssen den Gästen?
3. Wie reagieren sie darauf?
4. Wie wird man Wattführerin/Wattführer?
5. Warum ist eine Ausbildung zur/zum Wattführerin/Wattführer wichtig?
6. Was macht Klaas Janssen im Winter?

3 Saisonberufe. Welche anderen Saisonberufe kennen Sie? Wo und wann arbeitet man? Was macht man? Sprechen Sie im Kurs.

Einheit 2, Übung 3d

3 Es ist doch selbstverständlich, sich zu helfen.

d Wählen Sie aus den Sätzen eine Stimmung und lesen Sie den gekürzten Dialog zu zweit laut.

1. Sie haben schlechte Laune.
2. Sie sind sehr müde.
3. Sie haben Stress.
4. Sie hören nicht gut.

💬 Hallo, Frau/Herr ... Kann ich Ihnen mit den Taschen helfen?

👍 Hallo, Frau/Herr ... Ach, das ist nett. Aber ich bin fast da.

💬 Wie geht es Ihnen?

👍 Ganz gut. Nur manchmal fehlt in unserem Haus der Hausmeister.

💬 Warum? Ist etwas kaputt?

👍 Na ja, das Licht hier im Treppenhaus funktioniert nicht.

💬 Oh, stimmt!

👍 Und bei mir in der Küche ist eine Steckdose kaputt. Aber zum Glück funktioniert meine Klingel noch.

💬 Es ist kein Problem, die Glühbirne auszutauschen. Ich habe eine Leiter. Ich mache es heute Abend. Vielleicht kann ich auch Ihre Steckdose reparieren.

👍 Oh, das ist sehr nett. Aber das ist mir auch ein bisschen unangenehm.

💬 Ach was! Wir sind doch Nachbarn. Da ist es selbstverständlich, dass man sich hilft.

👍 Oh! Mögen Sie Kuchen? Bitte sagen Sie, wenn ich etwas für Sie tun kann.

💬 Okay, mache ich. Und heute Abend komme ich und repariere Ihre Steckdose.

👍 Sehr gern! Vielen, vielen Dank.

💬 Kein Problem. Schönen Tag!

👍 Danke, Ihnen auch.

Deutsch aktiv 1|2, Übung 3

3 Der Film *Wir sind die Neuen*. Kontrollieren Sie zuerst Ihre Partnerin / Ihren Partner. Tauschen Sie dann die Rollen: Was machen die jungen Mieter? Ergänzen Sie die Präpositionen und bilden Sie Sätze.

Ihre Partnerin / Ihr Partner

Die alten Mieter ...

freuen sich über die neue Wohnung.

erinnern sich an die Zeit, als sie jung waren.

denken nicht an ihre Gesundheit.

interessieren sich für Politik.

fragen nach dem Studium von den Nachbarn.

sprechen mit den Nachbarn über ihre Probleme.

die Nachbarn ... Kaffee einladen – sich ... den Lärm ärgern – die Nachbarn zum Schluss ... Hilfe bitten – ... der Hochzeit träumen – sich ... die Ordnung im Haus kümmern – sich ... eine Prüfung vorbereiten

Die jungen Mieter laden die Nachbarn ...

4 Bingo mit *obwohl*. Kontrollieren Sie zuerst Ihre Partnerin / Ihren Partner. Bilden Sie dann Sätze. Ihre Partnerin / Ihr Partner kontrolliert und markiert das passende Feld auf ihrer/seiner Seite. Wenn Sie drei Felder zusammen „getroffen" haben, ist das Spiel zu Ende.

Ihre Partnerin / Ihr Partner

Obwohl es zu selten regnet, ...	Obwohl der Gletscher zurückgeht, ...	Obwohl viele Tiere und Pflanzen leiden, ...
Obwohl die Bauern in den Bergen weniger verdienen, ...	Obwohl es immer öfter schwere Stürme gibt, ...	Obwohl sich das Klima verändert, ...
Obwohl es im Winter zu wenig schneit, ...	Obwohl die Wassertemperatur im Meer schnell steigt, ...	Obwohl es im Frühling zu heiß ist, ...

Im Sommer gibt es weniger Wasser. – Die Umweltprobleme nehmen zu. – Die Temperaturen steigen. – Im Winter kommen weniger Touristen in die Alpen. – Es gibt immer öfter extremes Wetter. – Im Winter liegt zu wenig Schnee in den Bergen. – Die Natur ist für die Menschen wichtig. – Die Luft wird immer schmutziger. – Einige Tiere und Pflanzen sterben.

> *Obwohl ..., tun die Menschen zu wenig für die Natur.*

5 Stadt- und Schrebergärten

a Machen Sie Notizen. Ihre Partnerin / Ihr Partner berichtet. Hören Sie zu, dann berichten Sie.

Sind Stadtgärten und Schrebergärten gut für die gesunde Ernährung?
Was sind die Vor- und Nachteile?
Gibt es in Ihrem Land solche Gärten?

b Stellen Sie Fragen zur Präsentation Ihrer Partnerin / Ihres Partners.

Deutsch aktiv 5|6, Übung 2

2 **Das musste ich heute tun.**

a Hier sind einige Verben falsch. Lesen Sie und korrigieren Sie den Text. Es gibt sechs Fehler.

untersuchen

Heute war ein stressiger Tag – ich musste zwanzig Patienten ~~anlegen~~. Bei einer Patientin musste ich die Brust machen, weil sie so viel gehustet hat. Bei einem Kind musste ich das Fieber abhören und ihm eine Spritze untersuchen. Es hat aber so geschrien, weil es Angst hatte. Dann musste ich noch einen Verband geben. Ich konnte keine Pause messen!

b Lesen Sie Ihren Text vor, Ihre Partnerin / Ihr Partner kontrolliert.

Heute war ein stressiger Tag. Gleich am Morgen musste ich an einer Besprechung teilnehmen. Dann musste ich viele Rechnungen prüfen. Ich hatte aber keine Ruhe, denn viele Kunden haben angerufen und ich musste die Kunden beraten oder ihre Aufträge annehmen. Ich musste länger im Büro bleiben und Überstunden machen, weil ich noch so viel Büroarbeit erledigen musste. Und ich konnte keine Pause machen!

Deutsch aktiv 9|10, Übung 3

3 **Fakten zur EU. Ihre Partnerin / Ihr Partner fängt einen Satz an, Sie beenden den Satz. Dann tauschen Sie die Rollen. Kontrollieren Sie sich gegenseitig.**

1. Nachdem sich viele Politiker für mehr Zusammenarbeit in Europa engagiert hatten, ...

sechs Staaten – 1957 die EWG gründen

2. man – 1989 die Grenzen öffnen

..., ist die Zahl der EU-Mitglieder gewachsen.

3. Nachdem die EU-Staaten den Vertrag in Schengen unterschrieben hatten, ...

man – die Kontrollen an den Grenzen abschaffen

4. die Länder – lange diskutieren

haben sie den Vertrag von Maastricht im Februar 1992 unterschrieben und die EU gegründet.

5. Nachdem elf Länder den Euro im Jahr 2002 eingeführt hatten, ...

acht weitere Länder – später den Euro übernehmen

6. die Menschen – sich in Großbritannien gegen die EU entscheiden

..., haben die Verhandlungen über den Austritt angefangen.

Nachdem sich viele Politiker für mehr Zusammenarbeit ...

... haben sechs Staaten 1957 ...

3 Es ist Samstag und Sie feiern am Nachmittag eine Party. Es gibt noch viel zu tun. Planen Sie zu zweit.

Partnerin/Partner A

- Sie haben ein Auto.
- Sie kennen die Nachbarn gut.
- Sie können nicht kochen.
- Sie putzen nicht gern.

- Getränke kaufen
- Fleisch kaufen und zum Grillen vorbereiten
- Salate machen
- Stühle vom Nachbarn leihen
- Gläser aus dem Keller holen und spülen
- den Garten dekorieren
- das Bad putzen

etwas aushandeln / etwas planen

Du könntest zuerst ... und ich ... dann ...	Okay, das mache ich.
Wenn du ..., dann ...	Aber ich kann besser ...
Könntest du das machen?	Es ist besser, wenn ...
Wir können zusammen ...	

3 Die Geschichte eines Hauses. Fragen und antworten Sie wie im Beispiel. Ergänzen Sie die Informationen.

Partnerin/Partner A

1900:
20er Jahre: Restaurant
(Essen kochen und Kunden bedienen)

30er Jahre:
50er Jahre: Reinigung
(Kleidung waschen und bügeln)

70er Jahre:
80er Jahre: Bibliothek
(Bücher ausleihen und Leseabende organisieren)

1999 bis 2015:
heute: Kindergarten (Kinder betreuen)

Was ist im Jahr 1900 passiert?

Da wurde das Haus gebaut. Und was wurde dort in den 20er Jahren gemacht?

Dort wurde Essen gekocht und dort wurden Kunden bedient.

Ah, dort war ein Restaurant.

Einheit 15, Übung 4b

4 Nebensätze mit *wo*

b Arbeiten Sie zu zweit. Ihre Partnerin / Ihr Partner fragt, Sie antworten.

Partnerin/Partner A

1. das Fenster: Die Pflanze steht dort.
2. die Ecke: Die Treppe ist dort.
3. dort: Das Fahrrad steht dort.
4. dort: Das Fenster ist offen.

> *Im Fenster, wo die Pflanze steht.*

c Fragen Sie und zeichnen Sie, Ihre Partnerin / Ihr Partner antwortet.

1. Wo liegt die alte Zeitung?
2. In welchem Fenster sitzt die Katze?

3. Wo ist ein Loch im Zaun?
4. Wo sitzt ein Vogel?

d Vergleichen Sie Ihre Bilder.

3 Es ist Samstag und Sie feiern am Nachmittag eine Party. Es gibt noch viel zu tun. Planen Sie zu zweit.

Partnerin/Partner B

- Sie haben keinen Führerschein.
- Sie haben keinen Kontakt zu den Nachbarn.
- Sie kochen gut und dekorieren gern.
- Sie putzen nicht gern.

- Getränke kaufen
- Fleisch kaufen und zum Grillen vorbereiten
- Salate machen
- Stühle vom Nachbarn leihen
- Gläser aus dem Keller holen und spülen
- den Garten dekorieren
- das Bad putzen

etwas aushandeln / etwas planen

Du könntest zuerst ... und ich ... dann ...	Okay, das mache ich.
Wenn du ..., dann ...	Aber ich kann besser ...
Könntest du das machen?	Es ist besser, wenn ...
Wir können zusammen ...	

5 Informationen erfragen und beantworten

a Ihre Partnerin / Ihr Partner fragt, Sie antworten. Tauschen Sie dann die Rollen und ergänzen Sie die fehlenden Informationen.

Nepp Spülmaschine GN 74

(silber, weiß, grau, schwarz)

6 Programme, AquaStop

10 Liter Wasserverbrauch / 0,9 kWh Stromverbrauch

Klasse A++

Garantie plus (= 5 Jahre): 39,99 €

~~629~~ Euro nur 499 Euro (inkl. MwSt.)

12 Raten je 42 €

Profi Kaffeemaschine ES 2010

(weiß oder _____)

für _____ Kaffeespezialitäten (Espresso bis Latte Macchiato)

mit _____ Reinigung

Wasserbehälter: _____ Liter

_____ Euro nur 1.599 Euro

_____ monatliche Raten je 67 €

Einheit 15, Übung 4b

4 Nebensätze mit *wo*

b Arbeiten Sie zu zweit. Fragen Sie und zeichnen Sie, Ihre Partnerin / Ihr Partner antwortet.

Partnerin/Partner B

1. In welchem Fenster steht Julia?
2. In welcher Ecke steht das Fahrrad?
3. Wo liegen die leeren Flaschen?
4. Wo wird laute Musik gespielt?

c Ihre Partnerin / Ihr Partner fragt, Sie antworten.

1. die Treppe: Die große Pflanze steht dort.
2. das Fenster: Dort gibt es rote Gardinen.
3. dort: Der kaputte Stuhl steht dort.
4. dort: Die alte Zeitung liegt dort.

Vor der Treppe, wo die große Planze steht.

d Vergleichen Sie Ihre Bilder.

3 Die Geschichte eines Hauses. Fragen und antworten Sie wie im Beispiel.
Ergänzen Sie die Informationen.

Partnerin/Partner B

1900:   das Haus bauen

20er Jahre: _____
30er Jahre: Friseur
                (Haare schneiden)

50er Jahre: _____
70er Jahre: Elektroladen
                (Waschmaschinen und Staubsauger
                verkaufen)

80er Jahre: _____
1999 bis 2015: Reisebüro
                (Kunden beraten, Reisen verkaufen)

heute: _____

Was ist im Jahr 1900 passiert?

*Da wurde das Haus gebaut. Und was
wurde dort in den 20er Jahren gemacht?*

*Dort wurde Essen gekocht und
dort wurden Kunden bedient.*

Ah, dort war ein Restaurant.

1 Politik-Wörter. Kontrollieren Sie die Verben links (1–4). Ergänzen Sie dann die
Verben rechts (5–8). Ihre Partnerin / Ihr Partner kontrolliert.

1. im Krieg kämpfen
2. eine Mauer bauen
3. gegen die Regierung demonstrieren/protestieren
4. einen neuen Staat gründen

5. eine neue Regierung ...
6. die Grenzen ...
7. sich politisch ...
8. für die Freiheit ...

1 Berühmte Personen und Produkte

c Welche Fotos gehören zusammen? Lesen Sie die Informationen und ordnen Sie die Fotos
auf Seite 8 zu.

Das Bundeskanzleramt
Das Gebäude steht in der deutschen Hauptstadt – in Berlin. Es ist das
wichtigste Gebäude von der deutschen Regierung und es ist achtmal größer
als das Weiße Haus in Washington: Hier arbeiten die deutschen Bundes-
kanzler/innen. Die Berliner nennen das Gebäude auch Waschmaschine.
Einmal im Jahr im September kann man das Gebäude besichtigen.

Die Elbphilharmonie

Die Elbphilharmonie steht in Hamburg und man hat sie im Januar 2017 eröffnet. In dem Gebäude gibt es drei Konzertsäle, 45 Wohnungen, ein 5-Sterne Hotel, Restaurants und ein Parkhaus. Die japanische Musikerin Mitsuko Uchida hat zwölf Steinway-Flügel getestet und dann drei Flügel für die Elbphilharmonie ausgewählt.

Heidi

Auf dem Bild ist Heidi, ein kleines Mädchen aus der Schweiz, das keine Eltern mehr hatte. Zuerst hat Heidi bei ihrer Tante gelebt und ist dann zu seinem Großvater gekommen, der in den Bergen gelebt hat. Dort hat sie auch einen Freund – Peter – gefunden. Mit ihm wandert sie viel. Das Kinderbuch gibt es in mehr als 50 Sprachen. Es gibt auch mehrere Filme über Heidi.

Der Frankfurter Flughafen

Der Frankfurter Flughafen ist der größte deutsche Flughafen. Pro Tag starten hier fast 1.300 Flugzeuge, das sind mehr als 450.000 pro Jahr, und über 60 Millionen Passagiere mit mehr als 28 Millionen Koffern pro Jahr starten und landen am Frankfurter Flughafen. Weil der Flughafen nur zwölf Kilometer vom Stadtzentrum liegt, gibt es zwischen 23 und 5 Uhr Flugverbot.

Die Geige

Viele Menschen spielen Geige, weil es ihr Hobby ist. Auch ein berühmter Nobelpreisträger für Physik – Albert Einstein – liebte die Geige und hat selber sehr gut Geige gespielt. Und das oft in ungewöhnlichen Situationen: nachts, wenn er in Berlin nicht schlafen konnte, oder bei Physik-Vorlesungen. Seine Lieblingskomponisten waren Mozart und Bach.

Swarowski Kristallwelten

Der bekannte Künstler André Heller hat das Museum in der Nähe von Innsbruck zum 100. Geburtstag von der Firma Swarovski geplant. Jedes Jahr kommen circa 850.000 Besucherinnen und Besucher aus der ganzen Welt. Besonders schön ist der Eingang: ein großer, grüner Riese vor einem See. Im Museum kann man eine wunderschöne Welt, die man aus vielen Kristallen gebaut hat, besichtigen.

Österreichisches Fußball-T-Shirt

Das österreichische Fußball-Team trägt ein rotes T-Shirt zusammen mit einer kurzen, weißen Hose bei Spielen, die in Österreich stattfinden. Wenn das Team im Ausland spielt, ist die Spielkleidung ein weißes T-Shirt und eine schwarze Hose. Die meisten österreichischen Spieler spielen in ausländischen Vereinen, auch der Spieler mit der Nummer 8 – David Alaba. Er spielt seit 2009 für das österreichische Team, sein Verein ist aber im Moment in München.

Der Hauptbahnhof in Zürich

Das ist der Hauptbahnhof von Zürich – der größte Bahnhof in der Schweiz. Hier kommen nationale Züge, aber auch Züge aus ganz Europa an. Mit mehr als 2.915 Verbindungen pro Tag gehört er zu den beliebtesten Bahnhöfen weltweit. Auch hier auf den Gleisen – so wie fast überall in Deutschland – hängen die bekannten Bahnhofsuhren von Hans Hilfiker.

Phonetik

Einheit 1: Wortakzent und Satzmelodie

1.39 **1** Hören Sie und markieren Sie den Wortakzent bei den markierten Wörtern.

1. 💬 Ich habe ihr vom Theaterkurs erzählt.
   👍 Wovon?
   💬 Vom Theaterkurs.
   👍 Ach, davon.

2. 💬 Ja, sie denkt oft an das Straßenfest.
   👍 Woran?
   💬 An das Straßenfest.
   👍 Ach, daran.

3. 💬 Julia freut sich auf das Treffen mit Patrick.
   👍 Worauf?
   💬 Auf das Treffen mit Patrick.
   👍 Ach, darauf.

4. 💬 Und sie spricht über die Schule.
   👍 Worüber?
   💬 Über die Schule.
   👍 Ach, darüber.

1.39 **2** Geht die Satzmelodie nach oben ⟋ oder nach unten ⟍? Hören Sie noch einmal und markieren Sie in 1.

3 Lesen Sie die Minidialoge zu zweit laut.

Einheit 2: mit Emotionen sprechen

1.40 **1** Wie ist die Laune von Helga Mertens und Stefan Bode? Hören Sie und ordnen Sie zu.

a [ ] Sie/Er ist müde.
b [1] Sie/Er ist gestresst.
c [ ] Sie/Er ist verliebt.
d [4] Sie/Er hat schlechte Laune.

e [ ] Sie/Er hat gute Laune.
f [ ] Sie/Er ist wütend.
g [ ] Sie/Er ist fröhlich.
h [ ] Sie/Er ist sachlich.

2 Wie klingt es, wenn jemand gute Laune hat? Kreuzen Sie an.
[ ] Es gibt viele Wortakzente.
[ ] Jemand spricht sehr laut.
[ ] Jemand spricht ruhig.
[ ] Es klingt langweilig.
[ ] Es gibt viel Sprechmelodie.
[ ] Jemand spricht leise.

3 Lesen Sie die Sätze mit unterschiedlicher Laune laut.
1. Die Klingel funktioniert nicht.
2. Die Treppe ist schmutzig.
3. Die Glühbirne ist kaputt.
4. Das Fahrrad steht im Weg.

Einheit 3: Fremdwörter im Deutschen

1 Welche Wörter kommen <u>nicht</u> aus dem Englischen? Lesen Sie laut und kreuzen Sie an.
1. [ ] der Lieferservice
2. [ ] das Steak
3. [ ] das Smartphone
4. [ ] der Latte Macchiato
5. [ ] das Restaurant
6. [ ] das Display

1.41 **2** Hören Sie und sprechen Sie nach.
der Lieferservice – das Smartphone – das Restaurant – das Steak – der Latte Macchiato – das Foodie – das Selfie – das Display – online – die Currywurst

1.42 3 Hören Sie und sprechen Sie nach. Achten Sie auf den Satzakzent.
1. Bestellst du oft online?
2. Trinkst du gern Latte Macchiato?
3. Machst du manchmal ein Selfie?
4. Gehst du oft ins Restaurant?

4 Fragen und antworten Sie.

Bestellst du oft online?   *Ja, ich bestelle manchmal online, weil ...*

5 Und Sie? Wie spricht und schreibt man diese Wörter in Ihrer Sprache? Sammeln Sie im Kurs.

Einheit 4: Wortakzent in Komposita

1 Markieren Sie das Bestimmungswort (das erste Wort) in den Komposita.
der Klimawandel – die Skisaison – der Schneemangel – die Schneekanone –
die Durchschnittstemperatur – die Skipiste – das Umweltproblem – der Wintertourismus

1.43 2 Hören Sie und markieren Sie den Wortakzent in 1. Ergänzen Sie dann die Regel.

In den meisten Komposita ist der Wortakzent auf dem _____ .

1.43 3 Hören Sie noch einmal und sprechen Sie nach.

4 Lesen Sie die Wörter laut und korrigieren Sie sich gegenseitig. Versuchen Sie, die Wörter
möglichst schnell auszusprechen.

Einheit 5: Flüssig sprechen

1.44 1 Auf Vorschläge reagieren. Welche Wörter sind betont? Hören Sie und markieren Sie.
1. Gute Idee!   3. Das ist keine gute Idee.   5. Schade, das geht nicht.
2. Du hast Recht.   4. Das sollte ich tun.   6. Tut mir leid.

1.44 2 Flüssig sprechen. Hören Sie noch einmal und sprechen Sie nach.

3 Schreiben Sie die Wortgruppen in 1 in die Sprechblasen wie im Beispiel und
sprechen Sie sie laut.

Gute Idee.

Guteidee.

> ✓ **Tipp:** Häufige Wortverbindungen spricht man ohne Pausen.

4 Arbeiten Sie zu zweit. Sprechen Sie die Sätze in 1 abwechselnd und ohne Pause. Versuchen
Sie, schneller als Ihre Partnerin / Ihr Partner zu sprechen.

Einheit 6: Wiederholung z, -ts- und -ti-

1.45 **1** Wie schreibt man das? Hören Sie und ergänzen Sie.

1. die Opera_____on – der Pa_____ent – die Integra_____on

2. der Ar_____t – die Er_____iehung

3. das Arbei_____dokument – das Rä_____elheft

4. die Assisten_____

5. die _____ahnbürste – die _____eitschrift

1.45 **2** Hören Sie noch einmal und sprechen Sie nach.

3 Sammeln Sie weitere Wörter mit z, -ts- und -ti- aus Einheit 6. Lesen Sie Ihre Wörter vor, Ihre Partnerin / Ihr Partner schreibt die Wörter. Tauschen Sie dann die Rollen.

Einheit 7: Wiederholung r/R und -er

1.46 **1** Wann hören Sie kein r/R? Hören Sie und markieren Sie.
Hallo zu unserer Sendung „Schon gewusst?". Hören Sie auch so gerne Radio? Heute sprechen wir über die Radionutzung. Wir haben unsere Hörer gefragt: Wie lange hören Sie pro Tag Radio? Mehr als die Hälfte, über zwei Drittel hören täglich Radio. In der Schweiz hören die Menschen aber viel weniger Radio als in Deutschland: nur etwas mehr als zwei Stunden. In Deutschland sind es über drei Stunden am Tag. Und welche Sendungen sind beliebt? Besonders gern werden die Nachrichten oder Sportsendungen gehört. Fast alle warten auf den Wetterbericht.

2 Was stimmt nicht? Lesen Sie und streichen Sie durch.
1. Wenn am Wortende -er steht, hört man kein/ein r. -er spricht man [ɐ].
2. Wenn ein r/R vor einem Vokal oder zwischen zwei Vokalen steht, spricht man es nicht / spricht man es [r].

3 Und Sie? Fragen und antworten Sie. Achten Sie auf die Aussprache von -er und r/R.

Wie lange hörst du pro Tag Radio?	*Ich höre pro Tag …*
Hörst du gern den Wetterbericht?	*Ja/Nein, ich höre den Wetterbericht (nicht) gern.*
Hörst du öfter Radio als deine Freunde?	*Ja, ich höre öfter Radio. / Nein, ich höre weniger.*

Einheit 8: einen Sachtext vorlesen

1 Was ist für Sie am wichtigsten, wenn Sie einen Informationstext nur hören? Kreuzen Sie an und sprechen Sie im Kurs.
1. ☐ Ich möchte eine angenehme Stimme hören.
2. ☐ Ich möchte die wichtigen Informationen gut verstehen.
3. ☐ Ich möchte unterschiedliche Stimmen hören.
4. ☐ Ich möchte mir die Informationen im Text gut vorstellen.
5. ☐ Ich möchte kurze Informationen bekommen.

1.47 ○ **2** Hören Sie und lesen Sie den Text. Markieren Sie Pausen |, den <u>Satz</u>akzent und die Sprechmelodie ＼ ／.

Dieser Pkw hier heißt <u>Trabant</u>, | kurz: <u>Trabi</u>. ＼ Das Auto hat man ab 1958 in der DDR gebaut. Damals galt er als modernes Auto, das sich viele Bürger leisten konnten. Doch man hat den Trabi technisch lange kaum verändert. Auch die Produktion war langsam. Die Bürger mussten in der DDR bis zu 15 Jahre lang auf ein neues Auto warten. Doch der Trabi war und ist Kult! Das Modell des Trabis, das Sie hier sehen, hat noch ein Zelt auf dem Dach. So machten viele DDR-Bürger Camping.

3 Und jetzt Sie! Lesen Sie den Text laut. Achten Sie auf die folgenden Punkte.
1. Machen Sie Pausen.
2. Betonen Sie die wichtigste Information im Satz.
3. Achten Sie auf die Sprechmelodie am Satzende.
4. Sprechen Sie langsam, aber flüssig.

Einheit 9: Erstaunen ausdrücken

2.25 ○ **1** Welche Ausdrücke drücken Erstaunen aus? Hören Sie und kreuzen Sie an.

1. ☐ Aha?   3. ☐ Mmh.   5. ☐ Ach nee, echt?
2. ☐ Oh, wirklich?   4. ☐ Ah ja.   6. ☐ Oje.

2.25 ○ **2** Hören Sie noch einmal und sprechen Sie nach.

3 Fakten zur EU. Lesen Sie laut vor, Ihre Partnerin / Ihr Partner reagiert mit einem Ausdruck in 1. Tauschen Sie dann die Rollen.

> **Schon gewusst?**
> • In der EU leben etwa 510 Millionen Menschen.
> • Den Euro gibt es seit 2002.
> • Die Muttersprache von den meisten Menschen in der EU ist Deutsch.
> • Die längste direkte Zugverbindung Europas gibt es zwischen Moskau und Nizza.
> • Die meisten Touristen in Europa fahren nach Paris ins Disneyland.

Oh, wirklich?

Einheit 10: lange Sätze flüssig sprechen

2.26 ○ **1** Sätze mit *nachdem* und *während*. Hören Sie und markieren Sie die Satzmelodie im Neben- und im Hauptsatz.

1. Nachdem ich das Abitur gemacht hatte,   habe ich meine Freunde besucht.

2. Nachdem ich das Praktikum gemacht hatte,   war ich noch ein halbes Jahr in der Firma.

3. Während ich beim Zahnarzt war,   habe ich an eine Weltreise gedacht.

4. Während ich die Prüfung geschrieben habe,   habe ich an mein Stipendium gedacht.

2 Hören Sie noch einmal und sprechen Sie nach.

3 Was haben Sie gemacht? Notieren Sie je drei Dinge. Sprechen Sie dann wie im Beispiel und tauschen Sie immer die Rollen. Versuchen Sie, flüssig zu sprechen.

1. Nachdem ich die Schule beendet hatte, ...
2. Während ich die Prüfung geschrieben habe, ...

Nachdem ich die Schule beendet hatte, ...   *bin ich ins Ausland gegangen.*

Einheit 11: Abkürzungen richtig sprechen

1 Wie werden die markierten Wörter betont? Hören Sie die Radiowerbung der neuen Stadtbibliothek und markieren Sie die Wortbetonungen.

Stadtbibliothek

Endlich wieder da! Die Stadtbibliothek ist nach einem Jahr wieder geöffnet. Wir haben nicht nur neue Bücher und CDs für Sie, sondern auch viele Filme auf DVD! Im Erdgeschoss haben Sie freies WLAN, im ersten OG dürfen Sie sogar einen 3-D-Drucker ausprobieren. Gemeinsam mit der TU bieten wir Ihnen PC-Kurse an. Kommen Sie vorbei und entdecken Sie Ihre Bibliothek ganz neu!

2 Hören Sie die Abkürzungen und Kurzwörter und sprechen Sie nach.

3 Ergänzen Sie die Regel.

Bei Abkürzungen wird immer der _____ Buchstabe betont, z. B. *die DVD*.

Bei zusammengesetzten Abkürzungen wird die _____ Silbe betont, z. B. *das WLAN*.

4 Sammeln Sie weitere Abkürzungen in den Einheiten. Vergleichen Sie mit Ihrer Partnerin / Ihrem Partner. Sprechen Sie die Abkürzungen laut.

5 Was gibt es in der neuen Stadtbibliothek? Berichten Sie.

Einheit 12: bei Missverständnissen freundlich nachfragen

1 Wie bitte? Welche Sätzen klingen freundlich? Hören Sie und kreuzen Sie an.
1. ☐ Das habe ich aber anders verstanden.   ☐ Das habe ich aber anders verstanden.
2. ☐ Was meinten Sie denn genau?   ☐ Was meinten Sie denn genau?
3. ☐ Da habe ich Sie falsch verstanden.   ☐ Da habe ich Sie falsch verstanden.
4. ☐ Das habe ich doch gesagt.   ☐ Das habe ich doch gesagt.

2 Hören Sie die freundlichen Sätze noch einmal und sprechen Sie leise mit. Achten Sie auf die Sprechmelodie.

3 Reagieren Sie freundlich. Spielen Sie Dialoge zu den Situationen auf Seite 99 und verwenden Sie Sätze in 1.

Einheit 13: Ablehnung ausdrücken

2.31 **1** Was ist keine Ablehnung? Hören Sie und kreuzen Sie an.

1. ☐ Das kommt nicht in Frage!
2. ☐ Das geht jetzt zu weit!
3. ☐ Das ist nicht in Ordnung!
4. ☐ Ja, vielleicht ...
5. ☐ Das ist ausgeschlossen!

2.31 **2** Hören Sie noch einmal und markieren Sie in 1 den Satzakzent.

1. Das kommt <u>nicht</u> in Frage!

2.31 **3** Hören Sie noch einmal und sprechen Sie nach. Sprechen Sie mind. zwei Reaktionen auswendig.

Einheit 14: Wiederholung *v/V*

1 [f] oder [v]? Wie spricht man *v/V* in den Wörtern aus? Ordnen Sie die Wörter zu.

die Verantwortung – die Alternative – kreativ – privat – genervt sein – vorsichtig – der Service – die Verpackung – renovieren

[f]: _____

[v]: _____

✔ **Tipp:** *v/V* wird in einem Fremdwort meistens [v] gesprochen.

2.32 **2** Hören Sie die Wörter in 1 und kontrollieren Sie Ihre Lösung.

2.32 **3** Hören Sie noch einmal und sprechen Sie nach.

Einheit 15: Tiernamen sprechen

1 Was für ein Tier ist das? Ordnen Sie zu.

das Kaninchen – der Fuchs – der Waschbär – der Hase – das Wildschwein – die Katze – der Vogel – der Hund – die Kuh – der Bär

2.33 ⊚ 2 Lang _ oder kurz ? Hören Sie und markieren Sie die Wortbetonung in 1.

2.33 ⊚ 3 Hören Sie noch einmal und sprechen Sie nach.

4 Tiere raten. Beschreiben Sie ein Tier, nennen Sie das Tier aber nicht. Ihre Partnerin / Ihr Partner rät.

Einheit 16: Satzmelodie: die eigene Meinung ausdrücken

2.34 ⊚ 1 Hören Sie das Gespräch. Markieren Sie bei 〰 die Satzmelodie: ➚ oder ➘.

👂 Julia wird wahrscheinlich Heimweh bekommen.

〰 Meinst du? Das glaube ich nicht.

👂 Sie mag bestimmt das Essen nicht.

〰 Meinst du? Ich glaube nicht.

👂 Aber sie wird wohl viele Freunde finden.

〰 Meinst du? Ich glaube nicht.

👂 Und sie wird vielleicht tolle Abenteuer erleben.

〰 Meinst du? Ich glaube nicht.

👂 Du glaubst ja gar nichts!

〰 Meinst du? Ich glaube nicht.

2.35 ⊚ 2 Karaoke. Hören Sie und sprechen Sie die 〰-Rolle.

Hörtexte

Hier finden Sie alle Hörtexte, die nicht oder nicht komplett in den Einheiten abgedruckt sind.

DACH bekannt

1 b + d

1. Ich komme aus Ostdeutschland. Ich habe Physik in Leipzig studiert und habe später an der Uni gearbeitet. Seit 1990 bin ich in der Politik. Die amerikanische Zeitschrift Forbes hat geschrieben, dass ich die wichtigste Frau auf der Welt bin. Na ja, ob das stimmt? Ich arbeite seit 2005 in Berlin in einem Haus, das ein bisschen wie eine Waschmaschine aussieht. Ich weiß aber nicht, wie lange ich in diesem Haus arbeiten darf. Vielleicht bis 2021? Wer weiß. Wissen Sie, wer ich bin?

2. Mich hat 1944 der Schweizer Hans Hilfiker konstruiert. Man findet mich vor allem auf den Bahnhöfen. Menschen, die mit dem Zug reisen wollen, sehen mich immer an, wenn sie wissen wollen, ob sie pünktlich sind oder Verspätung haben. Ich hänge auf jedem Gleis. Ich bin rund und habe drei Zeiger: zwei schwarze Zeiger für die Stunden und Minuten und einen roten Zeiger für die Sekunden. Na, was bin ich?

3. Ich komme aus Köln und bin schon 80 Jahre alt. Ich reise gern und viel. Ich bin auf Flughäfen in der ganzen Welt zu Hause, aber bei meinen Reisen sehe ich leider nicht viel. Oft wirft man mich, deshalb bin ich aus Metall. Dann gehe ich nicht so schnell kaputt. Man produziert mich in Deutschland, Tschechien, Kanada und Brasilien. Wissen Sie, was ich bin?

4. Ich bin am 24. Juni 1992 geboren, komme aus Wien und bin 1 Meter 80 groß. Meine Familie macht viel Musik. Mein Vater war in Österreich ein bekannter Sänger – Rapper – und meine Schwester singt in einer Girlgroup. Ich mache aber lieber Sport als Musik. Der Sport, den ich mache, ist sehr beliebt. Ich spiele in einem bayrischen Verein in München. Wissen Sie, wer ich bin?

5. Ich habe vor fast 200 Jahren gelebt und ich war Schweizerin. Ich hatte Freunde in Deutschland und war deshalb oft in Bremen. Dort habe ich zum ersten Mal Geschichten geschrieben. Am bekanntesten ist ein Kinderbuch von mir: eine Geschichte über ein kleines Mädchen, das ihren Großvater in den Bergen besucht. Das Buch ist weltweit bekannt. Es gibt auch Animationsfilme über das Mädchen, das Heidi heißt. Wer bin ich?

6. Mich gibt es schon seit über 160 Jahren. Ich komme aus Hamburg, aber ich habe auch eine Familie in New York. Wir alle zusammen sind eine große Familie, ich habe viele Brüder und Schwestern. Ich bin sehr teuer – oft teurer als ein Auto. Ich stehe in vielen großen Konzerthallen auf der Welt. Man kann mit mir alleine Musik machen oder auch zu zweit. Zum Spielen braucht man beide Hände. Na, was bin ich?

7. Ich bin in der Stadt Ulm in Deutschland geboren und bin in den USA im Jahr 1958 gestorben. Ich habe in Zürich studiert. Mein Lieblingshobby war Geige spielen. Ich habe sehr oft Geige gespielt, am liebsten Mozart und Bach. Ich war zweimal verheiratet und hatte drei Kinder. 1922 habe ich den Nobelpreis für Physik bekommen. Na, wer bin ich?

8. Wir kommen aus Österreich und unsere Firma gibt es schon seit 1895. Man hat für uns ein Museum gebaut – in Wattens, das ist in Österreich, in der Nähe von Innsbruck. Besonders schön ist der Eingang in das Museum: Er sieht wie eine große grüne Figur aus – mit einem offenen Mund. Und was kann man in dem Museum sehen? Na uns selbstverständlich! Und viele von unseren „Schwestern und Brüdern". Sie haben oft eine andere Form – sind eine Kette, ein Ring oder auch ein Tier, aber wir sind alle aus Glas. Wissen Sie, was wir sind?

1 Beziehungen fern und nah

3 b + c

🗨 Liebe Hörerinnen und Hörer, wir sprechen heute mit Leonhard Wilsberg, dem Geschäftsführer bei idealpartner.de, einer Single-Kontaktbörse im Internet. Herr Wilsberg, Ihre Firma hat eine Studie gemacht und hat gefragt, was Frauen und Männer bei einem Partner am wichtigsten finden. Wie ist das Ergebnis?

👍 Nun, es fällt auf, dass Frauen und Männer sehr ähnliche Wünsche haben: Beide wollen, dass die Partnerin oder der Partner ehrlich und treu ist und Humor hat. Und beide – also Frauen und Männer – warten nicht gern: die Partnerin oder der Partner soll zuverlässig und pünktlich sein.

🗨 Also, es gibt keine Unterschiede mehr zwischen Frauen und Männern?

👍 Hm, nicht viele. Frauen sagen öfter, dass sie sich einen Mann wünschen, der Kinder gern hat. Männer nennen häufiger das gute Aussehen, aber auch bei ihnen steht es erst auf Platz 10.

🗨 Oh, das ist ja nicht wirklich neu.

👍 Das ist richtig. Aber wir haben auch nach dem Verhalten gefragt, also, was man in der Beziehung erleben möchte, was der andere tun soll. Und da wird es interessanter.

🗨 Ach ja?

👍 Ja, Frauen sagen viel öfter, dass sie mit ihrem Partner über alles sprechen wollen. Sie möchten, dass sich der Partner für ihre Gefühle interessiert und dass er ihren Geburtstag nicht vergisst. Und dass er mehr von sich erzählt: von seiner Arbeit, aber auch von seinen Problemen und Gefühlen.

🗨 Ja, das kenne ich. Und was sagen die Männer?

👍 Sie sagen viel häufiger, dass sie sich lieber mit einer Frau verabreden, wenn sie Spaß versteht. Sie soll fröhlich und lustig sein. Wenn er krank ist oder viel Stress hat, soll sie sich um ihn kümmern. Er möchte sich bei ihr erholen.

🗨 Na, das sind ja doch wieder die alten typischen Vorstellungen von Frauen und Männern. Ist das alles nicht zu einfach?

👍 Natürlich sind nicht alle Männer und Frauen so. Aber die Antworten zeigen klare Unterschiede. Es ist wichtig, dass man nicht DEN perfekten Partner sucht und den anderen oder die andere liebt, wie er oder sie ist.

🗨 Das ist sicher richtig, aber leider nicht immer ganz einfach. Und jetzt hören wir ein Lied von ...

5 a + b + c

🗨 Guten Tag, Herr Bode. Ist Julia schon zu Hause?

🗨 Hallo, Carla. Ja, sie ist oben. Geh einfach hoch.

🗨 Hey, Julia, wie geht´s? Was machst du?

👍 Oh, Carla! Gut, dass du kommst. Ich bin sooo glücklich.

🗨 Ah ja und warum? Gestern hattest du noch super schlechte Laune.

👍 Heute habe ich mit Patrick gesprochen! Du weißt schon, er wohnt im Haus gegenüber von der Bäckerei. Du, das war ... Er hat mich so lieb angesehen – ich glaube, ich bin verliebt ... Und ich würde mich so gern mit ihm verabreden ...

🗨 Mit wem? Mit welchem Patrick? Kenne ich ihn?

👍 Ja, er war doch auf dem Straßenfest im Mai. Weißt du noch? Das Straßenfest in der Bergmannstraße.

🗨 Ach ja, jetzt erinnere ich mich daran. Das Fest war toll. Und stimmt, Patrick sieht toll aus: groß, schöne blaue Augen, eine tolle Figur hat er auch, er ist schlank ...

👍 Jaaa ... Sag mal, du hast einmal davon erzählt, dass er in der Schule in eurem Theaterkurs war. Wie ist er denn so?

🗨 Stimmt, also da war er nett und super lustig. Aber wenn wir uns konzentrieren mussten, dann konnte er auch ernst sein. Und man konnte mit ihm über alles sprechen.

👍 Worüber hast du denn mit ihm gesprochen?

🗨 Ach, über die Lehrer, über seinen Sport ... Und so was.

👍 Über seinen Sport? Was macht er denn?

🗨 Er fährt Mountainbike. Er ist in einem Fahrradverein und macht fast jeden Samstag eine Tour. Warte mal, das ist vielleicht eine gute Idee ...

👍 Was? Wie? Woran denkst du?

🗨 Na, an eine Möglichkeit, wie du ihn besser kennenlernen kannst – und daran, dass du doch auch ein Mountainbike hast. Wolltest du dich nicht mehr bewegen? Pass auf, am nächsten Samstag setzt du dich ans Fenster und wartest auf Patrick.

Wenn du ihn siehst, holst du dein Fahrrad, gehst damit raus und triffst ihn ganz zufällig ...

👍 Hm, keine schlechte Idee. Glaubst du wirklich, dass das funktioniert?

🗨 Bestimmt! Dann kannst du ihn besser kennenlernen. Vielleicht ist er auch nicht so toll.

👍 Was meinst du?

🗨 Na, du weißt schon. Das Aussehen ist eine Sache. Aber wichtiger sind andere Dinge: Ist er ehrlich, nett, höflich? Kurz: Will man mit ihm wirklich zusammen sein?

👍 Stimmt. Aber er ist sooo süß ... und nett ist er auch. Ich muss immer an ihn denken ...

2 Teilen und tauschen

2 b + c

Er wohnt allein.
Er ist bereit zu teilen.
In seinem Haus
ist noch ein Zimmer frei.
Er geht ins Netz
auf seine Lieblings-Seite,
dort tauscht man gern
so wie in alten Zeiten.

Fehlen dir Dinge, die du dringend brauchst?
Hast du etwas, was andere brauchen?
Dann geh ins Netz, zu teilen und zu tauschen ist perfekt.
Wer will schon alles kaufen?

Am liebsten mag
sie ihre lange Leiter.
Sie gibt sie gern
an andere Menschen weiter.
Sie mag es sie auszuprobieren
und dann zu fotografieren,
die Bilder hochzuladen
und darauf zu warten,
dass jemand sie ausleihen will.

Fehlen dir Dinge, die du dringend brauchst? ... *(s. o.)*

3 b + c

🗨 Hallo, Frau Mertens. Wie schön, Sie zu sehen. Kann ich Ihnen mit den Taschen helfen?

👍 Hallo, Herr Bode. Ach, das ist nett. Aber ich bin fast da.

🗨 Wie geht es Ihnen?

👍 Danke, gut. Das Knie macht Probleme, aber sonst ist alles in Ordnung. Nur manchmal fehlt in unserem Haus der Hausmeister.

🗨 Warum? Ist etwas kaputt?

👍 Das Licht hier im Treppenhaus funktioniert nicht, wahrscheinlich ist eine Glühbirne kaputt.

🗨 Oh, stimmt!

👍 Und bei mir im Wohnzimmer ist eine Steckdose kaputt. Aber zum Glück funktioniert meine Klingel noch. Es ist also möglich, mich zu besuchen ...

💬 Es ist kein Problem, die Glühbirne auszutauschen. Ich habe eine Leiter. Ich mache es heute Abend. Und vielleicht kann ich auch Ihre Steckdose reparieren. Natürlich nur, wenn Sie möchten ... Vielleicht ist einfach nur das Kabel kaputt.

👍 Oh, das ist sehr nett. Aber es ist mir auch ein bisschen unangenehm.

💬 Ach was! Wir sind doch Nachbarn. Da ist es selbstverständlich, dass man sich hilft. Ein Freund von mir wohnt in einer Hausgemeinschaft. Das ist total interessant. Dort ist es ganz normal, sich zu helfen. Jeder hat bestimmte Pflichten und jeder tut, was er gut kann. Mein Freund macht zum Beispiel Reparaturen im Haus, er repariert Elektrogeräte und Fahrräder. Er hat eine kleine Werkstatt in der Garage und er ist auch mit Hammer und Zange im Haus unterwegs.

👍 Das klingt spannend, aber: Was kann ich als alte Frau in so einem Haus machen?

💬 Ach, Sie sind doch noch fit und können viel machen. In der Hausgemeinschaft von meinem Freund zum Beispiel hilft eine ältere Dame den Kindern bei den Hausaufgaben. Sie hat auch Zeit, mit den Kindern zu spielen oder einen Kuchen zu backen.

👍 Oh! Mögen Sie Kuchen? Bitte sagen Sie, wenn ich etwas für Sie tun kann.

💬 Mache ich. Und heute Abend komme ich und repariere Ihre Steckdose. So gegen 20 Uhr?

👍 Sehr gerne! Vielen, vielen Dank.

💬 Kein Problem. Schönen Tag, Frau Mertens.

👍 Ihnen auch. Danke.

6d

💬 Ich habe gestern im Fernsehen einen deutschen Film gesehen: „Wir sind die Neuen" mit Heiner Lauterbach. Kennst du den?

👍 Ja, den Film habe ich vor einem Jahr im Kino gesehen. Ich fand ihn super witzig. Ich habe sehr gelacht. Die Schauspieler sind wirklich gut. Und ich mag die Geschichte. Es ist sehr lustig, dass Alt und Jung hier die Rollen tauschen. Ich finde, es ist eine tolle Idee, die Klischees so zu zeigen. Hat dir der Film auch gefallen?

💬 Na ja. Ehrlich gesagt, ich fand ihn auch ganz lustig, aber auch ziemlich langweilig.

👍 Langweilig? Überhaupt nicht! Ich fand die Geschichte spannend.

💬 Na ja, ich weiß nicht, ich brauche etwas mehr Action. In dem Film passiert kaum etwas.

👍 Klar, der Film ist ja auch kein Krimi. Das Wichtige sind die Dialoge. Die haben mir sehr gefallen. Und ich mochte die kleine Liebesgeschichte.

💬 Besonders romantisch war das aber auch nicht.

👍 Aber der Film zeigt doch viele Gefühle, oder? Wie die Studenten die Alten um Hilfe bitten, zum Beispiel. Das war schon etwas fürs Herz ...

💬 Fürs Herz? Okay, ein gemeinsamer Filmabend ist für uns zwei wohl keine gute Idee ...

Panorama I: CoHousing

1c

1. Ich heiße Andreas Nowak und arbeite als Koch in einem Hotel in Gänserndorf. Ich liebe meinen Beruf, aber es ist toll, wenn ich an meinen freien Tagen nicht kochen muss, weil jemand anderer schon gekocht hat. Bei uns im Lebensraum kocht an jedem Tag eine Familie für alle anderen. Das ist sehr praktisch, spart Zeit und günstig ist es auch. Klar, ich muss auch manchmal für die anderen kochen, aber es ist nicht jeden Tag. Ein- oder zweimal im Jahr biete ich auch Kochkurse in unserer Siedlung an. Es macht viel Spaß, mit anderen zusammen zu kochen.

2. Ich bin Verena Bauer und bin Musiklehrerin. Ich lebe von Anfang an hier im Lebensraum. Ich arbeite in einer Musikschule, aber ich mache viel Musik mit den Kindern auch hier bei uns. Und einmal in der Woche treffen sich auch Erwachsene zum Singen, unseren Chor gibt es jetzt schon über zehn Jahre! Zweimal im Jahr – immer am Sommeranfang und vor Weihnachten – organisieren wir ein Konzert. Darauf freuen sich alle Leute im Lebensraum.

3. Mein Name ist Josef Moser. Hier bei uns im Lebensraum leben junge und alte Leute zusammen, wir sind mehr als „normale" Nachbarn. Ich bin ja schon älter und lebe allein, meine Tochter wohnt in der Schweiz. Und so habe ich hier eigentlich eine neue Familie gefunden: Die Kinder von meinen Nachbarn kommen zu mir, denn ich habe Zeit, mit ihnen zu spielen oder ihnen bei den Hausaufgaben zu helfen. Manchmal backen wir auch zusammen. Und wenn ich etwas aus der Stadt brauche, bringt es bestimmt jemand mit, der gerade in die Stadt fährt.

3 Von Kochboxen, Diäten und Foodies

2e

💬 Herzlich Willkommen zu unserer Talksendung am Freitagnachmittag. Am Mikrofon ist Mike Vosicky. Wir kennen es alle: Man sitzt den ganzen Tag im Büro, hat keine Zeit zum Einkaufen und am Abend kommt man müde nach Hause und der Kühlschrank ist leer ... Also, ruft man bei einem Lieferservice an. Aber schmeckt das Essen dann wirklich? Und kommt es immer pünktlich an? Ruft uns an. Wir möchten gern eure Meinung erfahren. Ah, da haben wir den ersten Gast. Hallo und herzlich willkommen in unserer Sendung.

Hallo, hier ist die Monika. Also, ich bestelle keine Fertiggerichte. Aber ich kenne einen anderen Lieferservice, der total super ist: Er heißt „Der Frische-Korb". Bei dem bestelle ich jede Woche frische Lebensmittel aus der Region.

Oh, das klingt interessant. Wie funktioniert das?

Man wählt aus, was man möchte. Ich bestelle immer frisches Obst und Gemüse, manchmal auch Milchprodukte – zum Beispiel alten Käse, den mag ich besonders gern, und mageres, frisches Fleisch. Das ist im Sommer ganz toll zum Grillen. Und alles ist bio.

Hattest du schon einmal Probleme mit der Lieferung?

Nein, es funktioniert wunderbar. Alles kommt in einem großen Korb zu der Uhrzeit, die wir besprochen haben.

Vielen Dank für deinen Anruf. Und hier ruft schon die nächste Person an: Herzlich willkommen in unserer Sendung, mit wem spreche ich?

Hallo, ich bin Benny.

Hallo, Benny. Hast du schon mal einen Lieferservice ausprobiert?

Ja, letzte Woche. Das war eine Katastrophe, das mache ich nie wieder!

Oh, warum?

Also, ich habe mir so eine Kochbox bestellt. Im Flyer haben sie gesagt, dass sie frische Zutaten für drei Gerichte liefern, aber das mit der Lieferung hat überhaupt nicht funktioniert.

Was ist denn genau passiert?

Die Lieferung war nicht pünktlich, bei mir war dann niemand zu Hause und der Lieferservice hat die Box einfach vor die Tür gestellt. Als ich nach Hause gekommen bin, war der Salat nicht mehr frisch, den musste ich wegwerfen. Und das Brot war ziemlich hart. Als ich dann kochen wollte, waren nicht alle Zutaten in der Box.

Es haben Sachen gefehlt?

Ja, Öl, Mehl und Zucker. Ich habe dann aber trotzdem alles gekocht. Na ja, es war zu wenig und das Fleisch war sehr fett. Ich mache das nie wieder.

Oh je, das ist nicht schön, trotzdem vielen Dank und noch einen schönen Nachmittag. Und jetzt spielen wir den aktuellen Hit von …

5 b

(Hörcollage)

Den Backofen auf 200 Grad vorheizen, die Pizza auf ein Backblech legen und 12 Minuten im Ofen backen. …
Ah, das sieht lecker aus! Ich habe richtig Hunger! …
Ah, um 20:45 gibt es Fußball, Champions-League, das wird ein prima Fernsehabend. …
Jetzt brauche ich noch etwas Süßes. Hier ist ja noch ganz viel Schokoladeneis!

4 Wir und unsere Umwelt

2 a + b

Max, vielen Dank, dass du uns den Prinzessinnengarten gezeigt hast. Ein tolles Gemeinschaftsprojekt, das die Großstadt etwas grüner macht und vor allem vielen Menschen die Freude an der Gartenarbeit schenkt.

Der Prinzessinnengarten ist echt toll! Ich würde gern zu dem Garten fahren. Wollen wir das am Samstag machen?

Ja, warum nicht. Ich hätte hier bei uns auch gern einen Gemeinschaftsgarten. Aber das gibt es hier nicht.

Hmm, wollen wir dann vielleicht einen Gemeinschaftsgarten gründen?

Das ist bestimmt viel Arbeit. Na ja, aber die Fläche hinter unserem Haus – dort liegt nur Müll und niemand benutzt sie … vielleicht …

Ja! Jannis und die Eltern von Carla würden uns bestimmt gern helfen, dort aufzuräumen. Sie würden bestimmt lieber eigenes, gesundes Gemüse essen als das aus dem Supermarkt.

Meinst du?

Ja, das wäre wirklich toll! Also: Ich hätte gern Kisten wie im Prinzessinnengarten und …

Kisten? Die finde ich chaotisch. Ich hätte lieber zwei oder drei richtige Beete.

Die Kisten sind doch sehr praktisch, man kann sie transportieren oder umstellen, wenn man möchte.

Hmm, stimmt. Also Kisten mit Gemüse, vielleicht ein paar Blumen … und natürlich Bienenstöcke.

Bienenstöcke? Bienen – hier hinter dem Haus? Meinst du das ernst?

Ja, klar. Bienen sind wichtig für die Umwelt. Ich wäre sehr gern Imker.

Aber du verstehst nichts von Bienen. Du hast nie Bienen gehalten.

Na und? Wir können zusammen einen Kurs machen – im Prinzessinnengarten.

Also, ich lieber nicht. Ein paar Bienen im Garten sind okay, aber Tausende von Bienen? Ohne mich! Dann musst du dich alleine um sie kümmern.

Ach, was. Bienen sind nicht gefährlich und der Imker-Hut steht dir bestimmt sehr gut!

Ja, ganz bestimmt!

4 a + b + c

So, ich habe ein Taxi gerufen, es kommt in zehn Minuten. Hast du die Rechnung schon bezahlt?

Ja, habe ich. Ach schade, die Winterferien sind schon wieder zu Ende und Zürich wartet!

Tja, so ist es im Leben. Wir haben aber – zum „Glück" – noch ein paar Stunden im Zug, wir können jetzt schön acht Stunden lesen … Wenn wir fliegen würden, dann wären wir in drei Stunden zu Hause.

⌣ Ach, beim Fliegen gibt es immer viel Stress und für die Umwelt ist es auch nicht so gut. So können wir uns entspannen und ...

⌣ Oh, Anna und Fabian, fahren Sie schon los?

⌢ Hallo, Frau Hackl! Ja, wir müssen leider.

⌣ Schade, dass es heuer so wenig Schnee gibt. Früher hatten wir im Dezember immer so viel Schnee, aber das Klima ändert sich. Für die Landschaft und die Umwelt ist es nicht gut. Wenn Sie später kommen würden – im Jänner zum Beispiel –, dann würde es bestimmt Schnee geben.

⌣ Wenn wir am Stubaier Gletscher wären, hätten wir auch im Dezember genug Schnee zum Skifahren.

⌢ Ach, du mit deinem Gletscher. Ich habe gelesen, dass auch die Gletscher Eis verlieren, weil dort oben die Temperaturen über Null steigen.

⌣ Ja, das stimmt. Aber dort oben gibt es zum Glück noch genug Schnee und Eis und das reicht für viele, viele Jahre noch.

⌣ Sie glauben also, dass es wenig Schnee gibt, weil das Klima sich ändert?

⌣ Ja, natürlich. Das ist für uns nicht gut. Wir leben vom Tourismus. Aber was will man da machen?

⌢ Ist das wärmere Klima für den Sommertourismus nicht besser?

⌣ Ja, aber wenn es im Sommer zu heiß ist – wie heuer zum Beispiel, da hat es im Juli eine Hitze gegeben, das war schlimm – also, wenn es zu heiß ist und es dann viele Gewitter gibt, kann man auch nicht gut wandern. Da schimpfen die Touristen auch. Und wenn Touristen nur im Sommer kommen würden, hätten wir nicht genug Geld. Wir brauchen im Winter den Schnee und die Wintertouristen.

⌣ Ah, das Taxi kommt. Anna, wir müssen los.

⌢ Ja, ja ... Wir kommen bestimmt wieder, Frau Hackl.

⌣ Da freue ich mich! Servus, und gute Fahrt!

⌣ Danke. Tschüs!

Panorama II: Foodtrucks

1b

Hallo, liebe Hörerinnen und Hörer, wir berichten heute vom Spielbudenplatz in Hamburg. Hier bieten jeden Donnerstagabend die sogenannten Foodtrucks – also Lkws, in denen man kochen kann und die wie ein Imbiss funktionieren – verschiedene regionale, aber auch internationale Gerichte an. Hier trifft man sich mit Freunden, mit Kollegen nach Feierabend, zu zweit oder in einer Gruppe, genießt die Straßenküche und die Gespräche. Die Foodtruck-Szene wächst seit ein paar Jahren auch in Deutschland. Ich stehe gerade vor einem Truck ...

2 a + b

⌣ Ich stehe gerade vor einem Truck, der vegane Gerichte anbietet. „Elkes Vegantruck" steht darauf. Hallo, darf ich euch ein paar Fragen stellen?

⌢ Ja, klar. Jetzt ist noch nicht so viel los.

⌣ Wer ist denn hier der Chef oder die Chefin?

⌢ Das bin ich, die Elke.

⌣ Elke, kannst du uns erzählen, wie du zu dem Foodtruck gekommen bist?

⌢ Ach, ich habe zehn Jahre im Büro als Sekretärin gearbeitet und das fand ich dann zu langweilig. Ich koche sehr gern und habe vor einem Jahr eine Dokumentation über Foodtrucks im Fernsehen gesehen. Danach war mir klar: Das würde ich auch gerne machen. Und so habe ich mein Hobby zum Beruf gemacht.

⌣ Und war das schwierig?

⌢ Nun ja, ein bisschen Vorbereitungszeit braucht man schon. Zuerst habe ich den Truck gesucht, dann habe ich ihn umgebaut. Dann musste ich entscheiden, welche Gerichte ich anbieten möchte.

⌣ Du bist hier heute der einzige vegane Foodtruck?

⌢ Ja, obwohl es noch einen Foodtruck gibt, der vegetarische Suppen anbietet. Die Leute mögen veganes Essen. Ich habe viele Kunden, die vorher nie vegan gegessen haben. Wenn sie dann aber meine vegane Currywurst probiert haben, sind sie begeistert. Möchtest du probieren?

⌣ Sehr gern, sie sieht lecker aus und ... hmmm ... schmeckt ... richtig klasse. Auf dem Truck steht auch: alles bio.

⌢ Ja, wir verwenden nur Bio-Zutaten, obwohl es natürlich etwas teurer ist. Ich arbeite mit einem Bio-Bauern zusammen und kaufe bei ihm alles ein.

⌣ Hast du Mitarbeiter?

⌢ Ja, wir sind zu dritt: meine Freundin Susi, Vincent und ich. Vincent hat früher in einem Restaurant als Koch gearbeitet, das hat uns sehr geholfen. Und Susi hat bei einer Marketingagentur gearbeitet.

⌣ Bist du eigentlich jeden Donnerstag hier?

⌢ Fast immer. Wir fahren immer zu denselben Plätzen und stehen in der Woche jeden Mittag zwischen zwölf und halb drei an einem anderen Platz. Aber man kann uns auch für private Feiern oder Firmen-Events buchen, dann kommen wir mit unserem Foodtruck zu den Leuten nach Hause oder in die Firma.

⌣ Danke für das Gespräch, Elke, das war sehr interessant. Ich wünsche dir noch viel Erfolg und schau mich einfach noch ein bisschen um.

5 Arbeitsfreude, Arbeitsstress

1a

(Hörcollage)

1. Und hier 3,20 Euro zurück.
2. Rutkowski ... Ja, ich komme gleich.
3. – –
4. Guten Tag, Verkehrskontrolle, ihre Papiere bitte.

4b + c

- Grafikstudio, Stefan Bode. Guten Morgen.
- Guten Morgen, Herr Bode. Hier ist Ina Roth, Agentur Löwe.
- Ah, Frau Roth, guten Morgen. Was kann ich für Sie tun?
- Es geht um den Prospekt für den Getränkemarkt. Wie sieht es aus?
- Ja, ich bin fast fertig. Der Termin war am Freitag, wenn ich mich richtig erinnere. Stimmt's?
- Ja, das stimmt, aber der Kunde hat heute angerufen: Er braucht den Prospekt unbedingt schon morgen. Könnten Sie deshalb vielleicht ...
- Schon morgen? Aber ...
- Ja. Ich hoffe, wir können uns auf Sie verlassen?
- Äh, ja, ja, aber natürlich, Frau Roth.
- Prima. Sie müssten dann die Datei morgen bis 15 Uhr abgeben.
- Bis 15 Uhr. Alles klar.
- Sehr gut. Bis morgen dann. Auf Wiederhören.
- Auf Wiederhören, Frau Roth ... Bis morgen ... Das schaffe ich nie ... Oh nein, die Fotos! Ich brauche noch die Fotos! Wo ist die Nummer von dem Fotografen? Hier ...
- Schneider.
- Hallo, Herr Schneider? Hier ist Stefan Bode.
- Hallo, Herr Bode. Wie geht's?
- Hmm, es geht ... Herr Schneider, ich habe ein Problem: Der Getränkemarkt-Prospekt ist auf einmal sehr dringend. Sie müssten mir die Fotos noch heute schicken ...
- Na ja, dann muss ich das irgendwie schaffen, was? Ich habe schon alles vorbereitet. Und, dürfte ich Sie anrufen, wenn ich noch Fragen habe?
- Ja, aber natürlich! Und ganz herzlichen Dank, Herr Schneider.
- Hallo, Papa! Na, wie läuft der Tag?
- Schlecht! Ich bin sehr gestresst.
- Ach, ja? Zu viel Stress ist schlecht für die Gesundheit ... Du, Papa?
- Ja?
- Könntest du mir mit den Hausaufgaben helfen? Diese Matheaufgabe ist sehr schwierig und ich verstehe es einfach nicht.
- Jetzt?!? Das geht nicht. Ich habe so viel zu tun ...
- Du solltest auch mal an deine Tochter denken und nicht nur immer an die Arbeit!
- Oh nein, das Wasser! Meine Hose!
- Und du solltest dir eine neue Hose anziehen!
- Ach, Julia. Es tut mir leid, aber ich muss jetzt wirklich arbeiten. Wenn ich den Prospekt nicht morgen abgeben müsste, dann könnte ich dir helfen. Wie spät ist es? Könntest du bitte kurz die Tür zumachen?
- Gestern hast du versprochen, dass du mir hilfst.
- Stimmt, ich habe es versprochen, aber ...
- Nichts aber! Du bist unmöglich! Ich gehe zu Carla!

- Hi, Stefan! Na, bist du fertig?
- Hallo, Jannis. Es tut mir leid, aber ich ...
- Komm, wir müssen los. Und könntest du bitte den Ball mitnehmen?
- Ball? Ach ja, den Ball. Ja, ich könnte den Ball mitnehmen, wenn ich nur nicht so viel zu tun hätte ...
- Oh, Stefan! Sag nicht, dass du wieder keine Zeit hast! Cem und Clemens warten auf dem Fußballplatz!
- Ja, ich weiß, nur ... ich ...

6 Hilfe: im Krankenhaus und im Alltag

1b + d

- Guten Tag. Sie sind die neue Krankenpflegerin, Frau Krüger? Ich bin Alma Koslowska. Die Pflegeleiterin.
- Guten Tag, ja, ich bin Marianne Krüger.
- Na dann zuerst herzlich willkommen! Ich zeige Ihnen jetzt die Klinik, sie ist ziemlich groß. Kommen Sie mit. Hier im Erdgeschoss ist die Aufnahme. Hier müssen alle zuerst das Anmeldeformular ausfüllen. Aber das kennen Sie bestimmt.
- Ja, das ist nicht so spannend.
- Und gegenüber von der Aufnahme, hier links, ist die Notaufnahme. Hier ist es immer voll, besonders am Wochenende. Aber nicht alle Patienten sind wirklich ein Notfall. Na ja, wir dürfen niemanden wegschicken und so müssen die Leute manchmal lange warten.
- Ja, das kenne ich.
- So, hier geht's zu den Aufzügen. Wir fahren jetzt in den ersten Stock. Dort zeige ich Ihnen die Entbindungsstation.
- Ach, schön. Ich werde bald Tante – meine Schwester ist schwanger und in drei Monaten bekommt sie das Baby.
- Vielleicht kommt sie dann ja zu uns? So, hier sind wir: Rechts ist die Entbindungsstation. Jeden Tag werden hier vier bis sechs Kinder geboren.
- Ach, es ist so toll, in der Entbindungsstation zu arbeiten. Man erlebt hier viel Schönes.
- Das stimmt, aber ab und zu gibt es auch sehr traurige Momente. Und hier links haben wir die Innere Medizin.
- Wird hier viel operiert?
- Ja, jeden Tag finden 15 bis 20 OPs statt. Wir haben fünf Operationssäle. Sie sind im zweiten Stock – genau wie das Labor. Da fahren wir jetzt hin. Im Labor werden Blutproben aus der ganzen Klinik untersucht. So, da sind wir.
- Das ist aber ein großes und modernes Labor – toll!
- Ja, das stimmt. Jetzt fahren wir in den dritten Stock zu „Ihrer" Station.

○ Die Orthopädie?

♡ Genau. Haben Sie schon Erfahrung mit gebrochenen Armen und Beinen?

○ Oh ja, in meiner Ausbildung habe ich auch in der Orthopädie gearbeitet und ich fand das sehr interessant.

♡ Na, dann kennen Sie das. Die Station ist nicht so groß: Hier werden Verbände angelegt und hinten gibt es die Patientenzimmer. Das Schwesternzimmer finden Sie ganz hinten auf der linken Seite. Hier rechts ist auch noch die Kinderstation.

○ Ah, sagen Sie mal, arbeiten Sie auch mit den Clowndoctors zusammen? Ich finde es toll, dass die Kinder mit den Clowns ein bisschen Spaß haben, obwohl sie krank sind.

♡ Ja, das stimmt. Die Clowndoctors besuchen hier regelmäßig die kranken Kinder. So, jetzt haben wir alle Stationen gesehen und wir haben noch ein bisschen Zeit. Herr Weinert möchte mit Ihnen auch noch sprechen, er operiert aber bis zehn Uhr. Wir können noch schnell in der Cafeteria einen Kaffee trinken. Dann bringe ich Sie zurück auf Ihre Station und stelle Sie Ihren Kollegen vor. Kommen Sie, wir fahren in den vierten Stock ...

4 c + d

♡ Ach, guten Abend, Herr Bode.

○ Guten Abend, Frau Mertens. Ich wollte Ihre Steckdose reparieren.

♡ Wie schön!

○ Wo ist sie denn?

♡ Im Wohnzimmer. Kommen Sie bitte mit ... Hier, das ist sie. Möchten Sie etwas trinken?

○ Nein, danke. Wie geht es Ihnen denn heute?

♡ Ach, ganz gut eigentlich, aber ich bin ein bisschen nervös. Wissen Sie, ich muss ins Krankenhaus ...

○ Oje – warum denn?

♡ Ich muss mich am Knie operieren lassen. Die Tabletten helfen einfach nicht mehr.

○ Ach, Sie Arme! Wann ist denn die Operation?

♡ In drei Tagen, also am Dienstag nächste Woche, aber ich werde schon am Montag aufgenommen.

○ Ja, das kenne ich. Ich hatte vor zwei Jahren eine Operation nach einem Unfall. Es war nicht so schlimm, aber nach der OP habe ich mich im Krankenhaus gelangweilt. Seien Sie froh, dass Sie sich vorbereiten können ...

♡ Ja, ich packe gleich meine Tasche: Das Nachthemd, die Zahnbürste und so weiter habe ich schon. Was meinen Sie, soll ich noch etwas anderes mitnehmen?

○ Ja, auf jeden Fall. Sie lesen doch gern – nehmen Sie ein paar Bücher mit. Es gibt meistens einen Fernseher im Zimmer, aber man möchte nicht nur fernsehen. Und nehmen Sie auch etwas Geld mit, dann können Sie sich am Kiosk Süßigkeiten kaufen – ich war immer hungrig.

♡ Ja, das mache ich.

○ Wenn Sie ein Telefon im Zimmer haben, notieren Sie gleich am ersten Tag die Nummer und geben Sie sie allen. Denn das Handy darf man oft nicht benutzen. Wissen Sie schon, wie lange Sie im Krankenhaus bleiben müssen?

♡ Ungefähr eine Woche. Aber danach kann ich erst einmal nicht richtig laufen ...

○ Haben Sie eine Hilfe?

♡ Ja, meine Tochter. Sie arbeitet, aber vielleicht kann sie für ein paar Tage kommen.

○ Das ist gut. Und wenn Sie möchten, kümmern Julia und ich uns um ihre Blumen und die Post.

♡ Oh, das wäre wirklich sehr nett, vielen Dank. Ich gebe Ihnen gleich die Schlüssel.

○ So, und die Steckdose ist auch fertig ...

5 b

♡ Mertens. ... Ach, hallo, meine Liebe. Ja, ich bin wieder zu Hause – seit zwei Stunden schon. .... Nein, nein, alles ist gut. Ich wollte gerade Tee kochen. ... Äh, was?! Ach, nein, nein – außerdem ist Julia gerade hier und hilft mir. ... Einkaufen?

○ So, hier ist der Einkauf. Heute war im Supermarkt wirklich viel los. Aber ich habe alles bekommen.

♡ Nein, nein. Das ist nicht nötig. Ich habe alles. Ich muss nichts machen, Julia und Herr Bode helfen mir.

♡ Frau Mertens?

♡ Tina, warte mal. Ja?

♡ Frau Mertens, ich könnte auch noch staubsaugen, in Ordnung?

♡ Ach, Julia, das wäre sehr lieb. Aber du musst es nicht machen. Ich sitze hier wie eine Königin.

♡ Ach, ich mache es gern. Lassen Sie sich doch helfen.

♡ Okay. Das ist wirklich sehr nett von dir. Tina, da bin ich wieder. Du, ich muss morgen zu meinem Hausarzt. Kannst du mich bringen? ... Der Termin ist um 9:30 Uhr. ... Um 9 Uhr? Gut, dann bis morgen. Nein, mach dir keine Sorgen.

○ So, jetzt räume ich schnell die Lebensmittel auf und dann koche ich Ihnen eine schöne Suppe. Die können Sie heute Mittag und auch noch heute Abend essen.

♡ Nein, nein, die Lebensmittel können Sie aufräumen, aber die Suppe koche ich: Beim Gemüseschneiden kann ich auch sitzen. Können Sie mir bitte ein Messer geben?

♡ ... und ich spüle danach das Geschirr. Aber jetzt erzählen Sie mir von Ihrer Operation ...

Panorama III: Das Technische Hilfswerk

2 a + b + c

1. Mein Name ist Helga Bauer. Ich arbeite als IT-Spezialistin und beim THW gehöre ich zu einer Gruppe, die sich um sauberes Wasser kümmert. Die meisten Menschen beim THW arbeiten ehrenamtlich – neben dem „normalen" Beruf. Viele Menschen auf der Welt haben kein sauberes Wasser – weil es bei ihnen lange nicht geregnet hat oder weil eine Naturkatastrophe passiert ist. Das THW hat moderne Wasseranlagen, die das schmutzige Wasser reinigen können. Unsere Gruppe ist viel unterwegs, wir reisen viel. Aber es sind keine Urlaubsreisen, bei denen man sich erholen kann! Schon die Vorbereitung ist nicht einfach: Wir müssen die Anlagen prüfen, Ersatzteile mitnehmen genauso wie verschiedene chemische Stoffe. Wenn wir dann angekommen sind, fangen wir sofort mit der Arbeit an: Wir bereiten die Wasseranlagen vor und sorgen dann für sauberes Wasser. Oft ist die Situation dort sehr schwierig und traurig. Aber wir können den Menschen ein bisschen helfen, das ist ein schönes Gefühl.

2. Ich bin Philipp da Silva. Ich arbeite beim THW seit fünf Jahren. Ich wollte mich ehrenamtlich engagieren und so bin ich zum THW gekommen. Neunundneunzig Prozent der Leute beim THW arbeiten ehrenamtlich, das finde ich super. Ich bin Ingenieur von Beruf und kann meine Berufskenntnisse sehr gut beim Brücken- und Straßenbau nutzen. Ich sehe mir zuerst die Situation an und dann überlege ich, wie wir eine Brücke am besten bauen können, und dann mache ich einen Plan. Wir können sehr schnell Brücken aus Holz oder aus Metall bauen, die bis 50 Meter lang sind. Weil wir auch große Lkws haben, können wir auch helfen, schwere Sachen und Baumaterial zu transportieren. Die Zusammenarbeit beim THW ist toll. Ich habe dort viele neue Freunde kennengelernt, die helfen wollen und können. Auch, wenn es manchmal sehr anstrengend ist.

7 Gut informiert

2 c

Es war Donnerstag,
ich las in der Zeitung
eine Nachricht, einen Text:
Ein Mann in Hildesheim
hatte sehr viel Geld dabei,
doch er hatte nicht viel Zeit.
Kurz vor der Autofahrt
legte er einen Briefumschlag,
mit viel Geld auf sein Autodach.
Erst als er nach Hause kam,
wurde ihm auf einmal klar,
dass das Geld längst weg war.

Jeden Tag lese ich die Kurznachrichten
oder höre Nachrichten im Radio.
Jeden Tag lese ich die Zeitung
oder sehe Nachrichten online als Video.

Es war Freitag,
ich fand in der Zeitung
eine Nachricht, einen Text:
Am Flughafen in Berlin
wollte eine Journalistin
zu ihrem Flugzeug nach Benin.
Doch als sie im Aufzug stand,
hielt der Aufzug plötzlich an
und sie kam nicht mehr voran.
Es dauerte den ganzen Tag
und als sie aus dem Aufzug kam,
war das Flugzeug nicht mehr da.

Jeden Tag lese ich … *(s. o.)*

3 b + c

🗨 Ach, hallo, Jannis!

🗨 Grüß dich, Stefan!

🗨 Na, wie geht's?

🗨 Prima, schau mal, was ich hier habe.

🗨 Oh, der Hut ist super! Toll, du hast schon für das Public Viewing eingekauft. Klasse, ich freue mich schon. Wann wollen wir uns denn treffen?

🗨 Na, das Spiel beginnt um neun Uhr. Vielleicht halb sieben? Dann bekommen wir noch einen guten Platz und die Stimmung da ist immer toll.

🗨 Ja, das klingt gut. So machen wir das.

🗨 Ah, hallo, Herr Bode, hallo, Herr Passadakis!

🗨 Guten Tag, Frau Mertens!

🗨 Hallo, Frau Mertens! Schön, dass es Ihnen wieder besser geht.

🗨 Gut, Jannis, dann sehen wir uns am Dienstag um halb sieben.

🗨 Herr Passadakis, haben Sie nicht Lust, mit Herrn Bode und mir eine Tasse Kaffee zu trinken?

🗨 Oh, na ja, warum nicht?

🗨 Na, dann kommen Sie herein. … Und Sie wollen am Dienstag zum Public Viewing. Wohin gehen Sie denn?

🗨 Wir gehen zur Fanmeile. Seitdem ich bei der Weltmeisterschaft 2006 das erste Mal dort war, gehe ich immer zum Brandenburger Tor. Die Stimmung ist super.

🗨 Ich finde es auch klasse, Fußball zusammen mit den vielen Leuten zu sehen. Bevor es Public Viewing gab, habe ich Fußball immer zu Hause mit ein paar Freunden im Fernsehen gesehen, aber jetzt gehe ich immer in eine Kneipe oder zur Fanmeile.

🗨 Also für mich sind auf der Fanmeile zu viele Leute und es ist so laut – das habe ich im Fernsehen gesehen. Aber ich bin auch ein Fußballfan. Seit dem Finale 1954 habe ich alle Europa- und Weltmeisterschaften gesehen!

🗨 Ach, das ist spannend. 1954 war die Weltmeisterschaft doch in Bern. Erzählen Sie mal, wie war das?

Nehmen Sie sich doch zuerst Kaffee und Kuchen. Und wollen wir nicht „du" sagen? Wir kennen uns doch jetzt schon so lange.

Oh, sehr gern. Ich bin Stefan.

... und ich Jannis.

Und ich bin die Helga. ... Ich habe noch ein Foto von früher. Das hole ich schnell. ... Hier ist es. Ich weiß noch genau, wie es war, bevor wir einen eigenen Fernseher hatten. Wir haben alle zusammen vor dem Radio gesessen und die Fußballspiele im Radio gehört. Und dann kam Deutschland ins Finale – das war toll! Bei uns um die Ecke gab es ein Elektrogeschäft und ich bin mit meinem Vater hingegangen und wir haben uns zusammen das Spiel im Schaufenster angesehen. Vor dem Schaufenster standen viele Leute und haben gemeinsam Fußball gesehen, das war auch so eine Art Public Viewing.

Bei uns in Griechenland haben sich die Menschen immer in einer Kneipe zum Fernsehen getroffen, weil nicht jeder einen Fernseher hatte. Aber heute braucht man keinen Fernseher mehr. Seitdem es Internet gibt, kann man überall Fußball sehen. Haben Sie – äh, hast du vielleicht doch Lust, am Dienstag mitzukommen?

Oh nein, nein, das ist wirklich nichts für mich. Seit ich ein bisschen älter bin, mag ich es gern etwas ruhiger. Ich bleibe lieber zu Hause und koche das Abendessen, bevor das Spiel anfängt. Und dann sehe ich mir das Spiel auf dem Sofa an. Das ist auch besser für mein Bein. Mögt ihr vielleicht noch einen Kaffee oder ein Stück Kuchen?

8 Geschichte und Politik

2b + c + e

Meine Damen und Herren, herzlich willkommen im Museum für deutsche Geschichte. Bei unserer Führung „Deutsch-deutsche Geschichte" sehen wir uns einige Gegenstände aus den Jahren 1949 bis 1989 an. Sie erzählen die Geschichte von zwei deutschen Staaten. Ja, es gab vierzig Jahre lang zwei deutsche Staaten. Nach dem Zweiten Weltkrieg – also im Jahr 1945 – wird Deutschland in vier Teile geteilt: in den amerikanischen, französischen, englischen und sowjetischen Teil – wie Sie es hier auf der Karte sehen können. Der amerikanische, französische und englische Teil haben dann zusammen eine Zone gebildet, der sowjetische Teil eine zweite Zone. Und im Jahr 1949 werden aus diesen zwei Zonen zwei deutsche Staaten gegründet: im Osten die Deutsche Demokratische Republik – kurz: die DDR – und im Westen die Bundesrepublik Deutschland – kurz: die BRD.

Politisch unterscheiden sich die beiden Staaten: In der BRD gibt es eine Demokratie, in der DDR eine kommunistische Diktatur. Gegen diese Diktatur demonstrieren am 17. Juni 1953 hunderttausende Menschen. Der Fotograf Richard Perlia macht Bilder von den Demonstrationen in der DDR und bringt sie heimlich in die BRD. Dort werden die Fotos im Fernsehen und in den Zeitungen gezeigt. Die Kamera, mit der er diese Fotos gemacht hat, haben wir gerade ans Deutsche Museum ausgeliehen, deshalb können Sie sie heute leider nicht sehen.

In der BRD wächst die Wirtschaft in den 1950er und 1960er Jahren schnell. Den Menschen in der BRD geht es immer besser. Man spricht von einem Wirtschaftswunder. Das Foto mit dem Moped, das Sie ganz links sehen, ist ein Symbol für dieses Wirtschaftswunder. Weil die Wirtschaft so schnell wächst, lädt die Regierung Arbeiter aus anderen Ländern ein. In den 1960er Jahren kommen die ersten sogenannten „Gastarbeiter", heute sagt man „Migranten". Dieses Moped ist das Geschenk, das der millionste Gastarbeiter bekommen hat. Das war Armando Rodrigues de Sá aus Portugal.

Das Auto rechts heißt Trabant, kurz: Trabi. Das Auto wird ab 1958 in der DDR gebaut. Damals war es modern, aber die Produktion war sehr langsam. Die Menschen in der DDR mussten manchmal 15 Jahre lang auf einen neuen Trabi warten. Heute ist der Trabi sehr beliebt und man kann in einem Trabi eine Stadtrundfahrt durch Berlin machen.

Weil immer mehr Menschen die DDR verlassen wollen und in der BRD leben möchten, beginnt die Regierung der DDR am 13. August 1961, in Berlin eine Mauer zu bauen. Ganz rechts sehen Sie einen Teil der Berliner Mauer. Sie hat fast dreißig Jahre lang Berlin geteilt. In dieser Zeit durften die DDR-Bürger nicht mehr in den Westen reisen.

Dieses Autokennzeichen hier erinnert an den Wunsch der Deutschen, dass es wieder nur einen deutschen Staat gibt. Die Menschen in der DDR demonstrieren im Jahr 1989 sehr oft und am 9. November 1989 öffnet die DDR-Regierung die Grenzen. Die Menschen feiern auf den Straßen und auf der Mauer in Berlin. Und seit dem 3. Oktober 1990 sind DDR und BRD wieder ein Staat – es gibt nur noch einen gemeinsamen demokratischen Staat. Der 3. Oktober ist seitdem ein Feiertag. Hier endet unsere Führung. Ich bedanke mich herzlich, dass Sie dabei waren. Wenn Sie noch Fragen haben, ...

4a + b + c

Ja?

Das Essen ist gleich fertig.

Oh, gut.

Was ist los? Machst du Hausaufgaben?

Ja, Geschichte! Es geht um die Wiedervereinigung.

Das ist doch total spannend. Die Montagsdemonstrationen ... Wir wollten etwas verändern und sind jede Woche dafür auf die Straße gegangen. Wir haben gekämpft, ganz friedlich. Das war unglaublich.

Das hast du mir schon so oft erzählt ...

👍 Ja, klar, aber es war eine spannende Zeit und ich war auch dabei! Wir haben uns in Leipzig getroffen und demonstriert – trotz der Polizei und trotz der Stasi. Bei der ersten Demo am 4. September 1989 waren wir ungefähr 1000 Leute. Und trotz der Polizeiaktionen sind jede Woche mehr Menschen gekommen. Ende Oktober waren wir schon 300.000. Das war Wahnsinn!

💬 Hattet ihr eigentlich keine Angst?

👍 Doch, das hatten wir, aber ...

💬 Und hattest du wirklich auch so ein Schild „Wir sind das Volk!"?

👍 Ja, sicher. Weißt du, wir haben plötzlich gemerkt, dass wir etwas verändern können. Darum haben wir trotz unserer Angst vor dem Staat demonstriert.

💬 Habt ihr vor allem wegen der Mauer demonstriert?

👍 Ja, wir wollten frei sein und reisen und die Welt sehen. Und natürlich haben wir auch für Meinungs- und Pressefreiheit demonstriert. Wir wollten endlich sagen, was wir denken und wollen. Und das finde ich immer noch wichtig. Und ich meine, es ist doch toll: Wegen unserer Demonstrationen ist viel passiert. Der Fall der Mauer, die Wiedervereinigung – das haben wir gemacht.

💬 Wie war das für dich, als die Grenzen endlich offen waren?

👍 Es war fantastisch. Als am 9. November die Nachricht kam, dass die Regierung die Grenzen aufmacht, haben wir auf der Straße getanzt. Wir waren stolz auf uns. Ich glaube, ich habe die ganze Nacht gefeiert.

💬 Warst du da auch am Brandenburger Tor?

👍 Nein, ich war in Leipzig. ... Was denkst du?

💬 Ihr hattet damals total wichtige Ziele. Ich weiß heute eigentlich nicht, warum ich demonstrieren soll. Ich fühle mich frei. Ich kann sagen, was ich will. Wir, also die Frauen, haben die gleichen Rechte wie die Männer. Und die Politik unserer Regierung finde ich auch ganz okay. Trotz aller Kritik. Die Themen, die mir wichtig sind, wie Klimaschutz oder unsere Ausbildung, haben die großen Parteien auch. Ja, okay, es geht vielleicht ein bisschen langsam, aber eigentlich ist alles in Ordnung.

👍 Na ja, das stimmt nicht ganz. Ich bin nicht sicher, ob es wirklich Chancengleichheit für Mann und Frau gibt. Aber das wäre doch wichtig.

💬 Ja, aber gehen wir wegen dieser Themen auf die Straße? ... Du, was riecht hier eigentlich so?

👍 Oh, Mist, das Essen!

Panorama IV: Treffpunkt Kiosk

1 d

Liebe Hörerinnen und Hörer, willkommen zur Sendung „Das Ruhrgebiet lebt" – heute mit dem Thema: „Die Trinkhalle". Können Sie sich noch erinnern, wie Sie sich als Kind am Kiosk eine kleine Tüte mit Süßigkeiten gekauft haben? Oder wie Sie als Student am Kiosk noch schnell einen Liter Milch oder eine Packung Zigaretten gekauft haben? Die Kioske, die manchmal auch Buden, Büdchen und Trinkhallen genannt werden, sind seit vielen Jahrzehnten ein ganz wichtiger Treffpunkt. Hier treffen sich Jung und Alt, Arm und Reich, Arbeiter und Student. Und alle kommen gern. In Deutschland gibt es ungefähr 40.000 Kioske. Und einer von drei Kiosken steht im Ruhrgebiet. In den letzten Jahren kommen aber immer weniger Kunden, weil die Supermärkte immer längere Öffnungszeiten haben und den Kiosken starke Konkurrenz machen. Ende der 1990er Jahre gab es im Ruhrgebiet noch 18.000 Kioske, heute sind es nur noch ca. 12 bis 15.000.

2 a + b

💬 „Marlenes Büdchen" steht in Wanne-Eickel und die Besitzerin, Marlene Lehmann, steht hier schon 35 Jahre hinter dem Fenster. Die 64-Jährige hat die Bude lange Zeit zusammen mit ihrem Mann geführt. Seit ihr Mann vor einigen Jahren gestorben ist, macht sie alles allein.

👍 Das ist mehr als ein Vollzeitjob. Ich habe von 8 bis 8, also 20 Uhr geöffnet. Und dann muss ich natürlich auch noch jeden Morgen die Ware einkaufen und so weiter. Ich stehe oft um 5 Uhr auf. Aber, was soll ich sagen: Mir macht es Spaß. Die Bude ist einfach mein Leben.

💬 Marlene Lehmann kennt ihre Kunden – und die Kunden mögen sie. Die meisten kommen seit vielen, vielen Jahren.

👍 Viele kenne ich noch als Kinder. Damals haben sie Bonbons oder Kaugummis gekauft und heute sind es Zigaretten oder Zeitschriften.

💬 An der Bude wird viel gesprochen und erzählt. Und so kennt Marlene Lehmann viele persönliche Geschichten.

👍 Ist ja klar. Man redet hier – wenn es gute Neuigkeiten gibt oder auch Probleme: wie Paare zusammenkommen und sich wieder trennen, wie Kinder geboren werden, wenn die Katze stirbt – alles. Das ist kein anonymer Supermarkt.

💬 Thomas Schultz kommt fast jeden Tag vorbei. Der 38-Jährige arbeitet als Designer in einer Werbefirma.

💬 Ich kaufe hier morgens meine Zeitung – und manchmal brauche ich einfach einen Kaffee von Marlene.

👍 Und manchmal willst du abends nicht in die leere Wohnung gehen, dann trinkst du hier noch ein Bier bei mir. Dann wird es auch schon mal später als acht.

💬 Ja, und toll ist auch, dass sich hier bei Marlene viele Nachbarn treffen. Hier habe ich schon Leute aus meinem Haus kennengelernt, die ich dort noch nie gesehen habe. Marlene kann ich auch meinen Schlüssel geben, wenn Handwerker in meine Wohnung müssen und ich arbeiten muss.

👍 Oder die Post gibt bei mir Pakete für dich ab.

▢ Ja, du bist eben ein Schatz!

▢ Auch Jasmin Schröder und ihr Hund Charly kommen regelmäßig zu Marlenes Bude. Für die 52-jährige Friseurin gehört Marlene seit vielen Jahren zu ihrem Alltag.

▢ Wenn ich mit dem Hund rausgehe, dann gehe ich auch immer bei Marlene vorbei. Dann bekommt Charly Wasser und ich trinke eine Cola, rauche eine Zigarette und erzähle das Neuste vom Tag. Ich glaube, Marlene weiß mehr über mich als mein Mann. Ich bin einfach froh, dass Marlene da ist. Nicht nur, wenn ich mal keine Zahnpasta mehr habe.

▢ Ja, wenn Jasmin nicht kommt, dann ist sie krank oder im Urlaub.

▢ Marlene Lehmann war selbst schon seit vielen Jahren nicht mehr im Urlaub. Sie steht jeden Tag hier und verkauft: Zeitungen, Zeitschriften, Süßigkeiten, Getränke, Zigaretten, Haushaltswaren und Kosmetikartikel – alles, was in den Regalen ihrer kleinen Bude Platz hat.

▢ Na ja, seit der Supermarkt hier um die Ecke bis 22 Uhr geöffnet hat, verkaufe ich viel weniger als früher. Eine Familie könnte ich mit meiner Bude nicht ernähren. Aber ich weiß genau: meine Kunden kommen wegen mir – und das ist ein sehr schönes Gefühl.

9 Über Grenzen hinweg

1 b + c + d

▢ Julia, was war denn los?

▢ Ich ... habe mich mit Papa gestritten. ... Ich möchte nach der Schule ein Jahr im Europäischen Freiwilligendienst arbeiten. Aber Papa will, dass ich sofort mit dem Studium anfange oder eine Ausbildung mache. Aber ich will noch nicht zur Uni und ich will auch noch keine Lehre machen. Ich möchte zuerst etwas erleben und etwas Sinnvolles tun.

▢ Europäischer Freiwilligendienst – das klingt doch toll.

▢ Ja, das finde ich auch. Ich wäre dann ein Jahr im Ausland. Ich kann dort die Sprache lernen und in coolen Projekten mitarbeiten. Eine Freundin von mir arbeitet mit kleinen Kindern in Litauen – zum Beispiel. Aber Papa findet, dass das Zeitverschwendung ist. Er sagt: „Du kannst auch in den Ferien einen Sprachkurs machen." Nur weil er während seiner Ausbildung Englisch gelernt hat.

▢ Hm, das ist aber etwas anderes. Und du hast doch Zeit. Du bist noch jung.

▢ Genau! Und ich weiß jetzt auch noch nicht, was ich später beruflich machen will.

▢ Dein Vater möchte wahrscheinlich, dass du in seiner Nähe bleibst. Das kann ich gut verstehen. Mein Sohn lebt auch schon lange im Ausland.

▢ Ach, das wusste ich gar nicht. Ich dachte, du hast nur eine Tochter.

▢ Ja, Martin ist nach dem Abitur nach Spanien gegangen. Und während des Studiums hat er seine Frau – sie kommt aus Italien – kennengelernt. Beide haben dort studiert und sind dort geblieben.

▢ Wow, richtig europäisch!

▢ Ja, es ist schön, dass Europa heute so offen ist.

▢ Ja, und es ist super, dass man sich aussuchen kann, wo man in der EU studieren will. Heute ist das viel einfacher als früher. Und jeder EU-Bürger kann im Prinzip in jedem anderen EU-Land arbeiten. Die Krankenversicherung gilt auch in anderen EU-Ländern. Als meine Eltern in den 60er Jahren nach Deutschland gekommen sind, war alles viel komplizierter. Es gab mehr Bürokratie.

▢ Na ja, Bürokratie gibt es immer noch viel. Und viele EU-Bürger sind nicht zufrieden damit, dass Brüssel viele Sachen für die Länder entscheidet.

▢ Ja, das stimmt. Nicht nur die Briten sehen die EU kritisch. Und viele haben auch Angst vor einer Finanzkrise. Aber, ehrlich gesagt: Ich sehe nur Vorteile.

▢ Also, für mich ist die Entwicklung der EU auch positiv. Das Reisen ist so bequem. Wir mussten früher immer Geld tauschen, wenn wir in den Urlaub gefahren sind. Und wir haben lange an der Grenze gestanden, weil es Kontrollen gab.

▢ Und heute sieht man manchmal nicht, wo die Grenzen zwischen den Ländern sind.

▢ Also, ich finde deine Pläne gut.

▢ Gab es während Ihrer Schulzeit auch solche Programme?

▢ Nein, leider nein. Ich hätte so etwas auch gern gemacht.

▢ Vielleicht kennt Stefan den Europäischen Freiwilligendienst auch nicht so richtig und denkt, dass er dafür bezahlen muss.

▢ Hm, das kann sein. Aber Papa muss nichts zahlen. Die Reisekosten, die Unterkunft und das Essen – das alles bezahlt die Organisation.

▢ Und, wenn ich richtig informiert bin, bist du während des Europäischen Freiwilligendienstes auch versichert.

▢ Ja!

▢ In welchem Land willst du denn arbeiten?

▢ Es gibt Projekte in allen EU-Staaten.

▢ Soll ich mal mit Stefan reden?

▢ Oh je. Das ist bestimmt Papa.

▢ Ich gehe. Aber pssst. ... Hallo Stefan. Das ist aber eine Überraschung!

▢ Helga, kann ich kurz mit dir reden? Julia und ich, wir haben uns gestritten. Und ich glaube, ich war nicht sehr klug.

10 Der neue Job

2 a + b + d

- Passadakis? Hallo? Oh, das ist ja gar nicht mein Handy ...
- Was ist denn los? Du bist schon die ganze Zeit nervös.
- Ja, Entschuldigung. Ich warte auf einen wichtigen Anruf.
- Was für ein Anruf?
- Hast du es getan?
- Was denn?
- Ja, ich habe mich auf die Stelle beworben. Du weißt doch, dass ich im Verlag nicht besonders glücklich bin und dass ich gern in meinem „alten" Beruf arbeiten würde. Tja, und als ich dann diese Stellenanzeige gelesen habe ...
- ... hast du dich beworben. Und jetzt hoffst du, dass sie dich zum Gespräch einladen?
- Das haben sie schon. Nachdem ich die Bewerbung an den Kindergarten geschickt hatte, habe ich eine Woche später eine Einladung zum Vorstellungsgespräch bekommen. Und das Gespräch war gestern Nachmittag.
- Und das erzählst du erst jetzt? Wie war es denn?
- Na ja, ich wollte nichts erzählen, weil mich das nur noch nervöser macht. Nachdem ich die Einladung bekommen hatte, habe ich mich auf das Gespräch vorbereitet. Danach hatte ich ein ganz gutes Gefühl. Aber man weiß ja nie. Es gab bestimmt viele Bewerber und vor allem Bewerberinnen! Jetzt warte ich auf den Anruf ... ein schreckliches Gefühl!
- Und? Was haben sie denn gesagt?
- Nachdem wir ungefähr 20 Minuten gesprochen hatten, haben wir uns sehr freundlich verabschiedet und die Leiterin hat gesagt, dass sie mich morgen – also heute – anruft.
- Das ist ja spannend. Was hat sie denn alles gefragt?
- Ach, du weißt doch: Nachdem ich die Ausbildung abgeschlossen hatte, bin ich in den Verlag gegangen und die Leiterin wollte dann natürlich wissen, warum ich nicht in meinem Beruf gearbeitet habe ...
- Hallo! Gut, dass du anrufst ...
- Hm, sie wollen bestimmt jemanden, der schon viel Erfahrung hat.
- Nein, ich glaube nicht, dass das ein Nachteil war. Sie fand das interessant. Und sie hat gemerkt, dass ich viel Lust auf etwas Neues habe, weil ...
- Und dass du Kinder liebst, das weiß auch jeder, der dich kennt.
- Ja, das habe ich auch gesagt. Und dass es ein Beruf ist, der mir viel Spaß machen würde, weil man immer wieder etwas Neues lernt und er nie langweilig ist. Sie hat mich dann aber auch ganz genau getestet. Sie wollte wissen, ob ich gut reagiere und Verantwortung übernehmen kann. Dazu hat sie eine Situation beschrieben und mich gefragt, was ich tun würde.
- Was denn für eine Situation?
- Eigentlich etwas ganz Typisches: Ich bin mit einer Gruppe von 11 Kindern auf dem Spielplatz. Zwei Kinder streiten sich und ich will mit ihnen reden, weil das eine Kind das andere geschlagen hat. In diesem Moment sehe ich, dass ein Kind beim Klettern ein Problem hat. Was mache ich zuerst?
- Und was hast du geantwortet?
- Ich nehme das eine Kind an die Hand und renne mit ihm zum Kind, das klettert. Das erste Kind muss bei mir stehen bleiben und ich helfe dem anderen Kind ... also zwei Sachen gleichzeitig ... Wie so oft in dem Beruf!
- Gut! Das hat der Chefin bestimmt gefallen!
- Ja, das glaube ich auch. Außerdem ...
- Jannis, dein Handy klingelt!
- Hallo? ... Guten Tag. ... Ja, am Apparat ... Ja ... Ja, selbstverständlich ... Nein, nein ... Ja, ja ... Ja, das ist wunderbar! ... Ja, ich kann am ersten September anfangen. Ich freue mich ... Natürlich, das bringe ich mit. Vielen Dank.

3 c + d

- Guten Tag, Sie sind Herr Passadakis? Setzen Sie sich doch. Möchten Sie etwas trinken?
- Guten Tag. Ja, danke. Vieleicht ein Glas Wasser.
- Also, ich bin Frau Krüger, ich leite den Kindergarten. Ich habe in Ihrem Lebenslauf gelesen, dass Sie viele Jahre in einem Verlag gearbeitet haben. Sie haben aber die Ausbildung zum Erzieher gemacht und dann studiert. Warum haben Sie denn nicht als Erzieher gearbeitet?
- Na ja, während ich studiert habe, habe ich im Verlag gejobbt, um ein bisschen Geld zu verdienen. Nachdem ich die Prüfung gemacht hatte, habe ich mich im Verlag bei der Redaktion für Grundschule beworben. Sie haben mir ein Volontariat angeboten und dann bin ich dort geblieben.
- Und warum wollen Sie jetzt als Erzieher arbeiten?
- Die Arbeit als Redakteur ist sehr interessant, man lernt viel ... aber alles theoretisch. Und ich wollte schon immer mit Kindern arbeiten. Deshalb habe ich nach dem Abitur auch das Praktikum in Italien gemacht. Während ich im Kindergarten gearbeitet habe, habe ich auch noch mein Italienisch verbessert. Gleich danach habe ich die Ausbildung zum Erzieher gemacht, weil mir die Arbeit mit den Kindern großen Spaß gemacht hat. Tja und jetzt – nach mehr als zehn Jahren – möchte ich endlich wieder ganz praktisch mit Kindern arbeiten. Das wird nie langweilig, man muss kreativ sein und ich mag auch die Verantwortung.
- Nun, die theoretischen Kenntnisse sind bestimmt ein Vorteil. Wir brauchen im Team vor allem jemanden, der sich mit Sprachförderung auskennt.
- Ach, das passt sehr gut. Sprachförderung war während meiner Arbeit als Redakteur ein sehr wichtiges Thema.

Oh, das ist schön. Ich hätte aber noch eine kleine Aufgabe für Sie. Stellen Sie sich vor, Sie sind mit einer Gruppe von 11 Kindern auf dem Spielplatz. Plötzlich haben zwei Kinder einen Streit und …

Panorama V: Der Saal der Menschenrechte in Genf

2 a + b

Ich arbeite jetzt schon seit 14 Jahren als Pförtner hier im Gebäude der Vereinten Nationen und sehe, wer in das Gebäude kommt und wer geht. Das Büro der UNO hat mehr als 1500 Mitarbeiter und Mitarbeiterinnen aus der ganzen Welt und ich kenne natürlich nicht alle. Aber einige sind sehr nett und manchmal unterhalten wir uns auch – meistens auf Englisch, Englisch sprechen hier alle – neben den vielen anderen Sprachen. Also zum Beispiel Madame Ahamdi aus Saudi-Arabien: Sie ist Übersetzerin und Dolmetscherin und spricht fünf Sprachen! Bei allen wichtigen Konferenzen muss sie dabei sein, das ist manchmal stressig. Oder der junge Jean Paul. Wenn jemand ein Problem mit seinem Computer hat, ruft er Jean an und der löst das Problem. Er ist Franzose und spricht auch mindestens drei Sprachen. Das muss er auch, er muss die Menschen verstehen, die ein Computerproblem haben. Ja, und jeden Morgen, pünktlich um acht Uhr dreißig kommt Monsieur Nadolny. Er ist Deutscher und ist sehr höflich und nett, obwohl er ziemlich viel zu tun hat und immer Überstunden macht. Na ja, er arbeitet in der Presse-abteilung und die UNO macht so viel, da muss er viel schreiben. Am nettesten ist aber Madame Burch. Sie ist Event-Managerin, das heißt sie muss sich sowohl um die Leute, die Räume, die Gästelisten als auch um das Essen bei den vielen Konferenzen kümmern. Natürlich hat sie ein großes Team, das ihr hilft, aber sie ist für alles verantwortlich. Und nicht immer läuft alles, aber so ist es nun einmal …

11 Dienstleistungen

1 b + c + d

Oh nein! Nicht schon wieder! Ich war doch zu Hause. Warum hat der Paketbote nicht geklingelt?

Guten Morgen, Frau Mertens.

Hallo, Julia.

Stimmt was nicht?

Ach, die doofe Post! Ich war den ganzen Vormittag zu Hause und trotzdem muss ich jetzt zur Post gehen und ein Paket abholen. Warum hat der Paketbote nicht geklingelt?

Ja, das ist wirklich ärgerlich. Das ist uns auch schon passiert. Vielleicht haben Sie die Klingel nicht gehört …?

Ja, vielleicht. Nur, ich fahre morgen Nachmittag zu meiner Tochter. Sie hat am Wochenende Geburtstag und hat sich gewünscht, dass ich komme. Aber ich

muss noch so viel erledigen … Ich habe mir gerade überlegt, ob ich das alles schaffe. Aber, egal. Wie geht es dir denn? Du hast doch Ferien, oder?

Ja! Ferien sind toll! Heute gehe ich aus – ich bin mit Carla verabredet. Vielleicht gehen wir ins Kino.

Ach, du gehst ins Kino? Wann triffst du dich denn mit Carla? Hast du jetzt noch ein bisschen Zeit? Ich habe noch Kuchen da!

Wir wollen uns um vier im Café treffen und jetzt ist es … eins. Ich habe also noch Zeit … Frau Mertens, kann ich Ihnen vielleicht helfen?

Ach, Julia, das ist eine wunderbare Idee! Du hilfst mir und ich bezahle die Kinokarte. Wie findest du das?

Nein, nein – das ist doch nicht nötig.

Doch, doch.

Was gibt es alles zu tun?

Also, am besten koche ich uns schnell einen Kaffee und wir machen einen Plan. Komm hoch. Schau mal, ich muss mein Kleid zur Reinigung bringen … und meine Bücher und DVDs in die Bibliothek zurückbringen und mir die Haare machen lassen, eine Fahrkarte für morgen kaufen und jetzt muss ich auch noch zur Post.

Hmm, haben Sie beim Friseur schon einen Termin vereinbart?

Ja, warte mal, ich habe mir den Termin notiert. So kann ich es mir besser merken … 15:30 Uhr.

Okay, wenn wir gleich losgehen, schaffen wir es vor zwei Uhr, bei der Reinigung zu sein. Das sollten wir zuerst machen, dann können Sie das Kleid morgen früh abholen. Oder vielleicht wäre es besser so: Ich gehe zur Post und Sie zur Reinigung? Dann schaffen wir gleich zwei Sachen auf einmal.

Ja, das stimmt. Aber es ist besser, wenn du zur Reinigung gehst. Zur Post muss ich gehen, Sie wollen doch immer den Ausweis sehen. Wo habe ich den nur? Ah, hier ist er. Und nach der Post gehe ich zur Bibliothek …

Wie lange brauchen Sie dort?

Hm, ich würde mir gern auch noch zwei neue Romane ausleihen, damit ich im Zug etwas zum Lesen habe. Und vielleicht ein Hörbuch … Ich denke, ich brauche ungefähr eine Stunde.

Oh, das wird aber knapp.

Stimmt, der Friseur ist auch ziemlich weit weg. Ich brauche mit dem Bus eine Viertelstunde. Ach, und die Fahrkarte muss ich auch noch holen.

Das geht am schnellsten am Automaten …

Oh je – das habe ich noch nie gemacht. Ich gehe immer ins Reisezentrum. Ich weiß nicht, ob ich es am Automaten alleine schaffe.

Hm, das Kino ist ganz in der Nähe vom Bahnhof … Wir können uns doch nach der Post und der Reinigung am Bahnhof treffen! Dann helfe ich Ihnen mit den Fahrkarten und kann dann gleich Carla treffen. Und Sie fahren dann zum Friseur. Die Bibliothek ist bis 19 Uhr geöffnet. Sie können also auch nach dem Friseur in die Bibliothek gehen …

🗨 Stimmt. Dann ziehe ich mir jetzt schnell den Mantel an und dann los …

👍 Und … haben wir alles: den Ausweis, den Abholschein und den … Schlüssel …?

🗨 Oh je, der Schlüssel! Er steckt noch in der Tür …

2 a

Ich habe mir gerade überlegt, ob ich das alles schaffe. … Ich habe mir den Termin notiert. … Ich würde mir gern auch noch zwei neue Romane ausleihen. … Dann ziehe ich mir schnell den Mantel an.

12 Das ist aber ein gutes Angebot!

2 a

🗨 Hast du mein Portemonnaie gesehen?

👍 Es lag doch im Flur. Ich habe es dort gesehen.

🗨 Ah, hier ist es ja. Danke. Ich gehe zum Geldautomaten. Ich muss noch Geld holen. Bis später. … Alles in Ordnung, Julia?

👍 Ich hasse spülen.

🗨 Ja, ich weiß. Aber heute ist Dienstag und das heißt: Du bist dran. Und so schlimm ist das doch nicht.

👍 Total schlimm! Bei Tante Bea war das viel cooler. Warum können wir uns eigentlich keine Spülmaschine kaufen? Wir würden so viel Zeit sparen. Du kannst mal Bea fragen. Natürlich nur, wenn du Zeit und Lust hast. So eine Maschine kostet fast nichts. Du kannst dir nicht vorstellen, wie praktisch das ist! Mann, das Spülen dauert doch immer super lange und ich muss mir noch die Haare waschen und föhnen. Ich muss mich schminken und …

🗨 Oh, bist du mit Patrik verabredet?

👍 Kein Kommentar.

🗨 Das schaffst du schon! Das Spülen, meine ich. Sieh mal, es sind doch nur noch der Topf und die zwei Schüsseln. Bis gleich. Und: bleib cool.

👍 Ha ha, sehr witzig.

🗨 Hallo, da bin ich wieder.

👍 Ja, das sehe ich.

🗨 Oh, du siehst aber toll aus!

👍 Überrascht dich das?

🗨 Ja! Du überraschst mich immer wieder!

👍 Na, dann! Ich muss los.

🗨 Viel Spaß.

👍 Danke.

🗨 Hallo, Bea, wir haben gerade von dir gesprochen. … Klar, nur Gutes! Julia ist begeistert von dir … Ja, vor allem von deiner Spülmaschine. Julia hätte nämlich gern eine. Wo hast du deine Spülmaschine denn gekauft? … Ah, im Internet. Okay. Und welches Modell hast du? … Aha. Und bist du zufrieden? … Na ja, besonders leise muss sie bei uns auch nicht sein. Wie viel hast du denn bezahlt? … Okay, das geht ja wirklich. Ich dachte, so eine Maschine wäre teurer. Vielleicht schaue ich auch mal im Internet. Und wie wir wissen, es ist ja bald Weihnachten … Du, Weihnachten kommt ja immer schneller, als man denkt. Aber, wie geht es eigentlich dir? … Ah. … Hmm … Okay …

2 b

1. 👍 Hm. Es lag doch im Flur. Ich habe es dort gesehen.
2. 👍 Du kannst mal Bea fragen. Natürlich nur, wenn du Zeit und Lust hast.
3. 🗨 Oh, du siehst aber toll aus!
4. 👍 Wie viel hast du denn bezahlt?
5. 🗨 Und wie wir wissen, es ist ja bald Weihnachten …

2 c + d

Wie findest du denn das Angebot? – Das ist aber teuer! – Darf ich das Gerät mal ausprobieren? – Das war ja klar!

3 b + c

🗨 Elektro Mager, guten Tag. Sie sprechen mit Susanne Kaminski.

👍 Hallo, hier ist Stefan Bode.

🗨 Guten Tag, Herr Bode. Was kann ich für Sie tun?

👍 Ich habe letzte Woche eine Spülmaschine bei Ihnen ausgesucht. Leider konnte ich nicht mit meiner EC-Karte bezahlen, weil Ihr Kartenlesegerät nicht funktioniert hat. Also haben wir vereinbart, …

🗨 Entschuldigung, ich habe Sie nicht richtig verstanden. Was wurde vereinbart?

👍 … dass ich das Geld überweise und Sie sich dann melden, um mit mir einen Liefertermin auszumachen.

🗨 Und hat sich schon jemand bei Ihnen gemeldet?

👍 Nein, bis jetzt noch nicht.

🗨 Warten Sie, ich sehe kurz nach … Oh, das tut mir leid, das ist ein Missverständnis. Ich habe hier notiert, dass Sie sich melden, um mit uns einen Termin für die Lieferung zu vereinbaren.

👍 Oh, das habe ich dann wahrscheinlich falsch verstanden.

🗨 Kein Problem. Aber ich sehe trotzdem mal nach, ob das Geld bei uns angekommen ist. Wann wurde das Geld überwiesen?

👍 Sofort, am gleichen Tag. Das war der 15. April. Eigentlich ist das Geld dann spätestens am nächsten Tag da.

🗨 Ja, einen Moment. … Komisch, ich kann hier leider keine Überweisung von Ihnen finden.

👍 Das ist aber komisch.

🗨 Hm. Nein, ich finde nichts. … Haben Sie noch einmal auf Ihrem Konto nachgesehen? Vielleicht wurde das Geld doch nicht überwiesen?

👍 Hm. Ich sehe mal nach. Einen Moment bitte … Oh, Sie haben Recht. Die Überweisung wurde nicht angenommen. Aber warum denn? Hier steht: Empfänger unbekannt.

🗨 Soll ich Ihnen unsere IBAN noch einmal geben?

- Ja, gern.
- Also DE 23 100 500 00 261 598 24 36.
- Oh, Moment. Sie haben 24 36 gesagt? Dann ist hier schon der Fehler. Ich habe mir 42 36 notiert. Das tut mir sehr leid. Ich überweise das Geld sofort.
- Wunderbar. Sollen wir vielleicht jetzt einen Liefertermin ausmachen?
- Ja, sehr gern.
- Wie wäre es denn am Freitagvormittag?
- Ja, das geht. Um wie viel Uhr …

Panorama VI: Fiaker, Fahrrad-Rikscha oder Taxi?

2 b + c

1. Mein Name ist Paul Kaiser. Ich arbeite seit 14 Jahren als Fiaker-Kutscher in Wien und meistens macht es mir Spaß. Ich mag es, draußen zu arbeiten. Und ich arbeite gern mit Tieren zusammen. Meine Kunden sind vor allem Touristen. Ich bin also eigentlich ein Stadtführer. Es ist wichtig, dass man immer etwas erzählen kann. Schließlich lebe ich auch von meinem Trinkgeld. Und das gibt es nur, wenn die Kunden zufrieden sind. Es stimmt, in diesem Beruf werde ich nicht reich, aber ich bin mein eigener Chef. Niemand kontrolliert mich oder sagt mir, was ich tun muss. Gut, im Winter kann es schon einmal sehr kalt sein. Aber insgesamt macht mir die Arbeit Spaß. Man lernt Menschen aus der ganzen Welt kennen – und manchmal kommen auch berühmte Leute. Ich habe sogar schon Madonna durch Wien gefahren!

2. Ich heiße Gaby Faistauer und bin seit 25 Jahren Taxlerin in Wien. Ich glaube, das ist kein Beruf, den man sich aussucht. Ich habe als Studentin angefangen, Taxi zu fahren. Und dann bin ich dabei geblieben. Es ist kein Traumjob, aber ich habe Arbeit. Und das ist wichtig. Was ich an dem Beruf mag, ist der Kontakt zu meinen Kunden. Natürlich nur, wenn sie nett sind. Das sind nicht immer alle. Ich fahre viele Touristen zum Beispiel vom Hotel zum Bahnhof oder zum Flughafen. Früher bin ich oft nachts gefahren. Da waren meine Kunden vor allem Wiener, die von einer Bar zu einer anderen fahren wollten. Das ist mir heute aber zu gefährlich – als Frau. Ich fahre übrigens immer noch ohne Navi, so etwas brauche ich nicht. Ich kenne die Stadt wirklich gut. Also, für mich ist der Job okay, mehr nicht. Es gibt weder Weihnachts- noch Urlaubsgeld. Das ist manchmal hart.

3. Ich bin Georg Bach und bin seit einem Jahr als Fahrradtaxler in Wien unterwegs. Fahrradtaxis gibt es in Wien erst seit wenigen Jahren. Im Sommer läuft das Geschäft ganz gut, im Winter ist das ein Problem. Aber ich finde es schön, dass ich bei der Arbeit Sport mache. Es ist für mich wichtig, mich viel zu bewegen. Und ich habe ein gutes Gefühl bei meiner Arbeit, denn die Fahrrad-Rikscha ist ein umweltfreundliches Taxi. Meine Kunden sind vor allem Touristen, aber es gibt auch Leute, die vom Shoppen zur nächsten U-Bahn-Haltestelle fahren wollen. Einige Leute haben mir gesagt, dass es für sie unangenehm ist, dass ich mit Muskelkraft für sie arbeiten muss. Das ist doch Quatsch. Ich habe mir den Job doch ausgesucht!

13 Auf vier Rädern

1 b + c + d

- Hallo, ich bin's!
- Hallo, Julia! Na, wie war die Fahrstunde?
- Gut – sehr gut sogar. Meine Fahrlehrerin hat gesagt, dass ich bald die Fahrprüfung machen kann. Toll, was?
- Die Fahrprüfung? Toll. Die Theorieprüfung musst du aber auch noch schaffen.
- Ja, ja, ich weiß.
- Wenn du den Führerschein hast, können wir ab und zu Carsharing machen. Dann kannst du fahren und …
- Papa, das geht nicht: ‚Ab und zu' reicht nicht. Die Fahrlehrerin meint, Anfängerinnen müssen regelmäßig fahren, sonst vergisst man wieder alles, was man gelernt hat. Es wäre toll, wenn wir ein eigenes Auto hätten. Dann könnte ich dich und Jannis immer zum Fußballtraining bringen. Dann würdest du nicht mehr zu spät kommen!
- Ein eigenes Auto?!?
- Ja, ein eigenes Auto.
- Weißt du, wie viel ein Auto kostet?
- Ja, ich habe im Internet nachgesehen: Einen Gebrauchtwagen kann man schon für Tausend Euro bekommen.
- Ja, das ist aber nicht alles. Ein Auto kostet immer Geld: die Versicherung, die Reparaturen … Und wo sollen wir parken? Hier gibt es doch so wenige Parkplätze, alles ist immer voll.
- Dann mieten wir eine Garage.
- Sag mal, das geht jetzt zu weit. Wer soll das bezahlen?! Und es gibt hier auch keine freien Garagen.
- Du siehst immer nur das Negative! Warum mache ich denn dann den Führerschein? Guck mal, wenn wir ein Auto hätten, dann könnten wir im Sommer am Wochenende ans Meer fahren.
- Das geht auch mit der Bahn.
- Ja, aber nicht spontan und der Zug ist auch teuer.
- Ach, ich komme sehr gut ohne Auto aus.
- Du! Aber ich nicht.
- Nein, ein Auto kommt nicht in Frage. Das ist ausgeschlossen. Fertig.
- Oh, Mann!
- Hallo, ihr beiden! Störe ich? Die Tür war offen …

🗨 Hi, Jannis! Nein, du störst nicht. Komm rein!
👍 Tag, Jannis!
🗨 Hallo, Stefan! ... Was ist denn los?
🗨 Wir diskutieren gerade, ob wir ein Auto kaufen oder nicht.
🗨 Ein Auto! Toll – was für eins? Welche Marke?
👍 Julia ...
🗨 Das wissen wir noch nicht. Findest du nicht auch, dass wir ein Auto brauchen? Hilf mir bitte, Papa zu überzeugen, dass ich nach der Prüfung viel fahren muss.
🗨 Na ja, das stimmt schon, aber ...
👍 Julia, das reicht jetzt, okay? Wir reden später darüber.

2 b + c + 3 a + c

Du greifst nach den Sternen,
ich greife nach dem Schlüssel,
öffne die Tür – 4er BMW mit Satellitenschüssel,
hier wackelt keine Schraube,
jedes Teil ist fest,
und der Motor, der hat 300 PS.

Je mehr Gas ich gebe, desto mehr raucht es,
je länger ich fahre, desto mehr verbraucht es.
Ich würde alles tun für mein Baby,
sie läuft auf vier Reifen und ist trotzdem meine Lady.

In Deutschland musst du Auto fahren,
auf deutschen schnellen Autobahnen.
In Deutschland musst du Auto fahren, je, je, je ...

Ich habe dicke Reifen,
die Sitze sind aus Leder,
die rote Farbe ist neu,
dass sieht wirklich jeder.
Ich fahre durch die Stadt und alle schauen hin,
weil ich der beste aller Autofahrer bin.

Je lauter ich hupe, desto mehr Leute hören mich,
je lauter die Musik ist, desto cooler werde ich.
Ich würde alles tun für mein Baby,
sie läuft auf vier Reifen und ist trotzdem meine Lady.

In Deutschland musst du Auto fahren (s. o.)

6 a + b

🗨 Du, Papa?
👍 Ja?
🗨 Ich finde es ganz toll, dass wir uns jetzt gemeinsam Autos ansehen. Ich freue mich so!
👍 Na ja ... Es ist schon wichtig, dass du fahren kannst. Und ich kann dann manchmal auch zu den Kunden mit dem Auto fahren. Wir schauen aber erst, ob wir ein Auto zu „unserem" Preis finden. Okay? Wir haben gesagt: Wir wollen maximal 5.000 Euro ausgeben.
🗨 Ja, klar! ... Schau mal, wie wäre es mit diesem Wagen hier? Der sieht sportlich aus – und ich liebe rote Autos! Und günstig ist er auch: 4.900 Euro, Baujahr 2012!

👍 Hm. 5.000 Euro – das ist unsere Grenze. Wie ist der Kilometerstand?
🗨 Das weiß ich nicht, komm, wir sehen uns den Wagen an. ... Hier steht es: 56.217 Kilometer.
👍 Das ist schon ziemlich viel. Gut, aber der Lack ist in Ordnung und die Reifen auch. Öffne bitte die Türen und den Kofferraum.
🗨 Hm, die linke Tür hinten schließt nicht so gut.
👍 Okay, ich notiere das und wir fragen dann den Verkäufer.
🗨 Gut, was jetzt?
👍 Ich schau noch unter das Auto. Wir müssen den Wagen gründlich überprüfen. Ich habe extra eine Taschenlampe mitgebracht.
🗨 Und? Wie sieht es aus?
👍 Ich glaube, der Wagen hatte einen Unfall. Man hat ihn gut repariert, aber hier hinten sieht man noch eine Stelle, die ...
🗨 Oh, schade! Dann kaufen wir ihn nicht?
👍 Na ja, mal sehen. Ich weiß noch nicht. Lass uns zuerst eine Probefahrt vereinbaren und die Papiere haben wir auch noch nicht gesehen ...
🗨 Na, gefällt Ihnen der Wagen? Der ist super, sportlich und fast wie neu! Und 4.900 Euro – das ist ein sehr guter Preis!
👍 Ja, er hatte aber einen Unfall. Hinten sieht man noch die Stelle, die repariert wurde.
🗨 Ja, ja, aber das ist nichts Wichtiges!
🗨 Und die Tür, die man nicht richtig schließen kann?
🗨 Das ist eine Kleinigkeit! Die Tür können wir noch reparieren. Aber wissen Sie was? Ich mache Ihnen einen Sonderpreis: 4.000 Euro!
👍 Das finde ich immer noch zu viel. Ich biete 3.000 Euro an.
🗨 3.000? Das ist zu wenig. 3.500 Euro, das ist mein letztes Angebot.
👍 Hm, ich weiß nicht. Ich würde gern zuerst die Papiere sehen und dann kurz mit dem Wagen fahren. Ist das möglich?
🗨 Aber ja, dann warten Sie kurz. Ich hole die Papiere und den Autoschlüssel. Bin in fünf Minuten zurück ...

14 Überzeugende Geschäftsideen

1 b + c

🗨 Was ist das? Woher kommt dieses Ding auf meinen Balkon? Hallo, Jannis!
👍 Hallo Helga, ist meine Drohne hier? Sie ist auf deinem Balkon gelandet.
🗨 Ach, das Ding, das auf meinem Balkon steht, gehört dir?
👍 Ja, ist das nicht toll? Meine neue Drohne!
🗨 Komm herein. Setz dich. Ja, sehr toll. Aber bist du nicht ein bisschen zu alt für so ein Spielzeug?

Das ist doch kein Spielzeug! Das ist die Zukunft! In ein paar Jahren fliegen hier ganz viele Drohnen herum. Warte ab!

Aha. Und deshalb übst du schon mal?

Genau!

Was kann so eine Drohne denn alles?

Oh! Viel. Man kann zum Beispiel eine Kamera installieren und Fotos von oben machen.

Ah ...

Eine Drohne kann an einen Ort fliegen, den du nicht erreichen kannst. Oder sie kann auf unser Haus aufpassen und vor bösen Einbrechern schützen.

Kann sie auch meine Einkäufe nach Hause tragen?

Na ja, wenn du nicht zu viel eingekauft hast, dann ja. Aber im Ernst: Drohnen können heute schon Pakete liefern! Dann musst du nicht mehr auf den Paketboten warten, sondern bekommst deine Post – wann immer du willst – an dein Fenster geliefert.

Und so verlieren Menschen ihre Arbeitsplätze.

Nicht unbedingt! Außerdem steht so eine Drohne nicht im Stau wie ein Auto. Keine vollen Straßen, keine Abgase ...

Und Roboter mähen den Rasen und bauen Häuser – na, ich weiß nicht ...

Du siehst das aber wirklich negativ. Willst du die Drohne auch mal fliegen? Dann komm raus und ich zeige es dir.

Ach, nein. Geh du und spiel weiter.

6 b + c + d

Und weiter geht es mit unserer Sendung „Beruf am Mittag". Unser Thema heute ist: „Wie mache ich mich selbstständig?" Als Experte ist im Studio Dr. Erwin Lojewski. Liebe Zuhörerinnen und Zuhörer, Sie können jetzt Ihre Fragen stellen. Rufen Sie uns an oder schicken Sie uns eine E-Mail mit Ihren Fragen zum Thema Selbstständigkeit. Und da haben wir auch schon den ersten Zuhörer: Hallo, Herr Hauser.

Ja, hallo. Ich habe eine Frage an Herrn Lojewski: Was ist für den Erfolg eines Unternehmens besonders wichtig?

Danke für Ihre interessante Frage, Herr Hauser. Natürlich sind viele Punkte wichtig, wenn Sie als Selbstständiger erfolgreich sein wollen. Zuerst braucht man eine überzeugende und Erfolg versprechende Geschäftsidee. Hier müssen Sie genau prüfen: Besitzen Sie die notwendigen Fähigkeiten, um die geplante Geschäftsidee zu realisieren? Natürlich sollten Sie auch wissen, wer Ihre Kunden sein können.

Welche Rolle spielt die Konkurrenz?

Oh, die kann eine große Rolle spielen. Sie sollten auch wissen, wer die Konkurrenz ist und was sie macht.

Simone Meyer aus Marbach hat uns ihre Frage per E-Mail geschickt. Sie möchte wissen, wie eine erfolgreiche Gründerin bzw. ein erfolgreicher Gründer sein muss, also welche Eigenschaften man haben sollte.

Eine gute Frage! Ich denke, er oder sie muss realistisch sein, er muss aber auch seine Kollegen von seinen Ideen überzeugen und begeistern. Man darf auch keine Angst vor einer größeren Unsicherheit haben. Das kann nicht jeder.

Die nächste Frage kommt von Anne Breuer aus Plochingen.

Ja, hallo. Ich möchte gern ein Restaurant aufmachen. Ich weiß, wie wichtig es ist, zuverlässiges Personal zu haben. Ich kann ja nicht alles allein machen.

Das ist richtig. Man muss lernen, dass man nicht alles selbst machen und kontrollieren kann. Es ist wichtig, dass man gut ausgebildetes Personal findet.

Aber wo finde ich das passende Personal? Ich brauche engagierte Mitarbeiter. Und die gibt es nicht überall.

Ja, das ist richtig. Wissen Sie, ...

Panorama VII: Gotthard-Basistunnel

1 c

Herzlich willkommen, meine Damen und Herren, zu unserer Sendung „Zeitpunkte". Genau vor einem Jahr – am 1. Juni 2016 – wurde nach 17 Jahren Bauzeit – so lange wurde gebaut – der neue Gotthard-Basistunnel eröffnet. Er ist 57 Kilometer lang und damit der längste Eisenbahntunnel der Welt. Bis zu 325 Züge können täglich durch den Tunnel fahren. Der Bau hat 11 Milliarden Euro gekostet und 2.300 Arbeiter waren beim Bau dabei. Das sind alles sehr interessante Zahlen. Wie sieht es aber heute im Tunnel aus? Der Tunnel ist ein Arbeitsort für viele Menschen, die sich darum kümmern, dass Züge und Autos durch den Tunnel sicher fahren können. Drei Menschen, die im Gotthard-Basistunnel arbeiten oder gearbeitet haben, sind unsere heutigen Gäste. Wir starten mit einer kurzen Vorstellungsrunde und der Frage: „Wie fühlt man sich, wenn man im Tunnel arbeitet?" Herr Hägi, wollen Sie vielleicht ...

2 a + b

... Der Tunnel ist ein Arbeitsort für viele Menschen, die sich darum kümmern, dass Züge und Autos durch den Tunnel sicher fahren können. Drei Menschen, die im Gotthard-Basistunnel arbeiten oder gearbeitet haben, sind unsere heutigen Gäste. Wir starten mit einer kurzen Vorstellungsrunde und der Frage: „Wie fühlt man sich, wenn man im Tunnel arbeitet?" Herr Hägi, wollen Sie vielleicht anfangen?

Ja, gern. Also, ich habe bei dem Bau am Gotthard-Basistunnel fünf Jahre lang als Ingenieur gearbeitet. Natürlich ist die Arbeit im Tunnel gefährlich. Neun Arbeiter sind beim Bau des Tunnels gestorben. Für mich persönlich ist es egal, wo ich arbeite. Ich habe ja immer viel Verantwortung, vor allem für die Bauarbeiter. Und es gibt bei jedem Bau Risiken. Damit müssen wir leben. Aber zum Glück ist in meinem Team noch nie ein Unfall passiert. Vielleicht habe ich deswegen nicht so ein großes Problem mit dem Arbeitsplatz Tunnel. Außerdem ist die Arbeit an einem Tunnel besonders spannend. Ich bin sehr stolz, dass ich beim Gotthard-Bau dabei war.

Auch Herr Simoni war dabei – als Bauarbeiter unter der Erde.

Ja, wir haben auch an der Stelle gearbeitet, an der der Berg am höchsten ist – wir waren also 2.300 Meter unter der Erde. Wissen Sie, an den ersten Tagen hat man schon ein komisches Gefühl. Und natürlich weiß man immer, dass die Arbeit gefährlich ist. Darüber darf man nicht nachdenken. Na ja, ich habe es auch vermisst, die Sonne zu sehen. Aber wissen Sie, die Leute, die in einem Kaufhaus oder in einer Werkstatt arbeiten, sehen die Sonne auch nicht. Und wenn man dann selber durch den Tunnel fährt, ist es ein tolles Gefühl zu wissen: Diesen Tunnel habe auch ich gebaut.

Ja, das stimmt natürlich. Und Sie, Frau Jolanda? Wie sehen Sie das als Lokführerin?

Also, ich fahre auf jeden Fall lieber auf den Bergen als durch die Berge. Für mich sind Fahrten im Tunnel besonders anstrengend. Es ist nicht einfach, sich zu konzentrieren, wenn draußen alles gleich aussieht. Wenn ich daran denke, dass der Zug im Tunnel kaputtgehen könnte, dann bekomme ich schon Angst. Aber natürlich ist der Gotthard-Tunnel für viele Menschen ein großes Glück. Die Fahrt durch den Tunnel ist viel schneller und so brauchen sie weniger Zeit, um zur Arbeit oder an ihr Ferienziel zu kommen. Na ja, aber wenn ich wählen kann, fahre ich lieber eine andere Strecke.

Liebe Zuhörer, gleich geht es weiter mit dem Thema „Arbeitsplatz Tunnel". Sie können gern auch anrufen und ihre Fragen stellen – und zwar unter folgender Nummer ...

15 Wilde Nachbarn

3 b + c

Hallo, ihr beiden!

Hallo, Jannis. Was ist denn los? Du siehst wütend aus.

Mann, bin ich auch. Ich habe wieder eine Stunde aufgeräumt! War das ein Chaos ...

Ein Chaos? Wo denn?

Hier im Hof, wo die Mülltonnen stehen. Die Müllsäcke waren alle aufgerissen und der Müll lag überall herum: Müllsäcke, Papier, Speisereste ... Igitt!

Schon wieder? Ich habe den Müll vorgestern weggeräumt.

Das ist ja eklig. In dem Hof spielen doch auch Kinder. Ah, hallo, Frau Mertens! Haben Sie das gehört? Jemand hat schon wieder den Müll aus den Tonnen rausgenommen und über den ganzen Hof verteilt.

Was?

Ja, ich habe gerade alles aufgeräumt.

Wer macht denn so was?

Vielleicht war es jemand aus unserem Haus?

Aus unserem Haus, wo sich alle kennen? Das glaube ich nicht.

Hm, ich frage die Nachbarn. Vielleicht hat jemand etwas gesehen.

Ich habe schon gestern bei Familie Hagen und Herrn Gieseler geklingelt. Die haben nichts gesehen.

Nein, es muss jemand von außerhalb gewesen sein. Wahrscheinlich ist er durch den Zaun hereingekommen – dort, wo das Loch ist ...

Oder er ist ganz einfach durch die Haustür reingekommen, die ist nicht immer zu.

Stimmt. Aber abends wird die Tür doch immer abgeschlossen und das mit dem Müll passiert immer in der Nacht.

Hm, das stimmt. Aber was machen wir denn jetzt?

Na ja, wir müssen selber ...

Detektiv spielen! Ich kann heute Nacht den Hof beobachten – ich sehe aus meinem Fenster genau die Ecke, wo die Mülltonnen stehen.

Hm, keine schlechte Idee. ...

Guten Morgen, Papa!

Guten Morgen!

Schau mal, was ich habe! Ich war gestern bis zwei Uhr wach und habe den Hof beobachtet und ...

Und? Hast du was gesehen? Wer ist es denn?

Schau doch selbst, hier das Foto!

Zeig mal! ... Das ist ja ... ein Fuchs!

6 c

Hallo!

Grüß Gott!

Wir sind vom Süddeutschen Rundfunk und würden gerne wissen, was Sie heute am Tag der Artenvielfalt machen. Haben Sie einen Moment Zeit für uns?

Ja, gern.

Schön. Würden Sie sich bitte kurz vorstellen?

Ja, ich heiße Leo Schmidt und wohne hier in Böblingen. Und das sind meine Kinder, Emilia und Felix.

Hallo!

Hallo!

Hallo, ihr beiden! Macht ihr heute bei dem Tag der Artenvielfalt auch mit?

Ja, wir zählen Vögel!

Wir sollen alle Vogelarten notieren, die wir innerhalb von 24 Stunden hier im Wald entdecken.

Toll! Herr Schmidt, machen Sie dieses Jahr zum ersten Mal mit?

Nein, seit fünf Jahren nehmen wir jedes Jahr teil. Letztes Jahr zum Beispiel haben wir Insekten – Bienen, Fliegen usw. – in unserem Garten gezählt.

Ja, und dieses Jahr sind die Vögel im Wald an der Reihe ...

Ach, das klingt super! Ist es schwierig, die einzelnen Vogelarten zu erkennen? Man sieht hier nur lauter Bäume, keine Vögel.

Man braucht die Vögel nicht zu sehen, wenn man sie hören kann. Wenn man sich gut auskennt.

Papa kennt ganz viele Vögel! Wir haben schon 31 Vogelarten gehört oder gesehen. Ich kenne auch schon viele Vögel. Nur Emilia kann das nicht so gut ...

Einunddreißig Arten! Heute schon? Und es ist erst zehn Uhr morgens. Aber wozu ist das Zählen gut?

Es ist wichtig zu wissen, welche Vögel in diesem Wald leben, damit man sie besser schützen kann.

Und was machen Sie mit den Ergebnissen?

Wir schicken die Zahlen nach der Aktion ab, damit man die Ergebnisse aus allen Aktionen vergleichen kann. So kann man hoffentlich aus der Statistik sehen, welche Arten hier bei uns noch leben und welche man besonders schützen muss.

Das ist natürlich sehr wichtig. Herr Schmidt, ich bedanke mich herzlich bei Ihnen und wir schalten jetzt zurück ins Studio ...

16 Was bringt die Zukunft?

1b + c + d

Schön, dass ihr alle zum Abschiedsessen von Julia gekommen seid. Tja, Julia, morgen geht es also los. Du hast mich überzeugt, dass der Europäische Freiwilligendienst eine gute Sache ist, und wirst jetzt ein Jahr in Irland leben. Dafür wünsche ich dir von Herzen eine sehr schöne Zeit. Dass du viel Neues lernst und gute Erfahrungen machst. Natürlich wünsche ich dir auch, dass du dort glücklich bist, dass dir die Arbeit gefällt und vor allem dass du viele tolle Menschen kennenlernst. Auf dich, Julia!

Auf dich, Julia!

Auf dich! ... Und, Julia? Bist du sehr aufgeregt?

Ja schon, aber ich freue mich sehr, dass es endlich losgeht – Dublin! Da war ich noch nie und ich werde dann in einem Naturpark arbeiten! Wicklow Mountains. Das ist toll. Gleichzeitig bin ich aber auch ein bisschen nervös.

Das ist ganz normal, ab morgen ist alles neu für dich: Du musst dich an neue Menschen, eine neue Umgebung und ein neues Bett gewöhnen. Und das alles auf Englisch, das ist auch eine Herausforderung.

Ja, mein Englisch kann auf jeden Fall besser werden. Der Sprachkurs beginnt schon übermorgen. Dort werde ich bestimmt nette Leute kennenlernen.

Bestimmt. Aber ich verstehe dich gut. Ich bin ja auch etwas nervös ...

Stimmt! Du fängst nächste Woche im Kindergarten an!

Ja. Ich bleibe zum Glück hier wohnen, aber trotzdem bin ich nervös. Bei einem neuen Job ist ein guter Anfang sehr wichtig. Und hoffentlich verstehe ich mich mit den Kolleginnen gut. Und hoffentlich sind die Kinder lieb und es gibt nicht gleich am ersten Tag zu viel Streit ...

Ach, Jannis, ich kenne dich! Du wirst bald der Liebling des Kindergartens sein – sowohl bei den Kindern als auch bei den Kolleginnen. Mach dir keine Sorgen! Aber ich – was soll ich denn machen?

Du?

Ab morgen bin ich ganz allein zu Hause. Und ich arbeite auch alleine hier. Das wird komisch sein.

Aber Stefan, hast du nicht gesagt, dass du ganz viele Pläne hast, wenn du mehr Zeit für dich hast?

Ach – was denn für Pläne?

Musst du denn alles verraten, Helga? Na ja, ich werde mehr Sport treiben, also wieder mit Volleyball anfangen und ...

Dann kommst du auch regelmäßig zum Fußballtraining?

Ja, ja, zum Fußball gehe ich dann auch wieder. Und ... ich werde einen Tanzkurs machen!

Was? Einen Tanzkurs. Du? Mit wem?

Mit Susanne. Ich kenne sie ...

Ach, Susanne! Die nette Frau aus dem Blumenladen?

Tja, auch ich habe Neuigkeiten. Julias Idee hat mir so gut gefallen, dass ich im Internet gesucht habe und den Senioren-Experten-Service entdeckt habe.

Senioren-Experten-Service? Was ist das denn?

Das ist eine Organisation, die Menschen sucht, die ehrenamtlich im Ausland arbeiten und helfen wollen – in ihrem ehemaligen Beruf. Das finde ich toll. Und weil ich Lehrerin war, gut Englisch und Französisch spreche, habe ich mich registrieren lassen.

Das ist ja super! Und jetzt?

Jetzt habe ich eine Nachricht bekommen und kann in einem Monat anfangen – in Kenia!

Wow!

Dort bleibe ich einen Monat und bilde Lehrer und Lehrerinnen an einer Schule aus. Oh – ich bin schon so aufgeregt!

🗩 Und das erzählst du erst jetzt?!

🗩 Na dann: Auf die Zukunft!

🗩 Auf die Zukunft!

🗩 Auf die Zukunft!

4 c

🗩 ... also, es muss ja nicht immer Hollywood sein, aber ich finde, dass nur wenige Filme aus Deutschland wirklich gut sind.

🗩 Ach, Jonas, das stimmt nicht. Es gibt einige Filme, die sind wirklich gut.

🗩 Welcher denn?

🗩 Kennst du zum Beispiel „Knockin' on heaven's door"?

🗩 Das ist doch der Film mit Til Schweiger und Jan Josef Liefers, oder? Zwei Männer haben Krebs und fahren ans Meer. Dabei erleben sie viele verrückte Dinge.

🗩 Ja genau. Es ist doch interessant nachzudenken, was passiert, wenn man wirklich das tut, was man möchte.

🗩 Ich finde, man muss nicht schwer krank sein, um zu überlegen, was man wirklich im Leben möchte. Und stell dir vor: Wenn alle Menschen tun würden, was sie wollen ...

🗩 Ja! Dann wäre die Welt bestimmt viel interessanter.

🗩 Na ja, oder viel chaotischer. Wenn alle machen, was sie wollen und auf keine Gesetze oder Regeln achten, dann würde es viele Probleme geben.

🗩 Ja klar, das geht natürlich nicht. Ich meine nur, dass man nachdenken sollte, was im Leben wirklich wichtig ist. Es ist eine spannende Frage, was man unbedingt noch tun muss oder will, wenn man nur noch wenig Zeit hätte.

🗩 Diese Frage hat man aber auch schon in einigen anderen Filmen gestellt – nicht nur in deutschen.

🗩 Tja, es gibt viele gute Filme, aber manche sollten alle Menschen einmal sehen – finde ich. Und einige Filme könnte man verbieten. Kennst du zum Beispiel ...

Panorama VIII: Nationalpark Wattenmeer

2

🗩 Klaas Janssen, Sie sind Wattführer hier im Nationalpark Wattenmeer. Was macht man als Wattführer?

🗩 Na ja, in der Saison – also von Anfang Mai bis Ende September – führe ich jeden Tag die Touristen durch das Watt. Es macht mir sehr viel Spaß, den Gästen diese besondere Landschaft zu zeigen und zu erklären, wie wichtig sie für die Umwelt ist. Jedes Tier im Watt hat seine Funktion.

🗩 Das klingt spannend.

🗩 Ja, das ist es auch. Die meisten Gäste finden das Watt sehr interessant, einige finden den Boden und die Tiere aber auch ein bisschen eklig.

🗩 Welche Gäste sind Ihnen denn am liebsten?

🗩 Ich mag besonders die Schulklassen. Kinder sind immer neugierig und freuen sich über die Tiere und das Wasser. Sie sehen alles und stellen auch die tollsten Fragen.

🗩 Sie haben das Watt auch als Kind kennengelernt.

🗩 Ja. Mit vier Jahren bin ich das erste Mal im Watt gewesen.

🗩 Und heute leben Sie hier im Norden und das Watt ist Ihr Arbeitsort.

🗩 Das stimmt. Seit 14 Jahren bin ich staatlich geprüfter Wattführer.

🗩 Es gibt also eine besondere Ausbildung für Wattführer?

🗩 Ja, natürlich! Man muss die Landschaft und die Tierwelt sehr gut kennen, denn das Watt ist für Fremde sehr gefährlich.

🗩 Gefährlich?

🗩 Ja, gefährlich. Das Land, wo wir jetzt stehen, wird in vier Stunden zwei Meter unter dem Wasser sein.

🗩 Oh! Das kann man sich jetzt überhaupt nicht vorstellen. Und ist es schwierig, Wattführer zu werden?

🗩 Na ja, die Ausbildung braucht erst einmal viel Zeit. Dann muss man eine Prüfung bestehen und zeigen, dass man eine Gruppe sicher durchs Watt führen kann. Die Ausbildung als Nationalparkführer braucht man dann auch noch. Die muss man alle fünf Jahre wiederholen.

🗩 Alle fünf Jahre? Das ist viel Arbeit ... Wie sieht es im Winter aus? Kommen dann noch Gäste?

🗩 Nein, nicht so viele. Im Winter gibt es nicht viel Arbeit für Wattführer.

🗩 Und was machen Sie dann?

🗩 Im Winter habe ich einen anderen Beruf: Ich bin eigentlich Dieselmechaniker und repariere im Winter die Motoren von den Fischerbooten.

Wortliste _____

Die alphabetische Wortliste enthält den Wortschatz der Einheiten. Zahlen, grammatische Begriffe sowie Namen von Personen, Städten und Ländern sind in der Liste nicht enthalten.
Für das *Goethe-Zertifikat B1* relevante Wörter sind fett markiert.

Die Zahlen geben an, wo die Wörter zum ersten Mal vorkommen – zum Beispiel 1, 1a bedeutet Einheit 1, Übung 1a.
Ein . oder ein _ unter dem Wort zeigt den Wortakzent: ạ = kurzer Vokal, a̱ = langer Vokal.
Ein | markiert ein trennbares Verb: ạb|lehnen.
Bei den Verben ist immer der Infinitiv aufgenommen. Eine Liste der unregelmäßigen Verben finden Sie im Übungsbuch.
Bei den Nomen finden Sie immer den Artikel und die Pluralform: der Ạbschied, -e.
Sg. = dieses Wort gibt es (meistens) nur im Singular.
Pl. = dieses Wort gibt es (meistens) nur im Plural.

A

	ạb und zu	13, 1d
der	Ạbdruck, -ü-e	12, 6b
	ạb|hängen	16, 6a
	ạbhängig	1, 1b
	ạb|hören	6, 1a
	ạb|lehnen	8, 7b
	ạb|nutzen	13, 4a
die	Ạbsage, -n	10, 2d
der	Ạbsatz, -ä-e	16, 6a
	ạb|schaffen Dt. akt. 9/10, 3	
	ạb|stimmen	8, 7a
die	Ạbstimmung, -en	8, 7a
die	Abteilung, -en	1, 6a
	ạb|waschen	12, 1a
der	Ạbschied, -e	6, 7a
	ạchten	1, 5f
der	Ạffe, -n	5, 2b
die	Akademie, -n	10, 1a
	alarmieren	7, 2d
	alleinerziehend	14, 8b
	alleinstehend	2, 4a
	ạllerdings	5, 6a
die	Alternative, -n	14, 8b
	ạn|erkennen	10, 1a
	ạn|gehen	13, 4a
	ạn|legen	6, 1a
	ạn|melden Dt. akt. 5/6, 6b	
	ạn|nehmen	5, 1c
	ạn|schließen	12, 4c
	ạn|wenden	5, 1c
	analysieren	14, 5b
	ạndern (sich)	2, 6b
	ạnders	4, 1b
	ạnderthalb	6, 7a
der	Ạngestellte, -n	14, 7b

die	Ạngestellte, -n	14, 7b
die	Ạnlage, -n Panorama 3, 1a	
das	Ạnmeldeformular, -e	6, 1c
die	Ạnzahl (Sg.)	14, 2c
der	Ạrbeiter, -	8, 2a
die	Ạrbeiterin, -nen	8, 2a
der	Ạrbeitgeber, -	10, 3b
die	Ạrbeitgeberin, -nen	10, 3b
die	Ạrbeitsbedingung, -en	5, 1c
die	Ạrbeitszeit, -en	5, 1c
	ạ̈rgerlich	11, 6b
die	Ạrt, -en	5, 7a
	artenreich	15, 5a
der	Artịkel, -	7, 1f
der	Assistẹnt, -en Panorama 5, 1b	
die	Assistẹntin, -nen	Panorama 5, 1b
der	Assistẹnzhund, -e	6, 7a
das	Asyl, -e	11, 5a
der	Asylsuchende, -n	11, 5a
die	Asylsuchende, -n	11, 5a
	ạtmen	6, 1a
das	**Atọmkraftwerk, -e**	8, 6a
die	Atọmwaffe, -n	8, 6a
der	**Aufenthalt, -e**	9, 6b
	auf|fallen	14, 5d
	auf|geben	5, 7a
	auf|heben	6, 7a
	auf|nehmen	6, 1a
	aufregend	2, 6c
	auf|wachsen	6, 7a
	aus|bilden	14, 6d
	aus|fallen	4, 7b
	aus|fragen	13, 4b
der	**Ausländer, -**	9, 7b
die	**Ausländerin, -nen**	9, 7b

die	Ausleihzeit, -en	11, 4b
	aus|reichen	14, 5a
	aus|schalten	13, 7a
	aus|schließen	13, 1e
das	Aussehen (Sg.)	1, 3c
	aus|suchen (sich)	11, 2a
der	Austausch (Sg.)	11, 5a
	aus|tauschen (sich)	2, 3d
	aus|wandern	9, 4b
der	Auswanderer, -	9, 4b
die	Auswanderin, -nen	9, 4b
die	Auswanderung, -en	9, 6b
das	Auswanderungsland,	
	-ä-er	9, 4d
	aus|ziehen	2, 1b
das	Autokennzeichen, -	8, 2d
der	**Automat, -en**	11, 1a
	automatisch	12, 6a
der	Azubi, -s	5, 1c

B

	babysitten	2, 1b
der	**Babysitter, -**	2, 5a
die	**Babysitterin, -nen**	2, 5a
das	**Bargeld** (Sg.)	11, 6b
der	**Bau, -ten**	8, 2a
der	**Bauer, -n**	3, 2c
die	**Bäuerin, -nen**	3, 2c
die	**Baustelle, -n**	1, 1b
	beạchten	6, 4a
die	**Bedeutung, -en**	8, 4d
	bedienen	5, 1a
die	**Bedịngung, -en**	5, 1c
das	Beet, -e	4, 1a
	befịnden sich	4, 1b

die	Pressesprecherin, -nen	
		Panorama 5, 2a
das	Prinzip, -ien	14, 8b
die	Probefahrt, -en	13, 4a
das	Produkt, -e	3, 2a
	produzieren	
		DACH bekannt, 1a
	programmieren	11, 5a
der	Prospekt, -e	5, 4c
	protestieren	8, 4b
	prüfen	5, 1a
der	Psychologe, -n	7, 5b
die	Psychologin, -nen	7, 5b
das	Public Viewing (Sg.)	7, 3c
die	Pumpe, -n	Panorama 3, 1a
die	Pünktlichkeit (Sg.)	9, 7b
die	Putzfrau, -en	6, 5d
der	Pyjama, -s	6, 4a

Q

die	Qualität, -en	3, 7b
der	Quark (Sg.)	3, 2a

R

der	Rabatt, -e	12, 1b
der	Rand, -ä-er	15, 5a
der	Rasen, -	9, 7b
die	Rate, -n	12, 1b
	raten	2, 2a
	realisieren	14, 5a
	realistisch	9, 4b
die	Realität, -en	3, 7b
	rechnen	14, 2a
das	Recht, -e	8, 7a
die	Redaktion, -en	10, 3d
die	Reform, -en	8, 7a
die	Regel, -n	6, 4a
die	Regie (Sg.)	2, 6b
	regieren	8, 1
die	Regierung, -en	8, 1
der	Regisseur, -e	16, 4b
die	Regisseurin, -nen	16, 4b
das	Reh, -e	15, 5a
	reich	14, 8a
	reichen	2, 1b
	reif	3, 2a
der	Reifen, -	13, 2a
	reinigen	6, 5d

die	Reinigung, -en	11, 1a
der	Rekord, -e	7, 1b
die	Renovierung, -en	
		Panorama 5, 1b
der	Rentner, -	2, 4b
die	Rentnerin, -nen	2, 4b
die	Reparatur, -en	13, 1c
die	Reservierung, -en	
		Panorama 6, 2b
der	Restaurantbesitzer, -	3, 7b
	retten	Panorama 3, 1a
das	Rezept, -e	3, 2a
das	Risiko, Risiken	Panorama 7, 2a
die	Rolle, -n	2, 6b
der	Rollstuhl, -ü-e	6, 7a
der	Roman, -e	5, 7a
der	Romantiker, -	15, 1b
die	Romantikerin, -nen	15, 1b
die	Rose, -n	Dt. akt. 15/16, 1a
die	Roststelle, -n	13, 4a
die	Rückkehr (Sg.)	9, 6b
der	Rückkehrer, -	9, 6c
die	Rückkehrerin, -nen	9, 6c
	rufen	7, 1b

S

der	Saal, Säle	6, 1a
	saftig	3, 7b
die	Saison, -s	3, 2a
der	Salon, -s	5, 1a
der	Satz, -ä-e	1, 6a
	sauer	1, 1b
	saugen	6, 5c
der	Schaden, -ä-	13, 4b
	schaffen	3, 3a
der	Schal, -s	Dt. akt. 11/12, 2
der	Schalter, -	2, 3a
	schätzen	1, 1b
das	Schaufenster, -	7, 3a
der	Scheck, -s	12, 6a
	scheu	15, 5a
	schießen	7, 3a
	schimpfen	5, 1c
	schließlich	9, 7b
die	Schließung, -en	8, 2a
der	Schluss, -ü-e	Dt. akt. 1/2, 3
der	Schlüsseldienst, -e	11, 1a
	schmutzig	Dt. akt. 3/4, 4
die	Schneedecke, -n	4, 6a

die	Schneekanone, -n	4, 4a
	schneesicher	4, 6a
	schonen (sich)	13, 7a
	schüchtern	16, 4a
	schuld	4, 6a
	schulfrei	4, 7a
die	Schüssel, -n	12, 1b
der	Schutz (Sg.)	8, 4c
	schützen	15, 7a
	schwierig	1, 1b
	seit/seitdem	7, 4a
	selb-	14, 2a
	selbstständig	5, 2a
die	Selbstständige, -n	14, 5a
der	Selbstständige, -n	14, 5a
die	Selbstständigkeit, -en	
		Panorama 6, 2c
das	Selfie, -s	3, 7b
der	Senior, -en	6, 7a
die	Seniorin, -nen	6, 7a
das	Shampoo, -s	6, 4a
die	Siedlung, -en	Panorama 1, 1b
	sinken	4, 4a
die	Sitte, -n	9, 7b
	skeptisch	15, 1b
die	Skipiste, -n	4, 6a
	sog. (sogenannt)	7, 5b
der	Solarstrom (Sg.)	14, 8b
	sondern	12, 6b
der	Sonderpreis, -e	13, 6c
	sonst	9, 7b
	sorgen	Panorama 3, 1a
die	Soße, -n	3, 2a
	sowohl ... als auch	9, 4d
	sozial	3, 7b
der	Sozialpädagoge, -n	6, 7a
die	Sozialpädagogin, -nen	6, 7a
die	Spannung (Sg.)	2, 6b
	sparsam	12, 1c
der	Spaziergänger, -	15, 5a
die	Spaziergängerin, -nen	15, 5a
die	Spende, -n	14, 8b
	spezialisieren sich	5, 1c
der	Spezialist, -en	5, 1c
die	Spezialistin, -nen	5, 1c
die	Spezialtour, -en	
		Panorama 6, 2b
der	Spielkamerad, -en	6, 7a
die	Spielkameradin, -nen	6, 7a

	spontan	13, 1c
die	**Spritze**, -n	6, 1a
	spülen	6, 5a
der	**Staat**, -en	8, 1
	staatlich	10, 1a
	ständig	5, 1c
	starten	7, 1b
die	**Statistik**, -en	7, 6a
der	**Staub** (Sg.)	6, 5c
der	Staubsauger, -	12, 1b
die	**Steckdose**, -n	2, 3a
der	**Stecker**, -	2, 1b
	stehlen	16, 4a
	steigen	4, 4a
	steil	13, 7a
die	**Stellenanzeige**, -n	10, 2d
die	**Steuer**, -n	2, 1b
das	Stichwort, -ö-er	3, 7d
	still	11, 5a
die	**Stimmung**, -en	7, 3c
	stolz	6, 7a
die	**Straßenbedingung**, -en	4, 7b
die	**Strategie**, -n	1, 6a
die	**Strecke**, -n	7, 1b
	streichen	6, 5d
der	**Streit** (Sg.)	7, 1b
die	**Studie**, -n	1, 3c
die	**Stufe**, -n	2, 3a
der	**Sturm**, -ü-e	4, 7a
der	**Swimmingpool**, -s	6, 6
das	**System**, -e	15, 1b

T

das	**Tagebuch**, -ü-er	5, 5b
der	**Tagesablauf**, -äu-e	
		Panorama 4, 2a
das	**Talent**, -e	10, 1a
der	**Tänzer**, -	10, 1a
die	**Tänzerin**, -nen	10, 1a
die	**Tätigkeit**, -en	10, 3d
	tatsächlich	3, 3a
der	**Tauschring**, -e	2, 1b
	teamfähig	10, 1a
die	**Technologie**, -n	5, 7a
	teilweise	4, 7b
	telefonisch	11, 4b
die	**Temperatur**, -en	4, 4a
	testen	14, 2a
die	**Theorie**, -n	15, 1b

die	**Therapie**, -n	6, 7a
das	Thermometer, -	4, 7b
	tiefgekühlt	3, 2a
der	**Tod**, -e	16, 4a
die	**Toleranz** (Sg.)	9, 3a
das	**Tor**, -e	7, 3a
der	**Tourismus** (Sg.)	4, 6a
	transportieren	2, 5a
der	**Treffpunkt**, -e	11, 5a
der	**Trend**, -s	2, 1a
die	**Trennung**, -en	1, 1b
das	**Treppenhaus**, -äu-er	2, 3a
	treu	1, 3a
der	**Trick**, -s	1, 6a
das	**Trinkgeld**, -er	7, 1b
	trotz	8, 5a
	trotzdem	1, 1b
der	**Tumor**, -e	16, 4a
der	**Tunnel**, -	Panorama 7, 1

U

	über (temporal)	2, 4b
	überlegen	2, 4b
	übernachten	16, 6a
	überprüfen	13, 4a
	überraschen	12, 2b
die	**Überstunde**, -n	5, 1a
	überweisen	12, 3b
die	**Überweisung**, -en	12, 3b
	überzeugen (sich)	8, 7b
	übrig	15, 5a
	übrig|bleiben	15, 5a
	übrigens	9, 4b
	übrig|lassen	15, 5a
die	**Übung**, -en	5, 5b
das	**Ufer**, -	15, 1a
	um ... zu	8, 6a
	umarmen sich	7, 3a
	um|bauen	Panorama 2, 2b
die	**Umfrage**, -n	8, 7b
	umgekehrt	10, 6a
der	**Umschlag**, -ä-e	10, 6a
der	**Umtausch**, -au-e/-äu-e	11, 6c
	um|tauschen	11, 6b
die	**Umwelt** (Sg.)	4, 1a
der	**Umweltschutz** (Sg.)	8, 4c
	ungefähr	Panorama 1, 1b
die	**Unterhaltung**, -en	2, 6b
die	**Unterkunft**, -ü-e	16, 6a

das	Unternehmen, -	14, 2a
der	**Unternehmer**, -	14, 8b
die	**Unternehmerin**, -nen	14, 8b
	unterrichten	10, 1b
	unterstützen	9, 1a
	untersuchen	6, 1a
die	**Untersuchung**, -en	15, 1b
die	**Ursache**, -n	4, 6a

V

	vage	12, 2b
der	**Vegetarier**, -	Dt. akt. 3/4, 3b
die	**Vegetarierin**, -nen	
		Dt. akt. 3/4, 3b
	verabreden (sich)	1, 3c
die	**Verabredung**, -en	12, 2a
	verändern (sich)	4, 6a
	veranstalten	15, 7a
der	**Veranstalter**, -	15, 7a
die	**Veranstalterin**, -nen	15, 7a
die	**Veranstaltung**, -en	7, 5b
die	**Verantwortung** (Sg.)	5, 1c
	verantwortungsvoll	14, 8a
der	**Verband**, -ä-e	6, 1a
	verbessern (sich)	6, 4a
	verbieten	16, 4c
die	**Verbindung**, -en	1, 1b
der	**Verbrauch** (Sg.)	12, 1b
	verdoppeln (sich)	14, 2a
	vereinbaren	12, 3b
	vergleichen	13, 4a
	verhaften	8, 1
die	Verhandlung, -en	
		Dt. akt. 9/10, 3
der	**Verkehr** (Sg.)	4, 1b
die	Verkehrskontrolle, -n	5, 1c
die	Verkehrsmeldung, -en	7, 6b
das	**Verkehrsmittel**, -	16, 6a
der	**Verlag**, -e	10, 3d
	verlangen	8, 4d
	verlängern	11, 4b
	vermeiden	10, 6a
	vermieten	2, 1b
	vermissen	1, 1b
	verpassen	7, 1b
	verschwinden	Panorama 8, 1b
	versichern	9, 1d
die	**Versicherung**, -en	2, 1b
	versprechen	14, 5a

Quellen

Bildquellen

Cover *U1 + U4* mauritius images/Ingo Boelter; *U2* Cornelsen Verlag / Dr. Volker Binder; *U4 Möwe* Fotolia/leelaryonkul – **S.3** unten Shutterstock/rangizzz – **S.4** 1 Shutterstock/Rocketclips, Inc.; 2 Shutterstock/Stuart Jenner; 3 Fotolia/DragonImages; 4 Fotolia/Bergfee – **S.5** 5.1–2 Cornelsen/Björn Schumann; 6 Shutterstock/Tyler Olson; 7 Shutterstock/jan ta_r; 8 picture-alliance/ZB; 9 Fotolia/Rawpixel.com; 10 Cornelsen/Björn Schumann; 11 Deutsche Bahn AG/Hartmut Reiche; 12 Fotolia/Piotr Pawinski; 13 Fotolia/Kzenon; 14 Fotolia/Robert Kneschke; 15 Fotolia/Sarah Jorand; 16 Cornelsen/Björn Schumann – **S.8** a Shutterstock/Herbert Kratky; b SBB, Schweizerische Bundesbahnen; c Shutterstock/Frederic Legrand – COMEO; d akg-images; e TopicMedia/DTCL; f Shutterstock/charnsitr; g Shutterstock/Shutter-Man; h Cornelsen/Andrea Mackensen; Hintergrund Fotolia/Dirk Petersen – **S.9** 1 Fotolia/sehbaer_nrw; 2 Fraport AG Fotteam/Stefan Rebscher; 3 Swarovski Kristallwelten; 4 Fotolia/Franz; 5 Shutterstock/Bildagentur Zoonar GmbH; 6 Fotolia/tauav; 7 Fotolia/Zerophoto; 8 SBB, Schweizerische Bundesbahnen – **S.10** oben links Fotolia/.shock; oben rechts Shutterstock/Rocketclips, Inc. – **S.11** oben Fotolia/Jeanette Dietl; unten Shutterstock/Rabus Carmen Olga – **S.13** von oben nach unten: 1 Fotolia/Jörg Lantelme; 2 Fotolia/bokstaz; 3 Shutterstock/Jack Frog; 4 Fotolia/Andrey Popov; 5 Fotolia/Saklakova; 6 Fotolia/lagom; 7 Fotolia/Syda Productions; 8 Fotolia/BestPhotoStudio; 9 Fotolia/Antonioguillem – **S.14** Fotolia/Elnur – **S.16** 1 Fotolia/Kzenon; 2 Fotolia/princeoflove; 3 Shutterstock/Stuart Jenner; 4 Shutterstock/Dobo Kristian – **S.18** Cornelsen/Björn Schumann – **S.19** Mitte oben Fotolia/dk-fotowelt; rechts: von oben nach unten: 1 Shutterstock/VCoscaron; 2 Fotolia/upixa; 3 Fotolia/geargodz; 4 Shutterstock/chirajuti; 5 Shutterstock/Grigvovan; 6 Fotolia/Antonioguillem; 7 Fotolia/Adeus Buhai; 8 Fotolia/lpictures; 9 Fotolia/juefraphoto – **S.20** © WIR SIND DIE NEUEN, X Verleih AG. – **S.22** unten: von links nach rechts: 1 Fotolia/HaywireMedia; 2 Fotolia/stockphoto-graf; 3 Fotolia/grafikplusfoto; 4 Fotolia/Wissmann Design; 5 Fotolia/simonkr; 6 Fotolia/stockphoto-graf; 7 Fotolia/ehrenberg-bilder; 8 Fotolia/PRILL Mediendesign – **S.24–25** oben Wolfgang Stich – **S.24** 1 Fotolia/nkarol; 2 Fotolia/Monkey Business – **S.25** 3 Fotolia/sabine hürdler; 4 Shutterstock – **S.26** 1 oben Fotolia/cherylvb; oben (Hintergrund) Fotolia/finepoints; 1 unten Fotolia/anaumenko – **S.27** rechts: von oben nach unten: 1 Fotolia/Jiri Hera; 2 Fotolia/ffphoto; 3 Shutterstock/SOMMAI; 4 Shutterstock/Africa Studio; 5 Fotolia/fovito; 6 Fotolia/Natika; 7 Fotolia/ExQuisine; 8 Fotolia/stevem; 9 Fotolia/suthisak; 10 Fotolia/cook_inspire; Mitte Fotolia/M.studio – **S.28** von oben nach unten: 1 Fotolia/exclusive-design; 2 Shutterstock/Silberkorn; 3 Fotolia/Jacek Chabraszewski; 4 Fotolia/rockvillephoto; 5 Fotolia/drimafilm; 6 Fotolia/Sabine Hürdler – **S.30** Fotolia/DragonImages – **S.32** 1 © OpenStreetMap; 2 Marco Clausen/Prinzessinnengärten; 3 Marco Clausen/Prinzessinnengärten; 4 Marco Clausen/Prinzessinnengärten; 5 Marco Clausen/Prinzessinnengärten; Mitte Prinzessinnengärten; unten Shutterstock/nexus 7 – **S.33** von oben nach unten: 1 Shutterstock/HalynaBahlyk; 2 Fotolia/500cx; 3 Shutterstock/riopatuca; 4 Shutterstock/Alexander Raths; 5 Shutterstock/riopatuca; 6 Shutterstock/Julia Shepeleva; 7 Fotolia/whitestorm; 8 Fotolia/Tatiana Kuzmina; 9 Fotolia/gertrudda – **S.34** 1 Fotolia/zhukovvvlad; 2 Fotolia/JiSign; 3 Fotolia/bettina sampl; unten rechts Collage: Cornelsen/Bettina Schaalburg / Fotolia/bettina sampl – **S.35** rechts: von oben nach unten: 1 Fotolia/Nadalina; 1 (Symbol) Fotolia/nezezon; 2 Shutterstock/Thanapun; 3 Shutterstock/KENG MERRY Paper Art; 4 Fotolia/ Wolfilser; 5 Fotolia/Daniel Prudek; 6–8 Shutterstock/Marian Weyo; 9 Fotolia/Andrey Kuzmin; 10 Fotolia/Jürgen Fälchle; Mitte Fotolia/Bergfee – **S.36** 1. Fotolia/schulzfoto; 3. Fotolia/Kara; (Hintergründe) Shutterstock/diez artwork – **S.38** von links nach rechts: 1 Fotolia/Jürgen Fälchle; 2 Fotolia/mg1708; 3 Fotolia/sushytska; 4 Fotolia/Picture-Factory; 5 Fotolia/connel_design – **S.39** links shutterstock/Igor Travkin; rechts Fotolia/Monkey Business – **S.40** oben links Fotolia/Leigh Prather; rechts VISUM/Mauricio Bustamante – **S.41** links VISUM/Mauricio Bustamante; oben rechts VISUM/Mauricio Bustamante – **S.42** 1–3 Fotolia/olly – **S.43** von oben nach unten: 1 Fotolia/Robert Kneschke; 2 Fotolia/industrieblick; 3 Fotolia/Photographee.eu; 4 Shutterstock/Frederic Legrand; COMEO; 5 Fotolia/industrieblick; 6 Fotolia/rdnzl; 7 Fotolia/Photographee.eu – **S.44** 1 a–d Cornelsen/Björn Schumann – **S.45** Collage: Cornelsen/Bettina Schaalburg /Fotolia/Robert Kneschke – **S.46** Kosmos Verlag/Sarah Brueschke – **S.48** 1 Fotolia/Sandor Kacso; 2 Fotolia/nataliaderiabina; 3 Fotolia/eyetronic; 4 Fotolia/Sherry Young; 5 Fotolia/romankosolapov; 6 Fotolia/s4svisuals; 7 Fotolia/georgerudy; oben Mitte Collage: Cornelsen/Bettina Schaalburg / Shutterstock/robbin lee; a-b Fotolia/ArTo; c–d Fotolia/Konstantin Yuganov – **S.49** rechts: von oben nach unten: 1 Shutterstock / Tyler Olson; 2 Fotolia/gpointstudio; 3 Shutterstock/wavebreakmedia; 4 Fotolia/stockdevil; 5 Fotolia/Photographee.eu; 6 Fotolia/drubig-photo; 7 Shutterstock/ChaNaWiT; 8 Fotolia/stalnyk; 9 Fotolia/Sandor Kacso; Mitte oben Shutterstock/Photographee.eu; Mitte (Symbol 1) Fotolia/thostr; Mitte (Symbol 2) Copyright(C)2000–2006 Adobe Systems – **S.50** Fotolia/Monkey Business – **S.51** 1 Shutterstock/Master-L; 2 Fotolia/Ljupco Smokovski; 3 Shutterstock/Lisa S.; 4 Fotolia/Markus Mainka; 5 Fotolia/Picture-Factory; unten Fotolia/eyeQ – **S.52** oben Vita Assistenzhunde e.V.; Mitte Vita Assistenzhunde e.V./Rolf Zipf-Marks – **S.55** links Fotolia/arsdigital; Mitte Fotolia/spotmatikphoto; rechts Fotolia/industrieblick – **S.56** 1 THW, Bundesanstalt Technisches Hilfswerk/Philipp Schinz; 2 THW, Bundesanstalt Technisches Hilfswerk – **S.57** 3 THW, Bundesanstalt Technisches Hilfswerk; 4 THW, Bundesanstalt Technisches Hilfswerk – **S.58** a (Rahmen) Fotolia/Coloures-pic; a: oben rechts Fotolia/Kara; a: unten Fotolia/Stockfotos-MG; b:(Hintergrund) Fotolia/diez-artwork; c: Nathalie Pohl/Andreas Pohl; c: (Handy) Fotolia/Cobalt – **S.60** links picture-alliance/IMAGNO/Barbara Pflaum; rechts Shutterstock/360b – **S.61** Mitte Fotolia/Lydia Geissler; Mitte (Hintergrund) Shutterstock/diez artwork; rechts: von oben nach unten: 1 links Fotolia/Romolo Tavani; 1 rechts Fotolia/3dmavr; 2 Shutterstock/gpointstudio; 3 Shutterstock/360b; 4 Fotolia/Lydia Geissler; 5 Fotolia/Giorgio Magini; 6 Fotolia/wolandmaster; 7 Fotolia/Monkey Business; 8 Fotolia/Blacky; 9 Fotolia/Smileus – **S.62** oben links Shutterstock/Dmitri Ma; Mitte: von links nach rechts: 1 Fotolia/Syda Productions; 2 Shutterstock/Sudheer Sakthan; 3 Fotolia/goldencow_images; 4 Shutterstock/jan_ta_r; 5 Fotolia/Syda Productions; 6 Shutterstock / antoniodiaz – **S.64** a dpa/Süddeutsche Zeitung Photo; a (Rahmen) Fotolia/Stephanie Zieber; b Fotolia/styleuneed; c Fotolia/Benjamin Merbeth; (Hintergrund) Fotolia/ekostsov – **S.65** d Fotolia/i-picture; f imago stock&people; (Hintergrund) Fotolia/ekostsov; rechts: von oben nach unten: 1 Fotolia/breakermaximus; 2a Fotolia/Jürgen Priewe; 2b Fotolia/winterbilder; 3 shutterstock/360b; 4 FOTOFINDER/Bilderbox/CHROMORANG; 5 shutterstock/Matyas Rehak; 6 Fotolia/Ezio Gutzemberg; 7 Shutterstock/Heiko Kueverling; 8 Shutterstock/Julia Reschke; 9 Fotolia/Gabriele Rohde – **S.66**

a picture-alliance/ZB; b shutterstock/Julia Reschke – **S. 67** Mitte Ekin Deligöz, MdB; Mitte (Hintergrund) Shutterstock/diez artwork – **S. 68** Mitte (Hintergrund) FOTOFINDER/Bilderbox/CHROMORANG; oben rechts Clip Dealer/Carsten Reisinger – **S. 70** von links nach rechts: 1 Fotolia/janvier; 2 Fotolia/Thomas Söllner; 3 Fotolia/Cobalt; 4 Fotolia/Sergio Di Giovanni; 5 Fotolia/Coloures-pic; 6 Fotolia/sdecoret; 7 Fotolia/Moritz Wussow – **S. 72–73** Uwe Müller – **S. 73** rechts (Karte) Fotolia/Artalis-Kartographie – **S. 74** oben Fotolia/Visions-AD; unten (Sterne) Shutterstock/Aminilla – **S. 75** rechts: von oben nach unten: 1 Fotolia/Rawpixel.com; 2 Fotolia/Robert Kneschke; 3 Fotolia/SolisImages; 4 Fotolia/Dreaming Andy; 5 Fotolia/Eisenhans; 6 Fotolia /Felix Loechner; 7 Fotolia/powell83; 8 Fotolia/grafikplusfoto; 9 Fotolia/pixelrobot; links unten Shutterstock/Frederic Legrand, COMEO – **S. 76** Fotolia/K.C. – **S. 80** oben links (Buchrahmen) Shutterstock/diez artwork; oben (Hintergrund) Fotolia/Daniel Ernst – **S. 81** oben: 1–3 Cornelsen/Björn Schumann; oben: 4 Fotolia/rachaw; rechts: von oben nach unten: 1 Fotolia/bluedesign; 2–3 Fotolia/contrastwerkstatt; 4 Fotolia/contrastwerkstatt; 5 Fotolia/Gina Sanders; 6 Fotolia/Gina Sanders – **S. 82** oben links + rechts Cornelsen/Björn Schumann – **S. 84** oben Fotolia/pathdoc – **S. 86** 1 Fotolia/Erwin Wodicka; 2 Fotolia/Christian Müller; 3 Fotolia/Jonathan Stutz – **S. 88 – 89** oben shutterstock/Peter Stein – **S. 89** links shutterstock/ocphoto; rechts shutterstock/BarryTuck – **S. 90** oben links Fotolia/Robert Kneschke; oben Mitte Fotolia/Anna Baburkina; rechts Deutsche Bahn AG/Volker Emersleben; unten links Cornelsen/Andrea Mackensen; unten Mitte Cornelsen/Andrea Mackensen – **S. 91** Mitte links + rechts Fotolia/Elnur; rechts: von oben nach unten: 1 Fotolia/WavebreakmediaMicro; 2 Fotolia/Robert Kneschke; 3 Fotolia/amixstudio; 4 Fotolia/Africa Studio; 5 Fotolia/contrastwerkstatt; 6 Fotolia/contrastwerkstatt; 7 Deutsche Bahn AG/Oliver Lang; 8 Deutsche Bahn AG/Hartmut Reiche; 9 Deutsche Bahn AG/Volker Emersleben; 10 Fotolia/Fotomanufaktur JL; 11 Fotolia/RioPatuca Images – **S. 92** oben rechts Coulor-box.de/Colourbox. com; oben links Fotolia/WavebreakMediaMicro – **S. 93** oben Coulorbox.de/Colourbox. com – **S. 96** oben links Fotolia/Piotr Pawinski; oben rechts Fotolia/alho007; Mitte links Fotolia/Talaj; Mitte links (Label) Fotolia/fusolino; Mitte rechts Fotolia/fd-styles – **S. 97** rechts: von oben nach unten: 1 Shutterstock/Lisa S.; 2 Fotolia/Dan Race; 3 Fotolia/JackF; 4 Fotolia/pikselstock; 5 Fotolia/Gina Sanders; 6 Shutterstock/Peter Gudella; 7 Fotolia/Africa Studio; 8 Fotolia/arborpulchra; 9 Fotolia/Alexander Raths; Mitte (Smileys) Fotolia/Ivan Kopylov – **S. 98** Cornelsen/Björn Schumann – **S. 100** unten (Rahmen) Shutterstock/diez artwork; unten Fotolia/nerthuz – **S. 102** 1. Reihe: 1 Fotolia/Dan Race; 2 Shutterstock/Lisa S.; 3 Fotolia/Robert Kneschke; 4 Fotolia / Alexander Raths; 2. Reihe: 1 Fotolia/arborpulchra; 2 Deutsche Bahn AG/Hartmut Reiche; 3 Fotolia/Africa Studio; 4 Fotolia/amixstudio; 3. Reihe: 1 Shutterstock/Peter Gudella; 2 Fotolia/Gina Sanders; 3 Fotolia/Fotomanufaktur JL; 4 Fotolia/pikselstock;4. Reihe: 1 Fotolia/JackF; 2 Fotolia/Ljupco Smokovski; 3 Fotolia/Markus Mainka; 4 Fotolia/doganmesut – **S. 103** links Fotolia/photosvac; rechts Fotolia/afxhome – **S. 104–105** Fotolia/Ingo Bartussek – **S. 106** Collage: Cornelsen/Bettina Schaalburg / Cornelsen/Andrea Mackensen – **S. 108** Cornelsen/Andrea Mackensen – **S. 109** rechts: von oben nach unten: 1 Fotolia/Andrey Popov; 2 Coulorbox.de/Sutisa Kangvansap; 3 Fotolia/Claudiu S.; 4 Fotolia/Kitty; 5 Fotolia/Photographee.eu; 6 Fotolia/ghazii; 7 Fotolia/Kzenon; 8 Coulorbox.de/Colourbox. com; Mitte links + rechts Fotolia/okunsto – **S. 110** Fotolia/autofocus67 – **S. 111** unten links + rechts Fotolia/okunsto – **S. 112** oben links + rechts Cornelsen/Björn Schumann; unten (Hintergrund) Shutterstock/diez artwork; unten rechts Fotolia/Dan Race – **S. 115** von oben nach unten: 1 Fotolia/zapp2photo; 2 Fotolia/Robert Kneschke; 3 Fotolia/Petinovs; 4 Fotolia/TSUNG-LIN WU; 5 Fotolia/Sinuswelle; 6 Fotolia/contrastwerkstatt; 7 Fotolia/vetkit; 8 Fotolia/Stockfotos-MG – **S. 116** unten dpa Picture-Alliance/picturedesk.com/APA/ Michael Appel; unten (Hintergrund) Shutterstock/diez artwork – **S. 119** von links nach rechts: 1 Fotolia/Mr Doomits; 2 Fotolia/euthymia; 3 Fotolia/Fer Gregory; 4 Fotolia/mtlapcevic; unten Fotolia/Clemens Schüßler – **S. 120 – 121** AlpTransit Gotthard AG – **S. 121** 1 Fotolia/Alexander; 2 Fotolia/Kadmy; 3 Fotolia/Andrey Brusov – **S. 122** links Fotolia/Inga Nielsen; oben Mitte Fotolia/PhotographyByMK; oben rechts Fotolia/EduardSV; Mitte Fotolia/Agentur Kröger; Mitte rechts Fotolia/Gabriele Rohde; unten Mitte Fotolia/andiz275; unten rechts Fotolia/Alexander von Düren – **S. 123** von oben nach unten: 1 Fotolia/Wolfilser; 2 Fotolia/Boris Zerwann; 3 Fotolia/Zerbor; 4 Fotolia/binagel; 5 Fotolia/JFL Photography; 6 Fotolia/mirpic; 7 Fotolia/ArTo; 8 Fotolia/Janina Dierks; 9 Fotolia/unverdorbenjr – **S. 124** Cornelse, Björn Schumann – **S. 125** Mitte fotolia/Sarah Jorand; Mitte (Hintergrund) Shutterstock/diez artwork; rechts: von oben nach unten: 1 Fotolia/DoraZett; 2 Fotolia/hemlep; 3 Fotolia/hfox; 4 Fotolia/Soru Epotok; 5 Fotolia/Wolfgang Kruck; 6 Fotolia/Alexander von Düren; 7 Fotolia/Jeff McGraw; 8 Fotolia/Soru Epotok; 9 Fotolia/iLUXimage/Amadeus Persicke – **S. 126** Coulorbox.de/HighwayStarz – **S. 128** Cornelsen/Björn Schumann – **S. 129** Cornelsen/Björn Schumann – **S. 130** imago stock&people/United Archives – **S. 131** oben Collage: Cornelsen/Bettina Schaalburg / Coulorbox.de/Erwin Wodicka; Mitte (Stift) Fotolia/dessauer; Mitte (Buch) Fotolia/Cla78; rechts (Rand) Fotolia/Dmitri Stalnuhhin – **S. 132** (C) 1987–1996 Adobe Systems Incorporated All Rights Reserved – **S. 133** unten Fotolia/Dmitri Stalnuhhin – **S. 135** Fotolia/Christian Schwier – **S. 136–137** Fotolia/powell83 – **S. 139** links Fotolia/500cx; rechts Fotolia/Jürgen Fälchle – **S. 142** Collage: Cornelsen/Bettina Schaalburg / Cornelsen/Björn Schumann – **S. 143** links Fotolia/photosvac; rechts Fotolia/afxhome – **S. 144** Collage: Cornelsen/Bettina Schaalburg / Cornelsen/Björn Schumann – **S. 145** unten Fotolia/sehbaer_nrw – **S. 146** von oben nach unten: 1 Fotolia/Franz; 2 Fotolia/tauav; 3 Fraport AG Fototteam/Stefan Rebscher; 4 Fotolia/Zerophoto; 5 Shutterstock / Shutter-Man; 6 Shutterstock/Herbert Kratky; 7 SBB, Schweizerische Bundesbahnen – **S. 152** von links nach rechts: 1 Fotolia/Soru Epotok; 2 Fotolia/Jeff McGraw; 3 Fotolia/Alexander von Düren; 4 Fotolia/esvetleishaya; 5 Fotolia/hfox; 6 Fotolia / artush; 7 Fotolia/DoraZett; 8 Fotolia/Wolfgang Kruck; 9 Fotolia/iLUXimage/Amadeus Persicke; 10 Fotolia/hemlep

Mehrfache Verwendung für Hintergrund **und Rahmen:** Papierausriss: Shutterstock/Picsfive; Screenshot-Rahmen: Shutterstock/wessley

Textquellen

S. 67 Ekin Deligöz, MdB, Interview mit Cornelsen – **S. 78** Nicol Ljubić, Erschienen im Magazin #26 der Kulturstiftung des Bundes (S. 28)

PANORAMA
Deutsch als Fremdsprache

Kursbuch B1

Im Auftrag des Verlages erarbeitet von
Carmen Dusemund-Brackhahn, Andrea Finster, Dagmar Giersberg, Steve Williams
sowie Ulrike Würz (Phonetik) und Ute Voß (Grammatik-Animationen)

In Zusammenarbeit mit der Redaktion: Andrea Mackensen
Redaktionelle Mitarbeit: Claudia Groß, Steffi Borneleit

Beratende Mitwirkung: Bernhard Falch (Innsbruck), Olga Kalmykova (Stockholm), Sibylle Köberlein Farah (Zürich),
Nuray Köse (Izmir), Verena Paar-Grünbichler (Graz), Ana Garcia Santos (Barcelona), Ute Voß (Frankfurt am Main)

Umschlaggestaltung: Rosendahl Berlin, Agentur für Markendesign
Layout und technische Umsetzung: Klein & Halm Grafikdesign, Berlin
Illustrationen: Bianca Schaalburg (S. 34, 45, 48, 78, 97, 106, 113, 131, 142, 144),
Tanja Székessy (S. 22, 26, 29, 49, 71, 86, 87, 91, 94, 107, 109, 141, 145)

Symbole

 Hörtext auf CD   Zielaufgabe

 Videoclip auf DVD   zusätzliches Augmented-Reality-Material

Soweit in diesem Lehrwerk Personen fotografisch abgebildet sind und ihnen von der Redaktion fiktive Namen,
Berufe, Dialoge und Ähnliches zugeordnet oder diese Personen in bestimmte Kontexte gesetzt werden, dienen
diese Zuordnungen und Darstellungen ausschließlich der Veranschaulichung und dem besseren Verständnis
des Inhalts.

www.cornelsen.de

Die Webseiten Dritter, deren Internetadressen in diesem Lehrwerk angegeben sind, wurden vor Drucklegung
sorgfältig geprüft. Der Verlag übernimmt keine Gewähr für die Aktualität und den Inhalt dieser Seiten
oder solcher, die mit ihnen verlinkt sind.

1. Auflage, 1. Druck 2017

Alle Drucke dieser Auflage sind inhaltlich unverändert und können im Unterricht nebeneinander verwendet werden.

© 2017 Cornelsen Verlag GmbH, Berlin

Druck: Grafisches Centrum Cuno GmbH & Co.KG, Calbe

ISBN 978-3-06-120523-2

PEFC zertifiziert

Dieses Produkt stammt
aus nachhaltig
bewirtschafteten Wäldern
und kontrollierten Quellen

PEFC/04-31-1370   www.pefc.de